Wickede, J.

Memoiren eines Legitimisten von 1770-1830

2. Band

Wickede, Julius von

Memoiren eines Legitimisten von 1770-1830

2. Band

Inktank publishing, 2018

www.inktank-publishing.com

ISBN/EAN: 9783747795682

Memoiren

eines

Legitimisten

von

1770 — 1830.

Nach handschriftlichen Tagebüchern, Briefen und
Aufzeichnungen aus dem Nachlasse des Marquis
Henri Gaston de B..........

herausgegeben

von

Julius von Wickede.

Motto: A Dieu mon âme,
Mon épée au roi,
Mon coeur aux dames,
L'honneur pour moi!

Zweiter Band.

Potsdam, 1858.

Verlag von August Stein (Riegel'sche Buchhandlung).

Erstes Capitel.

Aufenthalt auf der Insel Wight. Ungeschickte Ärzte. Rettung meines verwundeten Fußes durch einen geschickten Schiffsarzt. Gefährliche Erkrankung. Wiedergenesung. Theilnahme an der Expedition nach der Halbinsel Quiberon. Planlose Leitung und unglücklicher Ausgang derselben. Blutige Kämpfe. Ermordung aller gefangenen legitimistischen Officiere. Treubruch von Seiten der Republikaner. Chouanerie. Glückliche Überfälle. Ankunft auf der Insel Dieu bei Seiner Königlichen Hoheit, dem Grafen von Artois. Zustand der Englischen und Französischen Truppen. Schlechte Aussichten für eine neue Landung. Abermalige Sendung nach Frankreich. Verkleidung. Republikanischer Waffenruhm.

———

Eine für mich glückliche Fügung Gottes wollte es, daß ich auf der Insel Wight Menschen fand, die sich mit Rath und That meiner ungemein annahmen. Die Matrosen des Englischen Schmugglerschiffes, was mich dorthin gebracht hatte, trugen mich, der ich vor Schmerz und Erschöpfung meiner selbst kaum mehr mächtig war, zuerst in ein kleines Häuschen, in dem ein alter Fischer mit seiner Tochter wohnte. Er war der Bruder vom Capitain des Schmugglerschiffes und erklärte sich auf dessen Fürsprache sogleich bereit, mir ein stilles Kämmerchen in seinem Hause abzutreten. Mit wohlthuender Freundlichkeit sorgte die Tochter, in derem jugendlich schönen Gesicht wahres Mitleid mit meiner hülflosen Lage zu erkennen war, daß das Kämmerlein reinlich und wohlgelüftet und das Bett gut bereitet und frisch überzogen wurde. Das Erste, wonach ich verlangte, war ein Arzt, denn mein verwundeter Fuß war ganz dick angeschwollen und die bereits in Fäulniß übergegangene Wunde schmerzte fürchterlich. Der Arzt erschien, besichtigte mich genau und gründlich, schüttelte den Kopf, machte eine sehr weise Miene und erklärte dann endlich mit dictatorischer Bestimmtheit, „mein Fuß müsse ohne Weiteres im Hüftgelenk abgenommen werden, widrigenfalls ich in den nächsten Tagen eine sichere Beute des Todes sein würde." Das waren denn freilich keine tröstlichen Worte und die Aussicht, als Krüppel mit nur einem Fuße mein ferneres Leben verbringen zu müssen, erschreckte mich so, daß ich fast in unmännliche Klagen darüber ausgebrochen wäre. Ich erkundigte mich, ob nicht noch ein zweiter Arzt auf der Insel zu finden sei, denn ich wollte doch das Äußerste versuchen, bevor ich meinen ganzen Fuß opferte. Man brachte mir nun noch einen Chirurgen, der aussah, als würde er meinem sehr verwilderten Barte wohl bessere Dienste, als meinem Fuße leisten können, doch da er nun einmal da war, so wurde auch dieser würdige Mann von mir um seinen ärztlichen Rath befragt. Er schien sich darüber sehr geschmeichelt zu fühlen, zog sein Gesicht in noch viel gelehrter aussehen sollende Falten, als sein College und erklärte dann ebenfalls mit unumstößlicher Gewißheit: „dieser eine Fuß müsse herunter; ja es sei zweifelhaft, ob nicht auch an dem anderen Fuße, der eine leichte Quetschung erhalten hatte, die freilich jetzt auch sehr vernachlässigt aussah, ebenfalls eine Operation nothwendig sein würde." Da war ich denn vom Regen in die Traufe gekommen, und der Kerl sah aus, als könne er kaum die Zeit erwarten, mir den einen oder lieber noch beide Füße sogleich abzuschneiden. Jetzt, da ich diese Zeilen niederschreibe, kann ich freilich über den Eifer der beiden Ärzte lächeln, in dem Augenblick aber, als ich wirklich fürchten mußte, meinen Fuß den Amputirmessern in ihren ungeschickten Händen verfallen zu sehen, hatte ich ganz andere Gefühle.

Glücklicher Weise erinnerte sich jetzt die Tochter des Fischers, daß ein pensionirter Schiffsarzt der Englischen Flotte, der ein alter, finsterer, aber auch sehr geschickter Mann sein sollte, einige Englische Meilen entfernt, in einem einsamen Landhause lebte. Mr. Hughes, so hieß er, hatte zwar schon alle Praxis längst aufgegeben und beschäftigte sich nur mit Fisch- und Vogelfang, doch wurde erzählt, daß er in seltenen Ausnahmefällen besonders schwierige Kuren mit großem Erfolge unternommen habe. Ein unbewußtes inneres Gefühl sagte mir sogleich, daß dieser Mann der einzige Arzt auf der ganzen Insel sein würde, der mir helfen könne. Mit vor Schwäche zitternder Hand schrieb ich ihm einige Zeilen, nannte ihm meinen Stand, meine Wunde, die Gelegenheit, bei der ich solche erhalten hatte, und bat ihn — wenn irgend möglich, baldigst zu mir zu kommen. Mit großer Sorge und doch wieder mit dem Gefühl der Hoffnung, harrte ich der Antwort des Arztes. Trotz des sehr schlechten Wetters kam der menschenfreundliche Mann sogleich in später Nachtstunde. Seine ganze Kleidung war zwar die eines gewöhnlichen Fischers; er war auch so eben erst vom Fischfange heimgekehrt, als er mein Schreiben erhielt, und sein Benehmen etwas polternd und doch hegte ich sogleich unbedingtes Vertrauen zu ihm und beschloß, mich seiner Entscheidung, mochte diese nun ausfallen wie sie wollte, unbedingt zu unterwerfen. Beim Schein einiger großer Pechfackeln, wie solche die Fischer mitunter bei ihrem nächtlichen Fischfange gebrauchen, untersuchte Mr. Hughes nun meine Wunde. In wenigen Augenblicken erklärte er in seiner kurzen Weise: „Geschnitten

müſſe zwar ſehr viel dabei werden, denn die Wunde ſei
arg vernachläſſigt, aber nur das wilde Fleiſch heraus,
und kein Knochen ab, denn eine Amputation ſei unnütz,
und die beiden Ärzte, die dies behauptet, hätten, wie
überhaupt bei jeder Gelegenheit, abermals bewieſen, daß
ſie große Stümper wären." Das waren denn ſehr er=
freuliche Worte für mich. Ich ward nun auf einen gro=
ßen Tiſch gelegt, zwei Fiſcher faßten meine Arme, zwei
andere meine Füße, damit ich vor Schmerz nicht etwa
zucken möge. Mr. Hughes ordnete bedächtig ſeine In=
ſtrumente und ſchnitt dann lange und herzhaft in meiner
Wunde herum, wobei er mitunter halblaut einige mir
unverſtändliche Engliſche Redensarten vor ſich hinbrummte.
Zwei Fiſcher leuchteten hierbei mit ihren Fackeln, wäh=
rend Mary, ſo hieß die freundliche Tochter des Hau=
ſes, in aller Eile einige Verbände aus ihrem ſpärlichen
Vorrath grober Leinwand bereitete.

Die Operation dauerte faſt eine halbe Stunde und
war ungemein ſchmerzlich, aber dennoch hatte ich wäh=
rend derſelben das frohe Gefühl, daß mein Fuß gerettet
ſei und Dankgebete zu Gott dem Herrn für ſeine Gnade,
die er mir wieder jetzt bewieſen, entſtiegen meiner Bruſt.
Nach der Operation fiel ich in eine tiefe Ohnmacht.

Über zwei Monate dauerte es, bis der wackere Mr.
Hughes, der mich ſtets mit unermüdlicher Sorgfalt
behandelte, meinen Fuß ſo weit herſtellte, daß ich an

einer Krücke etwas im Zimmer umherhinken konnte. — Wiederholt waren während dieser Zeit noch einige kleinere Operationen erforderlich gewesen und auch meine anderen Wunden, die ich früher bekommen hatte, erhielten einige Ausbesserungen. Für alle diese menschenfreundlichen Bemühungen weigerte sich Mr. Hughes aber auf das Bestimmteste, nur das mindeste Honorar anzunehmen. Auch die Fischerfamilie, bei der ich wohnte, pflegte mich fortwährend mit großer Sorgfalt und die Rechnungen, welche ich dafür zu zahlen hatte, waren höchst mäßig.

Kaum war mein Fuß so weit wieder genesen, daß ich das Lager auf einige Stunden täglich verlassen konnte, so ergriff mich ein sehr heftiges Nervenfieber und brachte mich dem Rande des Grabes nahe. Die furchtbaren Leiden der Seele und die beständigen Strapazen des Körpers, die ich in den letzten fünf Jahren fast unausgesetzt hatte ertragen müssen, äußerten erst jetzt, wo die Ruhe eintrat und die stete Spannung aufhörte, ihre bösen Nachwirkungen. Ich war recht, recht krank und soll ganze Nächte hindurch in den wildesten Fieberphantasien gelegen haben. Die Bemühungen meines menschenfreundlichen und geschickten Arztes, die sorgfältige Pflege der gutmüthigen Fischerfamilie und meine eigene abgehärtete Körperbeschaffenheit, stellten mich jedoch, Dank sei es Gottes Gnade, gänzlich wieder her. Als die erste Frühlingssonne die Insel Wight beschien, konnte ich auch das

Häuschen schon wieder verlassen und mich ihrer milden
Wärme erfreuen. Von Woche zu Woche ward ich jetzt
wieder kräftiger und die gesunde und einfache Nahrung,
die ich genoß, die regelmäßige Lebensweise, die ich führte
und die wohlthätigen Seebäder, die ich täglich nahm,
obgleich das Wasser mitunter noch sehr kalt war, gaben
mir bald die frühere Kraft und Gesundheit des Körpers
wieder. Im Juni des Jahres 1795 fühlte ich mich wie=
der stark genug, um auf's Neue in die Reihen der Käm=
pfer für das legitime Königthum in Frankreich einzutre=
ten. Ich hatte oft in der letzten Zeit, wenn ich das
friedliche Leben der Bewohner dieser schönen Insel Wight
betrachtete und ihre Genügsamkeit und ihr stillbescheidenes
Glück im Kreise ihrer friedlichen Familien mit dem wil=
den, sturmbewegten Leben, was ich seit 1788 hatte füh=
ren müssen, verglich, eine Art innerer Sehnsucht nach
einem gleichen Dasein gefühlt. — Meine Hand war es
müde geworden, stets den scharfen Säbel gegen das Le=
ben meiner Mitmenschen zu führen; mein Auge schau=
derte vor den wilden, blutigen Scenen, die es nur zu
oft schon hatte erblicken müssen. Ich dachte es mir schön,
in irgend einer stillen, ganz von dem Geräusch der Welt
abgelegenen Gegend mir ein kleines Häuschen mit eini=
gem Feld zu kaufen, meinen Kohl selbst zu bauen, meine
Fische zu fangen und meine Büchse nur auf das Wild
des Feldes, statt wie bisher so häufig, auf meine Feinde

1*

abzudrücken. Aber nur auf Stunden kamen diese fried=
lichen, weichherzigen Gedanken in meine Brust; dann
verbannte ich solche sogleich wieder, denn meine Pflicht
verlangte dies. Das Schicksal hatte mich zum Träger
eines uralten Adelsnamens der Bretagne gemacht und
so mußte ich auch diesem Namen alle Ehre machen. In
dieser Zeit des größten Kampfes zwischen dem verruchten
Princip der Revolution und dem heiligen der Legitimi=
tät, durfte ich nicht feige die Hände in den Schooß le=
gen, mich nicht einer träumerischen Ruhe hingeben, denn
ich hätte alsdann schwach und erbärmlich und nicht wie
ein alter, echter Edelmann, wozu Gott mich durch meine
Geburt gemacht hatte, gehandelt. Jetzt, wo das legi=
time Königshaus meines Vaterlandes der Streiter für
seine Rechte bedurfte, war mein Platz in den ersten Rei=
hen derselben. Wenn mir dabei auch der Gedanke wieder
aufstieg, daß meine gesammte Familie, ja fast alle meine
Freunde, unter dem Henkerbeil dieser Revolution schon
gefallen waren, und daß diese mir Alles vernichtet hatte,
was mir das Leben noch theuer machen konnte, so er=
wachte plötzlich die Lust zur Rache mit neuer Stärke in
meinem Herzen, ich sehnte mich nach Kampf und Blut=
vergießen und konnte den Augenblick kaum erwarten, wo
ich meinen Stahl in die Brust der verhaßten Feinde wie=
der einbohren durfte. — Im Monat Juni war also
mein Körper wieder so weit gekräftigt, daß mich Mr.

Hughes für tüchtig genug erklärte, mir neue Wunden holen zu können. Mein Dank für den wackeren Arzt, der unter einer rauhen und schroffen Außenseite ein warmes Herz und einen edelmüthigen Charakter bewahrte, war groß und aufrichtig. Für seine Bemühungen verschmähte er, wie bemerkt, jedes Honorar und meinte, ich solle mein Geld nur zum Kampf gegen diese schurkischen Jakobiner, die er wo möglich noch mehr wie ich selbst haßte, verwenden. Als ein echter Engländer liebte Mr. Hughes überhaupt die Franzosen nicht sonderlich, hatte aber Tact genug, diese Abneigung gegen meine Landsleute mir gegenüber möglichst zu verbergen, und nur auf die Demokraten zu schelten. Hierdurch verletzte er mich nicht und traf auf keinen Widerspruch. Auch von der wackeren Fischerfamilie, die mich so sorgsam gepflegt hatte, nahm ich herzlichen Abschied und es war mir ein wehmüthiges Gefühl, als ich die von Arbeit gehärteten Hände dieser guten Leute zum Letztenmal drückte. Der schönen Mary, die bald Hochzeit mit einem jungen tüchtigen Fischer machen wollte, schenkte ich noch einen kleinen Hochzeitsschmuck, der sie sehr erfreute.

Gerade zur Zeit, als ich die Waffen wieder tragen konnte, wurde von den Engländern eine große Expedition ausgerüstet, die in der Bretagne landen sollte, um sich mit den Chouans in Verbindung zu setzen. Zwei Jahre früher, als unser Krieg in der Vendée so recht entbrannt war, hätte diese Expedition unzweifelhaft den größten Erfolg gehabt; jetzt war solcher aber schon ungleich schwieriger. Die Hälfte der rüstigen Männer in der sogenannten Vendée hatten ihre Treue für den König mit ihrem Blute besiegelt und war auf den Schlachtfeldern oder der Guillotine gefallen; die zurückgebliebenen aber fühlten sich ermattet und verlangten mehr nach Ruhe, um die geringen Trümmer ihres Besitzes wieder zu ordnen. Dazu waren fast alle die Führer des Kampfes gefallen und wenn auch Stofflet und Charette noch lebten, so besaßen diese doch lange nicht einen gleichen Einfluß, als ihn Cathelineau, Elbée, Lescure, Bonchamp und vor Allem Larochejacquelin in so hohem Grade gehabt hatten. So war leicht vorauszusehen, daß die ganze Vendée jetzt nicht mehr die gleiche Kraft, wie im Jahr 1793 entfalten würde. Die Chouanerie in der Bretagne hatte aber aus den Gründen, die ich früher anführte, niemals dieselbe Bedeutung. Eine Menge der kühnsten Chouans war ebenfalls in den beständigen Kämpfen der Jahre 1793 — 1795 schon gefallen und die verschiedenen Führer konnten weder so zahlreiche, noch so tüchtige Schaaren mehr zusammenbringen. Die große Amnestie, welche der Convent in Paris am 2. December 1794 für alle Kämpfer in der Vendée und Bretagne erlassen hatte, war für unsere Sache nicht ohne schädlichen Einfluß geblieben, denn sie bewog manche Bauern, besonders solche, die Weib und Kind besaßen, die Flinte des Chouans wieder mit der Sense des Landmanns zu vertauschen. Mehrere Briefe, die ich im Frühling 1795 aus der Bretagne erhielt, besonders auch von dem alten Waldhüter, dem Vater meines erschossenen Pierre, meldeten mir diesen Zustand der Verhältnisse in zwar schmuckloser, aber dafür auch wahrer Sprache.

Ich verließ am 2. Juni die Insel Wight, begab mich nach London und von dort ohne Aufenthalt nach Edinburg, wo Seine Königliche Hoheit der Graf von Artois damals residirte, da dieser gewünscht hatte, mich persönlich zu sprechen. Ich wurde von Seiner Königlichen Hoheit mit vieler Huld empfangen und bekam manches unverdiente Lob über meine Theilnahme an den Kämpfen in der Vendée und Bretagne zu hören. Es ward mir alsdann der Wunsch zu erkennen gegeben, daß ich mich der beabsichtigten Expedition nach Frankreich anschließen möge, und da ein solcher Wunsch für mich natürlich ein Befehl war, so rüstete ich mich sofort zu diesem neuen Feldzuge. Am 14. Juni kam ich in Portsmouth an, von wo aus unter Befehl des Englischen Admirals Warren die erste Expedition abgehen sollte. Gleich am ersten Tage, da ich im Hauptquartier ankam, fand ich einen alten Freund, den Marquis de Guebriant daselbst, der mir über Vieles die nöthige Auskunft geben konnte.

Leider klangen seine Berichte nichts weniger als freudig und das, was ich selbst sah und hörte, bestätigten seine Worte nur zu sehr. Mit der großen militairischen Ungeschicklichkeit, welche die Engländer stets bei allen ihren kriegerischen Unternehmungen bewiesen haben (später im Spanischen Kriege von 1809 — 1814 hatte ich nur zu viele Beweise hiervon), ward auch diese Expedition wieder unternommen. Man sparte kein Geld und hatte Soldaten, welche muthig darauf schlugen; hierauf allein verließ man sich und versäumte alle weiteren Bemühungen, die einen günstigen Erfolg sichern konnten. Dabei traf ich unter vielen Englischen Officieren gänzliche Ignoranz und häufig so beschränkten Hochmuth und einen so lächerlichen Nationaldünkel, daß ich nicht wußte, ob ich darüber lachen oder mich ärgern sollte.

Auch die Truppen, die England zu dieser Expedition ausrüstete, taugten größtentheils nicht viel. Man dachte, wenn man nur so und so viel 1000 Menschen am Bord der Kriegsschiffe zusammenbrächte, so würde dies genügen; von welcher Beschaffenheit solche aber wären, darauf käme es weiter nicht sonderlich an. So rekrutirte man die zum Landen bestimmten Regimenter vielfach aus den gefangenen Französischen Republikanern, die in England auf den Blockschiffen aufbewahrt wurden. Natürlich ließen diese Kerle sich gern anwerben, da sie dadurch der schlechten Behandlung, welche die Engländer gegen alle ihre Kriegsgefangenen stets ausgeübt haben, entgingen und den Vorsatz hatten, bei unserer Landung in Frankreich so schnell als möglich wieder zu desertiren. In welcher großartigen Weise solcher ausgeführt wurde, beweist der Umstand, daß von einer einzigen dieser so zusammengebrachten Compagnien gleich in den ersten Tagen nach unserer Landung bei Quiberon, nicht weniger als 63 Mann desertirten.

Am 16. Juni segelte unsere Flotte aus Portsmouth ab. Geld, Waffen und Munition hatten wir genug am Bord der Schiffe, alles Übrige war nur mittelmäßig oder gar schlecht bestellt, und ich hegte ein unzweifelhaftes Vorgefühl, daß diese ganze Expedition ein unglückliches Ende nehmen würde. Nun, ich hatte nicht zu rathen, sondern nur zu gehorchen und that dies denn auch nach besten Kräften. Der Graf d'Hervilly, früher Oberst des Regiments Rohan-Soubise, der jetzt zweiter Befehlshaber unserer Landungstruppen war, hatte mich zu seinem Adjutanten ernannt, und ich gab mir alle Mühe, diesen neuen Posten möglichst genügend auszufüllen. Angenehm war meine Stellung nur in so fern, daß mein unmittelbarer Chef, Graf d'Hervilly, einen ebenso liebenswürdigen als tapferen Charakter besaß und mich stets mit großer Güte behandelte; sonst gab es der Unannehmlichkeiten aller Art nur zu viele. Es fielen Zwistigkeiten und Rangstreitigkeiten, selbst sogar unter

den Französischen Officieren vor, und man hatte stets
nur zu schlichten und möglichst zu versöhnen. Besonders
unangenehm war mir übrigens der tägliche dienstliche
Verkehr mit dem Englischen Admiral Warren und den
meisten Officieren seines Stabes, obgleich unter letzteren
sich doch auch einige sehr angenehme Männer, die wahre
Gentlemen waren, befanden. Der Admiral selbst zeigte
sich stets roh und insolent, und ich hatte oft meine ganze
Kraft der Selbstbeherrschung nöthig, um seine groben
Manieren ruhig zu ertragen.

Unsere Überfahrt war sehr ungünstig und da unter
den Transportschiffen manche sehr schlechte Segler sich
befanden, so kamen wir nur langsam aus der Stelle.
Der Englische Admiral beschloß in widersinniger Hart=
näckigkeit, daß die Landung auf der Halbinsel Quiberon
statt finden sollte. Die Flotte fand freilich in der Bay
von Quiberon einen sehr guten Ankergrund, sonst aber
hätten wir an der ganzen Bretagnischen Küste keinen für
unsere Zwecke ungünstigeren Landungsplatz ausfinden kön=
nen, als gerade den jetzt gewählten. Wir ehemaligen
Führer der Chouans, welche alle Verhältnisse des Lan=
des genau kannten, waren alle gleicher Ansicht und setz=
ten eine Schrift für den Admiral auf, in der die sehr
vielen Nachtheile, welche die Landung bei Quiberon her=
beiführen würde, auf die klarste Weise dargelegt wurden.
Wir hätten in der Gegend bei Morbihan landen müssen,

wenn wir einigen Erfolg erringen wollten und nicht auf dieser unglücklichen flachen Halbinsel. Was helfen aber alle Gründe der Vernunft gegen einen so hartnäckigen Engländer, der eine fixe Idee im Kopfe hat und gar noch, wenn er dazu die unumschränkte Machtvollkommenheit eines Admirals besitzt!

So ward denn am 27. Juni bei Quiberon, auf einer flachen, sandigen Halbinsel, die so recht für die nach vieljährigen Kriegserfahrungen ungemein manövrirfähigen republikanischen Truppen zum Kampfplatz paßte, gelandet, blos weil der Admiral Warren sich dies nun einmal so in den Kopf gesetzt hatte.

„Platz für unsere Gräber ist wenigstens genug hier vorhanden", sagte beim Landen der Graf d'Hervilly zu mir, und seine düstere Ahnung täuschte ihn leider nicht. Unsere erste Unternehmung auf dieser Halbinsel wurde vom Glück begünstigt, denn wir bemächtigten uns ohne sonderlichen Verlust des Forts Penthièvre und hatten dadurch einen festen Stützpunkt. Die Besatzung dieses Forts bestand größtentheils nur aus gänzlich unbrauchbaren republikanischen Nationalgardisten und einigen alten Invaliden, und der Commandant war ein völlig unfähiger demokratischer Maulheld, daher der Widerstand, den man uns leistete, nur sehr schwach ausfiel.

Es herrschte großer Jubel über diesen ersten glücklichen Erfolg in unseren Reihen, und manche Englische

Officiere, die bisher nur ihre Dienste in den Wachtsälen des Windsor=Schlosses verrichtet hatten, glaubten jetzt wahre Wunderthaten ausgeführt zu haben und sprachen schon von unserem baldigen Einmarsch in Paris als von einer ausgemachten Sache. Eine gleich unverständige Prahlerei herrschte jetzt hier, wie ich 1792 solche beim Beginn des Feldzuges im Preußischen Lager kennen lernen mußte, nachdem die Einnahme des elenden Thion=ville so leicht gelungen war. Wir alten Kämpfer der Vendée schüttelten aber den Kopf, denn wir wußten aus zu häufiger Erfahrung, wie ganz anders es kommen würde, wenn wir den wirklichen Linientruppen der Re=publik, die nun schon in vierjähriger Kriegserfahrung eine sehr tüchtige Schule durchgemacht hatten, gegenüberstehen würden. Ich selbst hatte übrigens in diesen Tagen manche Ursache, mich persönlich im hohen Grade zu freuen. — Mehrere meiner alten Kämpfer aus der Bretagne, ja selbst aus der Vendée, kamen zu uns, und die herzliche Anhänglichkeit, welche mir alle diese wackeren Leute be=wiesen, rührte mich sehr. Auch mein alter treuer Wald=hüter aus unserer ehemaligen Herrschaft scheute weder Gefahr noch Mühe, um mich zu begrüßen, wenn er auch zur thätigen Theilnahme am Kampfe selbst jetzt schon zu alt war. Die treuherzigen Erzählungen des Alten über die Zustände in der Bretagne lauteten aber nichts weniger als erfreulich für uns, und die hohe Stirn des Grafen d'Hervilly zog sich beim Anhören derselben in noch sorgenvollere Falten. Auf eine allgemeine Volkserhebung in der Bretagne, in Poitou und Anjou, wie solche zwei Jahre früher entschieden statt gefunden hätte, war jetzt nicht mehr zu rechnen; dies mußte allen nur halbwegs Einsichtigen von Tag zu Tag einleuchtender werden. Nur auf einzelne Zuzüge, die sich höchstens auf 6 = bis 8000 Mann, und darunter auch nicht immer die besten Elemente, belaufen mochten, konnten wir jetzt noch zählen.

Wäre es übrigens nach meinem Wunsche gegangen, so hätte ich mir wieder ein fliegendes Corps von 60 bis 100 treuen und muthigen Chouans gebildet und mit diesen den kleinen Krieg auf eigene Faust begonnen. Der Graf d'Hervilly wünschte mich aber als Adjutanten bei sich zu behalten und so war es also meine Pflicht, auch diese mir unangenehme Stellung nach besten Kräften auszufüllen.

Der republikanische General Hoche befehligte die feindliche reguläre Armee, die jetzt von Rennes aus in Eilmärschen gegen uns anrückte. Am 3. und 4. Juli kam es wiederholt zu heftigen Gefechten, in denen wir gänzlich geschlagen wurden. Wie war dies auch anders möglich! Die in England aus gefangenen Republikanern angeworbenen Regimenter schlugen sich nur sehr schlecht. Ein großer Theil der Soldaten desertirte sogleich zu den

Feinden und die anderen, die treu blieben, brachten auch
keinen Eifer mit in das Gefecht und retirirten lieber, als
daß sie avancirten, trotz des rühmlichen Beispiels, wel=
ches ihnen die meisten Officiere gaben. Die Engländer,
die wir bei uns hatten, kämpften wie immer, mit un=
erschütterlichem Muthe und zeigten zwar große Ruhe,
aber geringe militairische Fähigkeiten. Unsere Chouans
schlugen sich brav und viele von ihnen brachten mit ihren
sicheren Büchsenschüssen den Feinden beträchtliche Verluste
bei, da sie besonders nach den Officieren zielten und
solche auch häufig trafen. Sie waren aber zu ungeübt,
mit geschlossenen Gliedern auf einer freien Ebene zu käm=
pfen und konnten somit den manövrirfähigen republika=
nischen Bataillonen und Schwadronen auf die Länge
nicht widerstehen.

Ich selbst kämpfte an diesen beiden Tagen wieder
mit wahrer Freude und es ward mir recht wohl in der
Brust, als ich mit meiner Büchse das tödtliche Blei in
die republikanischen Schaaren senden konnte. Mein Ad=
jutantenposten nahm mich nicht hinlänglich in Anspruch
und so hatte ich mir eine treffliche Jagdbüchse von einem
Englischen Officier geliehen und benutzte jede freie Mi=
nute, um einen guten Kernschuß gegen die verhaßten
Feinde abzufeuern. Meine Mütze wurde mir übrigens
am zweiten Tage von einer feindlichen Kugel vom Kopfe
gerissen, ich selbst aber blieb unverletzt.

Durch die unglücklichen Erfolge dieser beiden Tage verloren wir wieder mehrere Punkte, die wir schon besetzt hatten und mußten uns auf die unheilvolle Halbinsel Quiberon zurückziehen. Das Klügste wäre unbedingt jetzt gewesen, diese nun doch einmal von Vornherein verfehlte Expedition aufzugeben und uns auf die Schiffe zurückzuziehen; doch sollte dies nicht geschehen. Wer der eigentliche Urheber dieser unbesonnenen Handlung war, habe ich nie recht sicher erfahren können; ich glaube aber, der Admiral Warren war es, der seine Instructionen von dem Englischen Ministerium erhalten hatte. Am 16. Juli wurde beschlossen, das befestigte Lager, welches der republikanische General Hoche mit großer Umsicht angelegt hatte, zu erstürmen. Es war dies ein völlig unsinniges Unternehmen, was entschieden unglücklich ablaufen mußte, denn zum Erstürmen von festen Schanzen, die mit gut bedienten Kanonen besetzt waren, taugten unsere Truppen am Allerwenigsten.

Mein tapferer General Graf b'Hervilly hatte die bestimmte Ahnung, daß er an dem heutigen Tage fallen würde und ließ noch am Frühmorgen, bevor wir ausrückten, einen Priester kommen, um diesem zu beichten. Ich selbst glaubte zwar nicht daran, benützte aber auch diese Gelegenheit, mit zu beichten. Wenn es mir irgend möglich war, habe ich stets vor jedem bedeutenden Gefechte gebeichtet, denn ich fand, daß es sich viel leichter und freier dem Tod in's Angesicht schauen läßt, wenn man kurz vorher das Herz durch die Beichte erleichtert hat.

Unser Sturm auf das befestigte republikanische Lager mißglückte gänzlich, wie dies auch leicht vorausgesehen werden konnte. Die meisten von unseren Führern, wie auch von den gemeinen Chouans, fochten zwar mit dem größten Heldenmuth; im Allgemeinen zeigte unser Heer aber ein ekelhaftes Gemisch von Feigheit, Ungeschicklichkeit und lächerlichem Dünkel. Nichts ging in Übereinstimmung, keine Ordnung herrschte in allen unseren Angriffen und es war häufig ein völlig planloses Losstürmen und ein nutzloses Aufopfern der Muthigen. Ich war an diesem Tage außer mir vor Zorn und hätte wiederholt eben so gern auf unsere eigenen Leute, wie auf die feindlichen Bataillone eingehauen. Einem schuftigen Soldaten von uns, der zu den Feinden desertiren wollte, schoß ich noch zur rechten Zeit mit meiner Pistole über den Haufen. Leider sah ich auch einen Officier von uns, der noch dazu aus einer alten gräflichen Familie Frankreichs stammte, in erbärmlicher Furcht fliehen und dadurch seinen Soldaten das schlechteste Beispiel geben. — Gerechte Empörung ergriff mich über diesen Elenden, der Stand und Namen so schändete; ich spornte mein Pferd gegen ihn an, und wollte mit meinem Säbel einen tüchtigen Hieb über seinen Kopf führen. Eine feindliche Kanonenkugel schmetterte den Fliehenden aber in demsel-

ben Augenblick zusammen und übernahm so statt meiner
das Rächeramt. Ich habe selten eine lebhaftere Freude
über den Tod eines Menschen empfunden, als es dies=
mal der Fall war.

Unser General Graf d'Hervilly, der in Verzweif=
lung über diesen unglücklichen Tag war, fand zu seiner
Freude den Tod, den er absichtlich zu suchen schien. —
Eine feindliche Kugel verwundete ihn unmittelbar neben
mir so schwer, daß er am zweiten Tage sein edles Le=
ben aushauchen mußte. Seine letzten Worte, die er zu
mir sprach, waren noch: „Diese unglückliche Expedition
— ich habe gleich von Anfang an davon abgerathen und
mich trifft keine Schuld. — Theilen Sie dies wo mög=
lich dem Grafen von Provence mit." Er war ein bra=
ver Officier und ein ritterlicher Edelmann durch und
durch, aber kein bedeutender Feldherr.

Mir selbst wurde übrigens an diesem Tage mein
Pferd unter dem Leibe erschossen, so daß ich einen tüch=
tigen Sturz dabei erlitt, der mir aber weiter keinen
Schaden brachte. Außer dem Tode meines braven Ge=
nerals hatte ich noch den Verlust mancher Freunde zu
beklagen, unter denen besonders der Verlust des Grafen
de la Moussage, der mit mir noch zusammen in der
Garde du Corps gedient hatte, mich sehr schmerzte.

Unser Gesammtverlust mochte wohl an 14= bis 1500
Mann betragen, von denen die Meisten durch das Feuer

der sehr geschickt bedienten feindlichen Geschütze gefallen
waren. Immerhin des Blutes genug für ein völlig plan=
loses Unternehmen!

Noch war das Fort Penthièvre in unserem Besitze
und damit hatten wir noch immer die Möglichkeit eines
sicheren Rückzuges auf die Schiffe. In den letzten Ta=
gen waren aber wieder neue Verstärkungen, die der Graf
Sombreuil befehligte, bei uns eingetroffen und so
wünschte der Englische Admiral Warren, daß nochmals
eine Expedition unternommen würde. Es geschah dies
zwar auch, aber mit abermals unglücklichem Erfolg, denn
die Truppen, welche wir hier besaßen, waren nicht im
Stande, den gut eingeübten Bataillonen des Generals
Hoche im offenen Felde die Spitze zu bieten.

Nach dem Tode des Grafen d'Hervilly war ich
meines lästigen Adjutantendienstes im Hauptquartier ent=
hoben und brauchte mich nun wenigstens nicht mehr über
die Insolenz und zugleich militairische Unfähigkeit der
meisten Engländer tagtäglich zu ärgern. Ich sammelte
mir einige 40 Chouans, die meistens schon früher in der
Vendée und Bretagne unter mir gedient hatten, und be=
gann den kleinen Krieg auf eigene Hand. Wir bildeten
die Vorpostenlinie gegen die Republikaner, wozu sich un=
sere regulären Truppen wegen ihrer vielen unzuverläsſi=
gen Leute nicht recht eigneten, und schossen uns Tag und
Nacht fast mit den Feinden herum. Das unglückliche

Schicksal der ganzen Expedition konnten wir freilich nicht dadurch ändern, aber unserer Pflicht gemäß den Feinden doch noch möglichsten Schaden zufügen. Ich selbst habe in diesen Tagen wieder mit der Büchse in der Hand, ganz als ein gewöhnlicher Chouan gefochten, denn vom Befehlführen war hier nicht viel die Rede, und da ich damals ein sehr sicherer Schütze war, so sandte meine treffliche Englische Büchse ihr tödtliches Blei in die Brust manches Feindes. Übrigens verloren wir auch viele Leute. Es befanden sich bei der Armee des Generals Hoche Corsische Scharfschützen, die sehr sicher schossen, im kleinen Krieg geübt waren und für uns ungemein gefährliche Gegner abgaben.

Unsere Besatzung des Forts Penthièvre bestand aus theilweise sehr unsicheren Soldaten, unter denen sich manche heimliche Republikaner befanden. Diese traten mit dem General Hoche in Verbindung und öffneten ihm verrätherischer Weise ein Thor des Forts, so daß er solches in der Nacht vom 20. auf den 21. Juli mit nur unbedeutendem Verluste erstürmen konnte. Die republikanischen Truppen ermordeten rücksichtslos alle royalistischen Officiere und alle verwundeten Chouans, die sie in dem Fort fanden und schändeten auch mehrere daselbst anwesende Frauen von Englischen Officieren und Soldaten, die unnützer Weise ihren Männern in das Feld gefolgt waren. Eine junge, sehr schöne Englän=

derin, die zwei Tage vorher erst von London gekommen war, um ihren verwundeten Mann, einen Englischen Capitain, zu pflegen, wurde von drei republikanischen Soldaten, die ihre thierischen Lüste an ihr befriedigen wollten, verfolgt. In höchster Todesangst stürzt sie auf den ersten ihrer Verfolger zu, reißt ihm eine Pistole aus der Hand und erschießt ihn damit auf der Stelle. Die beiden anderen Soldaten stürmen mit erneuerter Wuth auf die Engländerin ein, und sie, die keine Rettung mehr sieht, springt aus dem obersten Fenster eines Thurmes und zerschmettert auf dem Steinpflaster. Der verwundete Mann, der unten in einem Zimmer liegt, sieht diesen Fall des geliebten Weibes. Außer sich vor Schmerz und Zorn, eilt er, den einen Arm noch in der Binde, die Treppen hinauf auf die beiden Mörder seiner Gattin zu, packt sie beide mit riesiger Kraft an dem Halse und stürzt sich dann zugleich mit ihnen ebenfalls von der Plattform des Thurmes auf das Pflaster herab. Alle drei fanden dabei ihren Tod.

Nach der Einnahme des Forts Penthièvre war die Lage unserer Truppen auf der Halbinsel Quiberon ungemein gefährlich und eine Einschiffung konnte jetzt kaum noch ohne die allergrößten Verluste statt finden. Es wäre vielleicht möglich gewesen, die große Mehrzahl noch zu retten, und wir Chouans erboten uns, auf das Äußerste zu kämpfen, um die Einschiffung so lange als mög-

lich zu decken. Der jetzt die Landungstruppen befehligende
Graf Sombreuil, ein persönlich so tapferer und edler
Mann er auch war, verlor aber in dieser äußersten Be=
drängniß den Kopf und konnte sich nicht zu einem letz=
ten verzweifelten Vertheidigungskampf entschließen. Er
vertraute leider zu sehr der Rechtlichkeit des gegen uns
befehligenden Generals Hoche, der ihm eine verhältniß=
mäßig ganz günstige Capitulation anbot. Wir sollten
nämlich die Halbinsel Quiberon mit allen darauf befind=
lichen Waffen, Munitions= und Proviantvorräthen an
die Republikaner übergeben, und dafür die Erlaubniß er=
halten, uns innerhalb zwei Tagen unbelästigt auf die
Englischen Kriegsschiffe zurückziehen zu können. Die
Chouans, welche dies nicht wollten, sollten ihre Gewehre
abgeben und straflos dann in ihre Heimath zurückkehren.
Diese Capitulation, welche der General Hoche mit dem
Grafen Sombreuil mündlich und in Gegenwart vieler
Zeugen, unter denen ich selbst mich befand, verabredete,
war den Umständen nach ganz günstig für uns, wenn
sie nur gehalten worden wäre. Leider war dem nicht
so, denn Versprechen und Halten war bei diesen Jako=
binern etwas sehr Verschiedenes. Ich will gern glau=
ben, daß der General Hoche, der mir ein ehrlicher,
einfacher Soldat zu sein schien, wirklich die Absicht hegte,
seine Versprechungen zu halten; aber er besaß nicht die
Macht dazu. In seinem Lager befanden sich, wie dies

bei allen diesen republikanischen Heeren damals der Fall
war, einige Commiſſäre des Convents, die, außer in den
Schlachten selbst, wo diese Herren ſich wohlweislich mög=
lichſt weit aus dem Bereich der feindlichen Kugeln zu
halten pflegten, gewöhnlich mehr Einfluß wie die com=
mandiren Generale beſaßen. Daß aber ſolche Schurken,
die an Morden gewöhnt waren, kein gegebenes Verſpre=
chen halten würden, war vorauszuſehen. Ändert doch
ein Wolf niemals ſeine Natur! Wir warnten den Ge=
neral Sombreuil vor der uns bekannten Treuloſigkeit
und Blutgier dieſer Convents = Deputirten und riethen,
er ſolle darauf beſtehen, daß wenigſtens Einer von ihnen
als Geißel am Bord eines Engliſchen Schiffes zurück=
bleibe, bis unſere Einſchiffung vollzogen ſein würde.
Würde hierauf nicht eingegangen, ſo möge er doch das
Heer mit den Waffen in der Hand lieber auf Leben und
Tod kämpfen laſſen, als uns waffenlos der Verrätherei
unſerer blutgierigen Feinde überliefern.

Der Graf Sombreuil, der ſelbſt in ſeinem Leben
ſicherlich niemals ein unwahres Wort geredet hatte, traute
auch den Republikanern gleiche Rechtlichkeit in Erfüllung
der eingegangenen Capitulation zu und verſchmähte lei=
der jede weiteren Vorſichtsmaßregeln. Ein unglückſeliger
Irrthum, der ſich nur zu bitter rächen ſollte! Kaum
hatte das republikaniſche Heer ſich der Waffen unſerer
Truppen bemächtigt, ſo erklärten die Commiſſarien des

Convents sogleich, daß General Hoche nicht die Macht habe, eine derartige Capitulation einzugehen und dieselbe daher ungültig sei. Alle Gefangenen wurden auf die roheste Weise mißhandelt, man verweigerte ihnen Nahrung und ließ alle Verwundeten ohne Pflege, so daß gleich in den ersten Tagen Hunderte von ihnen starben. Die Erlaubniß zur Einschiffung, die ausdrücklich ausbedungen war, wurde verweigert und man transportirte Alle nach Auray, wo Gerichte über sie abgehalten wurden. Diese verurtheilten alle Officiere, Edelleute, gewesenen Priester und die bekanntesten Chouans ohne Weiteres zu Tode. Nahe an Neunhundert dieser Ehrenmänner wurden auch erschossen, viele andere unterlagen aber den Strapazen und Leiden, denen man sie absichtlich ausgesetzt hatte. Dieser Bruch der Capitulation war eine That, die des Convents in Paris würdig war, und zeigte wieder recht klar, welche Niederträchtigkeiten man von den republikanischen Gewalthabern erwarten konnte, obgleich ihre Reden beständig von schönen Floskeln über Völkerglück und Freiheit überströmten.

Einer meiner Freunde, der Graf Roscoet, der auch bei dieser Gelegenheit erschossen wurde, erhielt neun Schußwunden von den Soldaten, die ihn erschießen sollten, ohne daß nur eine davon tödtlich war. Ganz mit Blut übergossen, richtete er sich wieder auf und rief laut: „Eure Schurken von Conventsmitgliedern lehren Euch wohl nur, meineidig zu sein, aber nicht sicher zu schießen, wie es tüchtigen Soldaten geziemt!" Ergrimmt über diese Worte sprang ein Soldat aus dem zum Schießen bestimmten Peloton hervor und stieß dem Grafen Ros= coet sein Bajonnet durch das Herz, so daß er augen= blicklich tobt zusammenstürzte. — Mich rettete ein glück= licher Umstand von diesem grausamen Schicksal meiner Gefährten. Es widerstrebte meinem Gefühl, die Waffen an diese verhaßten Feinde abgeben zu müssen und mich ihnen so ohne Weiteres zu überliefern, und ich wollte es um jeden Preis versuchen, mich ihrer Gewalt zu ent= ziehen oder dabei das Leben einzubüßen.

Mit zehn sehr erprobten Chouans, so viel waren mir von meiner kleinen Schaar nur noch übrig geblieben, unternahm ich es in der Nacht, die vor der Waffen= streckung voraufging, mich durch die feindlichen Vorpo= sten durchzuschleichen. Wir waren, bis an die Zähne bewaffnet, entschlossen, lieber zu sterben, als uns zu er= geben, gewandt und viel erfahren in derlei nächtlichen Expeditionen und der Gegend sehr kundig, und so konnte unser Unternehmen denn schon gelingen. Wir mußten übrigens dabei eine ganze Strecke weit auf Händen und Füßen in einem Graben fortkriechen, da die feindlichen Vorposten uns sonst entdeckt hätten. Eine republikanische Feldwache, die nicht recht wachsam war, überfielen wir, stachen einige Soldaten davon mit unseren Dolchmessern

durch die Brust, so daß sie lautlos zusammenstürzten und
banden und knebelten die anderen, damit sie uns nicht
verrathen konnten. Als die Sonne aufging, hatten wir
uns durch das republikanische Heer hindurchgeschlichen
und waren so wenigstens für den Augenblick wieder ge=
rettet. Auf einem einsamen Kreuzwege stand ein uraltes
Marienbild, was jetzt von dem frechen Muthwillen die=
ser republikanischen Gottesläfterer so arg verstümmelt
war, daß man es kaum noch erkennen konnte. Wir
warfen uns vor diesem Bilde der heiligen Jungfrau auf
die Knie, um im inbrünstigen Gebete für unsere Rettung
zu danken. Einige Stunden später fingen wir einen
Courier ab, der dem General Hoche aus Paris wich=
tige Befehle überbringen sollte. Mich dauerte der arme
Kerl, der in seiner Todesangst vor uns auf den Knien
herumrutschte und dabei unaufhörlich sein „vive le roi!"
rief, obgleich er eine republikanische Kokarde, fast so groß
wie ein Teller, auf seinem Hute trug, und ich schenkte
ihm das Leben.

Einige Wochen trieb ich mich mit meinen Gefährten
in den Versteckplätzen der Chouans umher, und wir ho=
ben noch einzelne republikanische Patrouillen und Offi=
ciere auf, suchten auch mehreren Flüchtlingen von der
Halbinsel Quiberon ihr ferneres Fortkommen zu erleich=
tern, was uns auch häufig glückte. Seitdem ich erfah=
ren, wie schändlich man die Capitulation gebrochen und

meine gefangenen Kameraden in Auray getödtet hatte,
erhielt kein republikanischer Officier, der in unsere Hände
fiel, mehr Pardon, sondern wurde ohne Weiteres zu=
sammengehauen. Die Leichen ließen wir stets ungeplün=
dert, banden sie aufrecht an einen Baum und befestigten
ein Blatt Papier vor ihrer Brust, auf dem die Worte
„Rache für Auray!" mit großen Worten geschrieben
standen. Wir hatten einmal schon Hoffnung, daß einer
dieser Convents=Deputirten, der nach Paris zurückreiste,
in unsere Hände fallen würde, und es war bestimmt,
diesen schändlichen Kerl dann an der höchsten Fichte bau=
meln zu lassen. Leider mißglückte unser Plan, denn die
Bedeckung, mit der dieser Commissär reiste, betrug einige
60 Mann und diese Übermacht konnte ich mit den 12
bis 15 Chouans, die ich unter meinem Befehle hatte,
nicht zu überwältigen hoffen, daher ich den ganzen An=
griff aufgab. Es diente aber ein Chouan unter mir, dessen
gesammte Familie einige Monate vorher in Nantes auf Be=
fehl dieses selben Convents=Commissärs hingerichtet war
und der ihm Rache dafür zugeschworen hatte. Er ver=
steckte sich hinter einem Baume an dem Wege, den der
Wagen des Commissärs fahren mußte und schoß nach ihm.
Seine Kugel verfehlte aber ihr Ziel und so wie er dies
sah, schoß der Chouan sich selbst mit der Pistole durch
den Kopf, um nicht in die Gewalt der republikanischen
Soldaten zu fallen.

Die mehr als widersinnige Leitung dieser unheilvol=
len Landung auf der Halbinsel Quiberon von Seiten der
Engländer, hatte mir die traurige Überzeugung gegeben,
daß das legitime Königthum auf solche Weise in Frank=
reich nicht wiederhergestellt werden könnte. Ich war un=
säglich traurig, als ich dies immer mehr und mehr ein=
sah, denn gerade die Hoffnung hierauf war fast noch
das Einzige gewesen, was mir mein ödes, freudeloses
Leben bisher erträglich gemacht hatte. Unter diesen Um=
ständen hielt ich es für nutzlos, das Leben eines Füh=
rers der Chouans, was in vieler Hinsicht dem eines Räu=
berhauptmanns sehr ähnelte, noch weiter fortzuführen.
Was half es, wenn ich auch noch einzelne republikanische
Patrouillen, Officiere und Couriere aufheben und zu=
sammenhauen lassen konnte — denn Gefangene durften
wir schon der Unmöglichkeit ihrer Aufbewahrung wegen
nicht machen — da ich dadurch nur wieder ebenso viele
treue Bauern der feindlichen Rache preisgab. Die Vendée
und Bretagne hatten in diesen dreijährigen Kriegen schon
unendliche Opfer aller Art gebracht und es war Zeit,
daß sie neue Kräfte für eine günstigere Periode des
Kampfes sammelten. Die Truppen der Republik waren
jetzt zu wohlgeübt geworden, ihre Officiere hatten von
den Franzosen und Österreichern schon zu viel gelernt,
als daß man hoffen konnte, sie mit schwerfälligen und
ungeschickten Engländern und zwar muthigen, aber un=

2*

disciplinirten Chouans in offenen Feldschlachten zu schla=
gen. Was sollte also in der nächsten Zeit diese ganze
Chouanerie, deren beste Führer dazu fast alle den Tod
auf dem Schlachtfelde oder der Guillotine gefunden hat=
ten, noch fernerhin nützen.

So wie ich diese traurige Überzeugung fest gewon=
nen hatte, handelte ich auch demgemäß. Zwar an mei=
nem eigenen Dasein lag mir nichts, und ich hätte gern
mein Leben geopfert, wie es mir denn auch persönlich
Vergnügen machte, mich tagtäglich mit diesen so bitter
gehaßten Feinden herumzuschießen. Ich hatte aber Pflich=
ten gegen diese treuen und muthigen Bauern, die fort
und fort schon so große Opfer gebracht hatten, zu erfül=
len und wollte sie nicht nutzlos zur Schlachtbank füh=
ren. Befahlen die Königlichen Prinzen dies ausdrück=
lich, so war es eine andere Sache, denn wir hatten dann
nur diesen Befehlen unbedingt zu gehorchen und wenn
auch in der ganzen Bretagne kein Haus mehr stehen ge=
blieben wäre; so forderte es unsere heilige Pflicht.

Unumwunden, wie es stets meine Art gewesen ist,
sprach ich gegen meine Chouans diese Überzeugung aus
und ermahnte sie, vorläufig die Waffen niederzulegen und
zu ihren früheren friedlichen Beschäftigungen zurückzukeh=
ren. Die gewöhnlichen Bauern, wenn man sie nicht
geradezu mit den Waffen in der Hand ergriff, wurden
jetzt nicht mehr verfolgt und es war für diese eine allge=

meine Amnestie eingetreten, die auch ziemlich pünktlich gehalten wurde. So konnten meine Leute denn, ohne spätere Strafen befürchten zu müssen, ruhig nach Hause gehen. Die braven Bauern, die ohnehin jetzt sehr miß= trauisch gegen eine fernere Englische Hülfe geworden wa= ren, befolgten meinen Rath, zerstreuten sich und suchten vorläufig ihre frieblichen Beschäftigungen wieder auf.

Ich selbst verkleidete mich als ein gewöhnlicher Vieh= treiber und durchwanderte in dieser Verkleidung die Bre= tagne und die meisten Districte in Poitou und Anjou, wo wir 1793 und 1794 so unermüdlich gekämpft hat= ten. Da ich des Dialectes und der Sitten der Bre= tagnischen Bauern ganz mächtig war, so konnte ich mit Hülfe meiner Verkleidung und bei einiger Vorsicht diese Wanderung ohne zu große Gefahr schon unternehmen. Gar viele schmerzliche Rückerinnerungen hatte ich jetzt und wenn ich so einsam mit dem Knotenstock in der Hand in den mir wohlbekannten Hohlwegen dahin schritt, ward mir oft recht schwer um's Herz. Besonders mußte ich immer und immer wieder meines erschossenen Freundes Heinrich de la Rochejacquelin gedenken. Hätte die= ser seltene Mann noch gelebt, so wäre wahrscheinlich in Anjou ein neuer Aufstand losgebrochen; jetzt aber fehlte ein Mann, den alle Bauern persönlich verehrten, und der sie wieder zum verzweifelten Kampfe begeistern konnte. Jemehr ich die sogenannte Vendée durchwanderte, desto

fefter warb bei mir die Überzeugung, daß, für den Au=
genblick wenigſtens, eine allgemeine Erhebung, wie ſie
1793 geſchah, nicht zu bewirken war. Die Bauern wa=
ren entmuthigt und die Republikaner klug genug, ſie
möglichſt nachſichtig zu behandeln und nicht durch neue
Gewaltmaßregeln abermals zum Kampfe zu reizen. So
ließ man den Bauern jetzt auch völlige Freiheit, ihren
Gottesdienſt zu feiern, wie die Religion und uralte Sitte
es vorſchrieben. Nach wie vor fanden wieder Proceſ=
ſionen und Wallfahrten ſtatt, und ich ſelbſt habe mich
mit inniger Andacht einer ſolchen angeſchloſſen. Einige
republikaniſche Truppen, die aufmarſchirt da ſtanden,
machten zwar ſpöttiſche Geſichter und freche Witzeleien,
als wir mit dem Kreuze und wehenden Kirchenfahnen
laut ſingend bei ihnen vorüberzogen; ſonſt wurden wir
aber nicht weiter in unſerer Andacht geſtört. Die Schän=
dung und Unterdrückung der Religion hatte aber im
Frühling 1793 die frommen Bauern weſentlich mit zum
Kampfe begeiſtert.

Mitte September verließ ich in meiner Verkleidung
Frankreich wieder und ſchiffte mich in Rochelle auf einer
kleinen Fiſcherbarke heimlicher Weiſe nach England ein.
Einige Banden, um den kleinen Krieg noch weiter fort=
zuſetzen, hätte ich zwar auch in der Vendée mit leichter
Mühe wieder zuſammenbringen können; doch wollte ich
dies aus den vorhin angeführten Gründen nicht mehr

thun und verließ daher Frankreich mit dem Gefühl, es wahrscheinlich in langer Zeit nicht wieder zu betreten. Am letzten Abend vor der Einschiffung wäre ich übrigens in Rochelle fast von einigen Douaniers erkannt und arretirt worden. Meine Person war noch immer geächtet und auf meinen Kopf stand ein Preis von einigen **1000** Francs, so daß ich sicher sein konnte, hingerichtet zu werden, sobald ich ergriffen wurde. Ich entwischte in der Dunkelheit jedoch glücklich den mich verfolgenden Douaniers, konnte nun aber nicht im Hafen selbst die Fischerbarke besteigen, wie dies anfänglich mein Plan gewesen war, sondern mußte eine ganze Strecke weit in das Meer hinein schwimmen und dort erst mich aufnehmen lassen.

Von der Insel Jersey, wo ich landete, segelte ich sogleich nach der kleinen Insel Dieu, die nicht weit von der Küste der Vendée liegt. Hier hatte Seine Königliche Hoheit der Graf von Artois mit ungefähr **10,000** Mann Franzosen und Engländern augenblicklich sein Lager aufgeschlagen, um nöthigenfalls eine abermalige Landung in Frankreich zu unternehmen. Seine Königliche Hoheit, der mich sehr huldvoll aufnahm, als ich mich bei ihm meldete, hatte die Gnade, mich um meine Ansicht über diese Landung zu befragen. Mit der Freimüthigkeit, die ich hoffentlich in allen Umständen meines Lebens mir bewahrt habe, sagte ich ohne Weiteres heraus, daß ich jetzt an keinen glücklichen Ausgang dieses Unternehmens glauben könne. Es sei jetzt zu spät dazu und die Vendée zu ermattet und der Ruhe zu bedürftig, um zu einem allgemeinen Aufstand gebracht werden zu können. Der unglückliche Ausgang der Unternehmung bei Quiberon habe besonders auch sehr ungünstig auf die Stimmung der Bevölkerung in der Bretagne und Vendée eingewirkt und diese abgeneigt gemacht, auf Englische Hülfe zu vertrauen. Ich als Soldat sei natürlich mit Freuden bereit, abermals zu landen und dorthin zu gehen, wohin mich der Befehl Seiner Königlichen Hoheit schicken werde; frage man mich aber um Rath, so müsse ich von jeglicher Landung abrathen. Ich bemerkte, daß während dieses Gespräches das Gesicht Seiner Königlichen Hoheit sich in düstere Falten verzog und ich lange nicht so freundlich entlassen als empfangen wurde. Es schmerzte mich dies zwar tief, doch hatte ich nur nach bestem Wissen meine Pflicht gethan.

Einige vornehme Herren aus der näheren Umgebung Seiner Königlichen Hoheit des Grafen von Artois machten mir alsbald, nach beendigter Audienz, Vorwürfe über meine Freimüthigkeit und meinten, ich hätte doch merken müssen, daß unser Gebieter andere Worte zu hören wünschte und danach die meinigen einrichten sollen. Ich erklärte ihnen aber rundweg, ich sei weder ein Hofmann, der glatt und gewandt, noch ein Diplomat, der zwei-

deutig zu sprechen verstehe, sondern nur ein einfacher
Edelmann und Soldat, der, sobald man ihn danach
befragte, stets seine wahre Ansicht unumwunden ausspre=
chen werde. Wolle man mich nicht hören, so solle man
mich auch nicht fragen, denn heucheln oder gar lügen
würde ich niemals. Erhielte ich als Soldat aber einen
Befehl, so würde ich ihn, wenn solcher mit meiner Ehre
als Officier und Edelmann sich vertrüge, ohne Weiteres
ausführen. Damit ließ ich diese Herren, die über meine
freie Sprache wohl etwas verlegene Gesichter machten,
stehen und ging ruhig meiner Wege.

Ein junger, vornehmer Engländer, der bisher wahr=
scheinlich nur Pulver auf den Fasanenjagden im Parke
seines Vaters gerochen hatte, und sich jetzt bei dieser
beabsichtigten Landung gern die ersten Rittersporen ver=
dienen wollte, erlaubte sich in meiner Gegenwart über
die Nachrichten, die ich aus der Vendée mitgebracht hatte,
zu spötteln. Einige Zeit hielt ich es unter meiner Würde,
auf solch' unverständiges Geschwätz weiter zu achten, als
aber der junge Gentleman sich gar erlaubte, Andeutun=
gen zu machen, daß vielleicht Mangel an persönlichem
Muthe uns die Fortsetzung des Kampfes nicht wün=
schenswerth erscheinen lasse, war ich es schon der Ehre
meiner Kameraden schuldig, solche Englische Insolenz
nicht ungestraft zu dulden. Ich sagte dem Engländer
sehr scharfe Worte, auf die er mich nach unseren Be=

griffen der Ehre hätte sogleich fordern müssen, und als er dies dennoch nicht that, forderte ich ihn selbst, stellte ihm dabei aber die Wahl der Waffen völlig frei. Der Engländer wollte zwar anfänglich das Duell, was kein Englischer Gebrauch sei, ausschlagen, ward aber von allen anwesenden Franzosen und mehreren Englischen Officieren dazu genöthigt, meine Forderung anzunehmen. Er wählte nun krumme Säbel und schlug sich mit dem großen Muthe, den ich stets bei jedem Englischen Gentleman angetroffen habe, aber auch mit entschiedenem Ungeschick. Schon nach den ersten Hieben merkte ich, daß ich ihm in der Führung der Waffe weit überlegen war. Ein sündhaftes Gefühl der Rache, dessen Unrecht ich zwar später häufig bereut habe, was ich aber in dem Augenblick nicht unterdrücken konnte, ergriff mich jetzt und ich beschloß, dem Engländer eine lebenslängliche Erinnerung dafür zu geben, daß er gewagt hatte, meinen und meiner Chouans Muth nur im Mindesten zu bezweifeln. Er hatte ein hübsches, frisches Gesicht, was in den vornehmen Englischen Salons gewiß viel Glück gemacht hatte, und ich hieb ihm nun absichtlich so über die Nase, daß er für sein ganzes Leben eine sehr häßliche Narbe davon tragen mußte. Während des Spanischen Krieges von 1810 — 1813 bin ich mit diesem Engländer, der jetzt ein sehr tüchtiger Befehlshaber eines Englischen Cavallerie = Regiments war, wiederholt zusammengekommen.

Ich habe ihm offenherzig meine damalige Rachsucht ge=
standen und um Verzeihung gebeten. Er lachte und meinte,
die Schmarre habe ihm erst ein recht kriegerisches Anse=
hen gegeben, sein Glück bei den Damen vermehrt und
ihn bewogen, für immer Soldat zu bleiben und so müsse
er mir eigentlich dafür dankbar sein. Wir schüttelten
uns dann treuherzig die Hände und waren gute Freunde,
wenn wir später zufällig zusammentrafen. Wie ich er=
fahren habe, hat dieser Engländer in der Schlacht von
Waterloo den Soldatentod gefunden. Mir persönlich
sind die Engländer von jeher sehr unangenehm gewesen,
und ich habe stets ihren Umgang vermieden, so bald ich
dies konnte; läugnen darf man aber nicht, daß Wahr=
heitsliebe und strenge Rechtlichkeit sehr häufig bei ihnen
gefunden werden.

In der näheren Umgebung Seiner Königlichen Hoheit
des Grafen von Artois wurde dies Duell nicht sehr gün=
stig aufgenommen und es schien mir auch, als habe der
Königliche Prinz selbst mir auf einige Zeit sein persön=
liches Wohlwollen deshalb entzogen. Es schmerzte mich
dies zwar tief, doch mußte mir mein inneres Gefühl,
daß ich nicht anders handeln konnte, als den Engländer
wegen seines Übermuthes zum Duell zu zwingen, Be=
ruhigung gewähren.

Wir blieben nun noch bis in den Herbst hinein auf
der Insel Dieu, ohne daß es zu der anfänglich beab=

ſichtigten Landung in der Vendée kam. Welche Gründe
hiervon zurückhielten, weiß ich nicht, da ich nie den Ehr=
geiz in mir fühlte, in die Geheimniſſe der höheren Po=
litik eingeweiht zu werden; ich glaube aber, daß es den
Engländern für ihre Zwecke nicht mehr paßte, ſonſt hät=
ten ſie ſich wahrlich kein Gewiſſen daraus gemacht, uns
Franzoſen aufzuopfern. Es war aber jedenfalls das
Beſte, dieſe Landung zu unterlaſſen, denn ich gewann
immer mehr die Überzeugung, daß ſie ein unglückliches
Ende genommen haben würde. Die hier verſammelten
Truppen waren nicht tauglich, den tüchtigen Bataillonen
des Generals Hoche die Spitze zu bieten; dieſe Wahr=
heit, ſo traurig ſie mir auch war, ſah ich leider immer
mehr und mehr ein. Die drei bis vier ſchwachen Eng=
liſchen Regimenter, die wir bei uns hatten, waren nur
höchſt mittelmäßig und das Wellington'ſche Heer in
Spanien beſtand ſpäter in ſeiner Mehrheit aus ungleich
beſſeren Elementen. Dieſe Regimenter waren kurz vor=
her erſt errichtet und noch niemals im Kampfe erprobt
worden. Sehr viele Officiere waren junge, vornehme
Männer, die zwar Muth und gute Sitten, aber nicht
die minbeſten militairiſchen Kenntniſſe beſaßen. Die ge=
meinen Soldaten hatte man größtentheils erſt kurz vor=
her in den Gaſſen von London und anderen großen Eng=
liſchen Fabrikſtädten angeworben. Es waren zwar kräf=
tige und gut genährte, uniformirte und bewaffnete, aber

ungemein rohe und verwilderte Kerle, die dabei sehr un=
geübt in allen militairischen Evolutionen sich zeigten.
Gewiß die Hälfte dieser Englischen Soldaten hatte in
ihrem Leben noch niemals einen scharfen Schuß gethan.
Dabei betranken dieselben sich stets, wenn sie nur irgend
wie starke Getränke bekommen konnten, verübten alle
möglichen Excesse und vermochten nur durch die härte=
sten Strafen mit der Peitsche in Gehorsam gehalten zu
werden. Gut und sehr geübt im Dienst waren in der
Regel die meisten älteren Sergeanten und Corporale in
diesen Englischen Regimentern. Auf ihren Schultern
ruhte der Haupttheil des Dienstes und ihre militairische
Tüchtigkeit hielt größtentheils das Ganze noch so leid=
lich zusammen.

Die Französischen Regimenter, welche Seine Königs
liche Hoheit der Graf Artois angeworben hatte, wozu
England das Geld hergab, ließen ebenso, wie die, welche
auf der Halbinsel Quiberon zu Grunde gegangen wa=
ren, sehr viel zu wünschen übrig. Viele Officiere wa=
ren zwar vortrefflich, vom wahrhaft ritterlichsten Geiste
beseelt, und auch in den früheren Vendéekämpfen oder
auch in den Feldzügen der Österreichischen und Preußi=
schen Heere von 1792 — 1795, an denen sie theilgenom=
men hatten, schon tüchtig ausgebildet worden. Es dien=
ten aber jetzt auch, wo ein Prinz des Königlichen Hau=
ses die Expedition befehligte, manche junge Edelleute in

diesen Regimentern, die leider keine besondere Tüchtigkeit
für den Militairdienst zeigten, ebenso wie dies in dem
Emigrantencorps im Feldzuge von 1792 der Fall ge=
wesen war. Diese Herren gaben bessere Hofleute als
Officiere ab, hatten verweichlichte Körper und schwache
Seelen, wollten weder die Strapazen, noch die Lange=
weile des Dienstes ertragen, raisonnirten lieber, als daß
sie exercirten, waren häufiger in den Caffeehäusern und
bei galanten Damen, die selbst hierher gefolgt waren,
als in den Zelten ihrer Mannschaft zu finden und ga=
ben in Allem und Jeden kein gutes Beispiel für die Sol=
daten ab. Muth mochten diese jungen eleganten Herren
wohl haben, aber diese Eigenschaft allein bedingt noch
nicht den guten Officier.

Unter den Soldaten waren ebenfalls viele gefangene
Republikaner, wie solche uns schon auf der Insel Qui=
beron so großes Unglück gebracht hatten. Auch an an=
deren höchst unzuverlässigen Subjecten fehlte es nicht,
und man konnte sicher sein, daß diese Regimenter vor
dem Feinde den allergrößten Verlust durch die Desertions=
fälle erleiden würden. Es hatten sich auch manche ehe=
malige Kammerdiener, Köche, Friseure und ähnliche
Dienstleute von vornehmen Emigranten jetzt anwerben
lassen. Größtentheils hatte diese Leute die Noth hierzu
getrieben, da sie von ihren früheren Herrschaften, die
ihren Ausgabe=Etat allmählich mehr einschränken mußten,

entlassen waren, und nicht so leicht wieder einen ande=
ren Lebensunterhalt finden konnten. Diese Menschen,
größtentheils in dem früheren üppigen Leben gut besol=
deter Diener vornehmer Häuser in Paris aufgewachsen,
waren ganz erbärmliche Soldaten, sie schwadronirten
viel, waren lässig im Dienst, konnten keine Strapazen
aushalten und zeigten dabei auch nicht einmal sonderliche
Tapferkeit. Hübsch und adrett sahen sie zwar äußerlich
aus und kokette Kammerjungfern konnten immerhin ihr
Wohlgefallen für diese stattlich aufgeputzten Windbeutel
haben, der Blick erfahrener Officiere konnte aber durch
diesen ganzen leeren Schein nicht über die sonstige Un=
brauchbarkeit solcher Soldaten getäuscht werden. Da wa=
ren mir meine alten treuen Chouans, mit ihren rauhen
Kitteln aus Ziegenhaar und ihren langen, ungekämmten
Haaren doch noch lieber. Daß aber derartig neuerrich=
tete und aus so vielen verschiedenen Elementen bestehende
Regimenter nicht dazu geeignet waren, Siege gegen die
alten, kriegsgeübten Bataillone des Generals Hoche,
die ein dreijähriges Feldleben fest zusammengeschmiedet
hatte, zu erkämpfen, mußte einleuchtend sein. Wir konn=
ten uns daher nur freuen, daß aus der beabsichtigten
Landung nichts wurde, denn wir hätten wahrscheinlich
nur Niederlagen erlitten, aber keine Siege erfochten.

Mich selbst sandte Seine Königliche Hoheit der Graf
von Artois im Monat October abermals mit wichtigen

3

Briefen nach Frankreich. zurück. Der Auftrag war zwar beschwerlich und gefährlich, denn hätte man mich ergriffen, so wäre ich auch sicherlich erschoffen worden; dennoch nahm ich ihn nicht allein aus Pflichtgefühl, sondern auch mit großer Freude an. In dem Leben, was ich auf der Insel Dieu zu führen gezwungen war, mißfiel mir sehr Vieles und ich mußte mich oft gewaltig beherrschen, um nicht auch ungefragt eine freimüthigere Sprache zu führen, als diese den Umständen immer angemessen sein mochte. Zu dem Leben eines Hofmannes hatte ich nun einmal weder Neigung noch Beruf, das sah ich immer mehr ein und das Feldlager paßte besser für mich, als der Parquetboden der Antichambre.

Ich landete diesmal auf einem Schmugglerboot in der Nähe von Cherbourg, nahm meine frühere Verkleidung als Viehhändler wieder an und begab mich nach Nantes, wo ich Aufträge Seiner Königlichen Hoheit auszurichten hatte. Zwar war es hier, wo es von republikanischen Soldaten, Gensb'armen und Polizeibeamten wimmelte, besonders gefährlich für mich, allein ich dachte, daß man mich an einem solchen Orte auch am Wenigsten suchen würde. Ich hatte dazu auch meinen großen, starken Bart, den ich während aller Kriegsjahre trug, ganz glatt abrasirt, was mir ein sehr verändertes Ansehen gab. Am Tage war ich absichtlich meistens in einem Gasthofe, in dem ein Dutzend Gensb'armen ihr Quar=

tier hatten, und trank und spielte viel mit ihnen, was mir freilich oft nicht geringe Überwindung kostete. Ich galt für einen wohlhabenden Viehhändler aus der Gegend von Caen und verlor absichtlich manche Assignation an die Gensd'armen, mit denen ich spielte, so daß ich in ihren Augen ein „bon camerade" war. Wie kochte mir dabei aber oft das Blut vor innerem Ingrimm, wenn ich freche Lästerungen über die heilige Religion und das legitime Königthum ruhig mit anhören, ja selbst darüber lächeln mußte. Übrigens gab es unter diesen Gensd'armen auch manche ganz brave Männer, die im Herzen gut legitimistisch gesinnt waren und der Republik mehr des ihnen nöthigen Soldes wegen, als aus Anhänglichkeit dienten. Die Sehnsucht nach den früheren, guten Zeiten machte sich in einzelnen unbewachten Augenblicken bei manchen dieser Gensd'armen und besonders bei den älteren unter ihnen, oft ganz bemerkbar. Verstohlener Weise hatte ich übrigens in Nantes, so wie in anderen Orten, häufige Zusammenkünfte mit den Führern der legitimistischen Partei, die dem allgemeinen Blutbade glücklich entgangen waren.

Fast ohne Ausnahme hegten diese schwer geprüften und dabei doch standhaft gebliebenen Männer die Überzeugung, daß für den Augenblick an eine legitimistische Erhebung, der man nur einen einigermaßen glücklichen Ausgang versprechen könne, nicht zu denken sei. — Der

Waffenruhm, den sich die Französischen Heere in den
Kriegen von 1792—1795 unläugbar erworben hatten,
verfehlte seine begeisternde Wirkung nicht auf die feuri=
gen Gemüther des größten Theiles der männlichen Ju=
gend und machte sehr viele Jünglinge leider jetzt zu Re=
publikanern, die sonst entschieden Legitimisten gewesen
waren. Selbst die Söhne bewährter legitimistischer Fa=
milien ließen sich von diesem glänzenden Zauber verblen=
den, verläugneten die Traditionen ihrer Familie und tra=
ten als Freiwillige in die an den Grenzen fechtenden
Französischen Heere ein, um sich schnelles Avancement
und glänzenden Ruhm zu erkämpfen. Es schien in die=
ser Hinsicht förmlich eine berauschende Lust jetzt in Frank=
reich zu schweben, und es bedurfte schon eines festen
Charakters, um ihr zu widerstehen. Erzählte mir doch
ein Legitimist, dessen unerschütterliche Anhänglichkeit an
die Königliche Familie ich kannte, nicht ohne Freude, daß
sein Sohn, der im republikanischen Heere am Rhein
dient, es schon in wenigen Wochen zum Officier gebracht
und sich großen Waffenruhm erworben habe. Selbst
einige Edelleute, die im Vendéekriege ihrer Pflicht gemäß
muthig mit uns gefochten hatten, waren jetzt charakter=
los genug gewesen, in republikanische Bataillone am
Rhein einzutreten. Man hatte sie dort sehr gut aufge=
nommen und sogleich als Officiere angestellt und so ließ
sie ihr militairischer Ehrgeiz ihre Pflicht vergessen.

Von Nantes ging ich nach Bordeaux, wohin ich eben=
falls Aufträge hatte. Ich fuhr mit einem kleinen Ein=
spänner, den ich mir gemiethet hatte, und nahm, um
ja vor allem heimlichen Argwohn sicher zu sein, die Frau
eines Gensd'armerie=Officiers, die ihre Mutter in Bor=
beaux besuchen wollte, als Reisegefährtin mit. In Bor=
beaux fand ich zwar viele Legitimisten, aber Alle waren
der Ansicht, daß es ganz unmöglich sein würde, hier
eine nur irgendwie bedeutende legitimistische Erhebung an=
zufangen. Es schien mir überhaupt, als ob die guten
Bürger von Bordeaux ihre Gesinnung lieber in Worten,
als in wahrhaft kräftigen Thaten zeigten, wie dies denn
die Neigung der Bewohner aller großen Städte der Welt
zu sein scheint. Wahre Nachhaltigkeit und Thatkraft ist
stets nur unter der Landbevölkerung zu finden, wenn
man solche erst einmal aus ihrem gewöhnlichen Phlegma
aufzurütteln vermocht hat; dies hat mir stets meine lange
Erfahrung hinlänglich gezeigt. Eine Regierung, die sich
wesentlich auf die Bevölkerung ihrer großen Städte stützt,
oder sich gar vor derselben fürchtet, wird stets übel be=
rathen sein. Die loyalen Einwohner der Stadt Bor=
beaux, im Übrigen recht angenehme, umgängliche Men=
schen und mit den stets unzufriedenen Parisern gar nicht
zu vergleichen, haben sich fortwährend sehr ihrer legiti=
mistischen Gesinnung gerühmt und dafür wiederholt schon
große Lobeserhebungen erhalten. Ganz besonders her=

vorragende Thaten und eine wahrhaft patriotische Auf=
opferung von Gut und Blut sind mir aber zu keiner Zeit,
weder 1789—1795, noch 1814 und 1815 oder 1830
von ihnen bekannt geworden und in schönen Worten und
leeren Manifestationen bestand stets das Meiste, was
man von ihnen zu hören bekam. Es giebt in Poitou,
Anjou und auch in der Bretagne einzelne kleine, dürf=
tige Kirchspiele, die 1792—1794 ungleich mehr Opfer
an Gut und Blut gebracht haben, als das ganze große
und reiche Bordeaux.

Ich blieb einige Zeit in Bordeaux und schiffte mich
dann heimlich auf einem Spanischen Schiff, was Wein
nach England brachte, ein. Nach einer stürmischen See=
reise, wobei unser Schiff fast gescheitert wäre, denn die
Spanier sind im Allgemeinen nur höchst mittelmäßige
Seeleute, traf ich Ende December 1795 wieder in
England ein.

Zweites Capitel.

Letzter Kampf in der Vendée unter Charette. Tod desselben. Abermalige Verwundung. Reise durch Frankreich. Meldung bei Seiner Majestät dem Könige Ludwig XVIII. Gnädige Aufnahme. Bericht über die Zustände in Frankreich. Der Herzog von Enghien und das Condé'sche Corps. Eintritt als Volontair-Officier in die K. K. Österreichische Armee. Der Erzherzog Carl als Feldherr. Zustand seiner Truppen. Kampf unweit Düsseldorf gegen den republikanischen General Kleber. Marsch nach dem Oberrhein. Kämpfe daselbst. Rückzug durch Württemberg nach Bayern. General Moreau. Blutige Kämpfe bei Nördlingen. Verwundung und Heilung in Augsburg. Siegreiches Gefecht bei Amberg gegen die Truppen des Generals Jourdan. Flucht der Republikaner bis an den Rhein. Verfolgung derselben.

———

Kaum war ich einige Wochen in England gewesen und hatte meiner Überzeugung gemäß es unumwunden ausgesprochen, daß augenblicklich an keine irgend nachhaltige legitimistische Schilderhebung in Frankreich zu denken sei, so kam die Nachricht von dem letzten Verzweiflungskampf, den Charette und Stofflet gegen den General Hoche führten. Ich hatte stets mehr zu den persönlichen Gegnern, als Freunden dieser beiden Männer gehört und dennoch trieb es mich jetzt gewaltsam fort in die Vendée, um nochmals hier an ihrer Seite zu kämpfen. Gerade, da ich mich entschieden dahin ausgesprochen hatte, daß ich selbst an keinen glücklichen Ausgang solcher Kämpfe mehr zu hoffen wage, hielt ich es für meine persönliche Pflicht, mich den letzten Streitern derselben beizugesellen. Hätte man doch sonst vielleicht glauben können, daß gar per= sönliche Unlust am Kampfe einen Einfluß auf mein Ur= theil ausübte.

Englische Schmugglerboote brachten mich im Januar 1796 abermals an die Mündung der Loire und von dort begab ich mich, gefolgt von fünf Gefährten, in die mir so wohlbekannte Vendée. Ich hatte die Absicht, mich zu Charette zu begeben, unter dem ich ungleich lieber, als unter Stofflet zu dienen wünschte. Daß unser Unternehmen nur irgend welche Aussicht auf einigen Er= folg haben würde, hoffte ich auch nach meiner Landung keinen einzigen Augenblick; doch entmuthigte mich dies nicht im Geringsten. Ich hatte ja mir selbst geschworen, immer und immer fort und bei jeder sich mir darbieten= den Gelegenheit, gegen die Republik und für die Legi= timität zu fechten und dies wollte ich auch jetzt wieder

erfüllen. Um übrigens nicht lebendig in die Hände mei=
ner Feinde zu fallen, trug ich in einer kleinen Kapsel
ein starkes Gift, was mir ein berühmter Arzt in London
verschafft hatte, bei mir. Sah ich ein, daß ich nicht
mehr zu retten war, so wollte ich mich durch dies Gift
selbst tödten; dies war mein fester Entschluß. Ich fühlte
zwar, daß ich hierdurch eine Sünde beginge, und doch
konnte ich meiner damaligen ungemein finsteren und ver=
zweiflungsvollen Gemüthsstimmung nach, nicht anders
handeln. Charette empfing mich mit sichtbarer Freude
und es schien ihm wohl zu thun, daß ich aus freien
Stücken gekommen war, um seine verzweiflungsvolle
Lage noch mit ihm zu theilen. Verzweiflungsvoll war
solche aber in der That, und nur ein Wunder hätte
uns retten können. Wir hatten kaum noch an 150 er=
probte Kämpfer unter den Waffen, während an 10= bis
11,000 Mann republikanische Truppen uns von allen
Seiten umringten. Zwischen den Orten Poirée und
Belleville irrten wir umher und nur das sehr durchschnit=
tene Terrain, in dem wir jeden Weg und Steg, jeden
noch so heimlichen Schlupfwinkel genau kannten, rettete
uns vor der Gefangennehmung. Und dennoch brachten
wir unseren Feinden noch wiederholt kleine Schlappen
bei, denn die Verzweiflung, mit der wir kämpften, gab
uns den verwegensten Muth und eine außerordentliche
Kraft. So eroberten wir noch den Ort Chalonne und

hieben die republikanische Besatzung zusammen, mußten
uns freilich aber am anderen Tage schon wieder in un=
sere Schlupfwinkel zurückziehen. Charette selbst, den
ich im Sommer 1793 seiner großen Eigenthümlichkeit
wegen nicht gern gehabt hatte, lernte ich jetzt in den
Tagen des äußersten Unglücks ungemein achten und
schätzen. Er war von einer unerschütterlichen Treue, und
obgleich die Republikaner ihm schon wiederholt die be=
deutendsten Versprechungen gegeben hatten, wenn er die
Waffen niederlegen wollte, fuhr er doch stets zu käm=
pfen fort. Sein Muth war glänzend und die Geschick=
lichkeit, mit der er jeden und auch den scheinbar gering=
fügigsten günstigen Umstand für uns zu benutzen wußte,
außerordentlich.

Wir hatten uns zuletzt in die dichten Waldungen
von Machecoul geworfen und führten ein wahres Räu=
berleben, denn da alle Dorfschaften ringsumher von
starken feindlichen Truppen=Detachements besetzt waren,
so konnten wir uns niemals mehr in bewohnte Häuser
wagen. Auch an Nahrungsmitteln litten wir jetzt oft
den empfindlichsten Mangel und ich entsinne mich noch,
daß wir einmal während fünf Tagen weder Brod noch
Salz, noch irgend ein geistiges Getränk mehr hatten.
Wir lebten lediglich von geschossenem Wild, was wir
an unseren Wachtfeuern brateten und dann ohne Salz
und Brod verzehrten. Am sechsten Tage hieben wir

14 republikanische Soldaten, die einen Brodtransport
escortirten, zusammen und hatten nun wieder Lebensmittel.

Anfang März erhielt ich abermals eine Schußwunde
am Fuße, die zwar ungefährlich war, mich aber doch
am Gehen verhinderte. Zwei brave Bauern schleppten
mich auf ihren Schultern in einen Heuschober eines ab=
gelegenen Meiergehöftes, wo ich mit Lebensmitteln und
der nöthigen Pflege von den Bewohnern versehen wurde.
Es war dies ungemein edelmüthig von ihnen, denn auf
unsere Köpfe waren sehr hohe Preise gesetzt, und jede
Beherbergung von uns wurde mit Todesstrafe bedroht.
Wiederholt schwebte ich übrigens in der allergrößten Ge=
fahr, entdeckt zu werden. Einmal holten republikanische
Dragoner Futter für ihre Pferde aus dem Schober, in
dessen hinterstem Winkel ich, ganz mit Heu bedeckt, lag.
Ein anderes Mal mußte ich an fünf Stunden in einem
Backofen, der noch sehr warm war, versteckt liegen, da
eine ganze republikanische Streifschaar das Gehöft besetzt
hielt. Ich litt furchtbar von der Hitze während dieser
Zeit und mußte mich alle Augenblicke umdrehen, da ich
sonst das Liegen auf den sehr heißen Steinen nicht er=
tragen konnte. Meine Furcht, daß meine Wunde durch
diese übermäßige Hitze verschlimmert werden könnte, war
ganz ungegründet; vielmehr schien die Heilung derselben
dadurch begünstigt zu sein. Endlich nach qualvollen
Stunden entfernten sich die Republikaner wieder und

über und über in Schweiß gebadet, konnte ich meinem
heißen Gefängnisse entfliehen.

Einige Tage nach meiner Verwundung ereilte den
heldenmüthigen C h a r e t t e auch endlich sein Schicksal,
nachdem die meisten seiner Gefährten schon vorher im
Gefecht gefallen oder gefangen und dann sogleich erschos=
sen worden waren. Aus mehreren Wunden am Kopfe
und am Arm blutend, matt und abgehetzt, so daß ihn
seine Füße nicht mehr fortschleppen wollten, ergab C h a =
r e t t e sich endlich dem republikanischen General=Adjutan=
ten T r a v o t, der sich durch rastlose Thätigkeit bei unse=
rer Bekriegung besonders auszeichnete. Die Republikaner,
dieses Fanges froh, schleppten den verwundeten Vendée=
Häuptling überall umher, um ihn dem gaffenden Pöbel
zu zeigen und sich ihres Triumphes ja recht zu erfreuen.
In Nantes ward der Gefangene dann der Form wegen
noch vor ein Kriegsgericht gestellt und von diesem, wie
es sich von selbst verstand, sogleich zu Tode verurtheilt.

C h a r e t t e starb mit dem Heldenmuthe, den er wäh=
rend aller Kriegsjahre stets gezeigt hatte. Er verbrachte
die letzten Stunden seines irdischen Lebens in frommen
Gesprächen mit einem Geistlichen unserer hohen Kirche
und soll, wie mir dieser später selbst erzählte, eine sehr
reumüthige Beichte von manchen Fehlern, die er began=
gen hatte, abgelegt haben. Durch die Tröstungen der
Religion gestärkt, hat er die körperliche Schwäche, die

von seinen Wunden herrührte, so zu überwinden gewußt, daß er mit schnellen und festen Schritten zum Richtplatz gegangen ist. Sein letztes Wort war „vive le roi!", was er so oft im Leben als Kampfesruf in die Ohren seiner Feinde gedonnert hatte; dann winkte er mit dem Arm, die Schüsse knallten und entseelt stürzte der Kämpfer der Legitimität zu Boden.

Die Nachricht seines Todes, die sich mit Blitzesschnelle bis auf die entlegensten Meierhöfe der Vendée und Bretagne verbreitete, erschütterte mich tief, denn ich fühlte, daß mit diesem Manne unbedingt die kräftigste Stütze des legitimen Princips in Frankreich jetzt gefallen war. Geliebt wie Heinrich de la Rochejacquelin hatte ich Charette niemals, aber in höherm Grade seines unerschütterlichen Muthes wegen, geachtet und seiner hohen Talente wegen geehrt. Ungemessener Ehrgeiz, der ihn leicht hinderte, die Verdienste Anderer gebührend zu würdigen, war meiner Ansicht nach sein Hauptfehler und er hat dies in seiner letzten Beichte auch selbst bekannt und bereut. Charette de la Contrie, so war sein voller adeliger Name, hatte früher in der Königlichen Marine als Officier gedient, diesen Dienst aber, wegen mannigfacher Zwistigkeiten mit seinen Kameraden, wieder verlassen, da große Verträglichkeit niemals zu seinen Haupttugenden gehörte. Als er den Tod für seinen König fand, war er 33 Jahre alt und zeigte vor seiner Ver-

3*

wunbung so recht ein Bild männlicher Kraft. — Da auch Stofflet kurze Zeit vorher gefangen und getödtet worden war, so gab es jetzt in der ganzen Venbée kei= nen einzigen Führer mehr, der nur 100 Mann hätte zusammenbringen können. Fast alle die Männer, welche im Frühling 1793 den Kampf so heldenmüthig begonnen hatten, waren jetzt, ihrem Könige bis zum letzten Hauch des Lebens getreu, gefallen. Gottes unerforschlicher Wille hatte es so verhängt, daß die arme vielgeprüfte Venbée noch auf lange Jahre dem Scepter ihres Kö= niglichen Herrn entrissen werden sollte.

Anfang April war meine Fußwunde gänzlich wieder= hergestellt, und ich konnte daran denken, den eben so gefährlichen als unbequemen Aufenthalt in dem Meier= hofe wieder zu verlassen. Ich kaufte mir ein kleines Pferdchen, verschaffte mir in Nantes einen Paß als Pferdehändler, was durch Bestechung leicht zu erreichen war, und ritt nun in langsamen Tagesmärschen an den Rhein. Meine Absicht war, mich zu Seiner Majestät dem Könige Ludwig XVIII. zu begeben, der, wie ich erfuhr, augenblicklich am Rhein residiren sollte. Nach England wollte ich nicht gern wieder zurück, da mir Vieles daselbst mißfallen hatte. Meine Absicht war, wo= möglich Dienste in einem Heere, was gegen die Franzö= sische Republik focht, zu nehmen und ich hegte besonders den Wunsch, mich den Reihen der tapferen Truppen

Seiner Majestät des Kaisers von Österreich anschließen
zu dürfen. Bei diesem Ritt durch ganz Frankreich, wo=
bei ich sehr viel mit den unteren Ständen auf ganz un=
gezwungene Weise verkehren mußte, traf ich zwar noch
manche Männer von braver legitimistischer Gesinnung,
besonders unter dem Landvolke, aber doch auf mehr re=
publikanischen Schwindelgeist. Namentlich in den östli=
chen Provinzen und besonders in Lothringen und im
Elsaß schien die Republik überwiegend viele Anhänger —
unter allen Ständen, mit denen ich in Berührung kam,
zu besitzen. Gar vieles mußte ich jetzt wieder ruhig mit
anhören, was mich innerlich empörte; doch hatte mich
die Gewohnheit allmählich vollständig gegen solches un=
verständige Geschwätz abgehärtet. Nur eine tiefe Ver=
achtung gegen alle diese Menschen, die frech gegen die
göttliche Ordnung anstürmen wollten, ergriff mich immer
mehr; sonst ward ich selten nur zornig.

Da mein Paß in guter Ordnung und ich persönlich
in all' den Gegenden, die ich durchzog, völlig unbekannt
war, so schwebte ich bei dieser ganzen Reise in nicht son=
derlich großer Gefahr. In Straßburg ritt ein republi=
kanischer Stabsofficier bei mir vorbei, in dem ich zu
meiner großen Verwunderung Charles, den Sohn un=
seres Verwalters, der mich damals nach Paris begleitet
und den ich dann 1790 als Polizeibeamten getroffen
hatte, wiedererkannte. Ich hatte schon gehört, daß dieser

ehrgeizige Jüngling, der stets hoch hinaus wollte, 1792
in das Heer getreten war, weiter aber nichts von ihm
wieder vernommen. Der jetzige Stabsofficier mit der
breiten Tricolor-Schärpe um den Leib, einen Hut mit
hohem Federbusch auf dem Kopfe, erkannte in mir, den
einfach gekleideten Pferdehändler, der die Geldkatze über
die Schultern geschlungen hatte, den Sohn seiner ehe=
maligen Herrschaft nicht wieder. Ich freute mich hier=
über und vermied sorgfältig, ihm zum zweiten Male
wieder zu begegnen, da er seiner Pflicht als Officier
gemäß mich, den legitimistischen Agenten, hätte anzei=
gen müssen.

Im Elsaß verkaufte ich übrigens mein Pferd und
schloß mich einer Marketenderin, die den republikanischen
Heeren in Deutschland nachzog, als Begleiter an und
so gelang es mir auch, glücklich über den Rhein und
aus dem Bereich meiner Feinde zu kommen. Ich war
übrigens einer derartigen Verkleidung so überdrüssig und
es widerstrebte mir so sehr, als Händler vermummt in
Frankreich umherzuziehen, daß ich beschloß, dies nur in
dem Falle, daß mein Königlicher Herr und Gebieter es
mir ausdrücklich befahl, wieder zu thun.

Bei meinem Ritt durch Frankreich hörte ich jetzt
überall das Lob des jungen Generals Napoleon Bo=
naparte mit überschwenglichen Worten verkünden. Seine
letzten Erfolge in Italien waren in der That auch glän=

zend, selbst wenn man vieles, womit der enthusiastische Eifer der republikanischen Zeitungen den Ruhm derselben zu vergrößern suchte, davon abrechnete. Der junge General Bonaparte, der mit mir im gleichen Alter ungefähr stehen mochte, hatte bisher in selten hohem Grade Energie und militairisches Talent gezeigt, und das Glück schien ihn dabei außerordentlich zu begünstigen. Schon damals ahnte ich es, daß dieser junge General, der schon so Vieles geleistet hatte, der gefährlichste Gegner der Wiederherstellung des legitimen Herrscherthumes in Frankreich sein würde, und leider bestätigten sich diese Ahnungen nur zu sehr. Um viele Jahre früher konnte Ludwig XVIII. den Thron seiner Väter wieder besteigen, wenn das Schicksal ihm nicht diesen so reich begabten Menschen entgegengestellt hätte. Frankreich sollte erst die eiserne Herrschaft eines Bonaparte fühlen lernen, und Hunderttausende seiner muthigsten Söhne dem unermeßlichen Ehrgeiz dieses Mannes opfern, bevor es sich wieder der väterlichen Herrschaft der Bourbons erfreuen durfte. Und doch ging auch solche harte Lehre für dies schöne und doch dabei so unglückliche Land wieder nutzlos verloren.

Jetzt hatten die Siege des Generals Bonaparte in der Lombardei den König Ludwig XVIII., der bisher in Verona residirte, leider dazu gezwungen, von hier zu flüchten. Das Maaß des Leidens, was dieser un-

glückliche Monarch so viele Jahre zu leeren gezwungen
war, schien jetzt noch lange nicht erschöpft zu sein. Stets
hat er aber unter allen Verhältnissen des Lebens die
hohe Würde, die seinem Charakter eigen war, zu be=
haupten gewußt. Ja als Napoleon Bonaparte fast
ganz Europa beherrschte und die mächtigsten Monarchen
um seine Gunst sich bewarben, verschmähte es Lud=
wig XVIII., der fern in der Verbannung lebte und
häufig sogar mit sehr unangenehmen pecuniären Sorgen
zu kämpfen hatte, in Unterhandlung mit diesem Manne
zu treten. Hunderte von Millionen Francs bot Napo=
leon Bonaparte den Bourbons, wenn diese ihren
Rechten auf Frankreichs Thron zu seinen Gunsten ent=
sagen wollten, und versprach ihnen in Neapel ein ande=
res schönes Königreich dafür zu gründen; doch ward
ihm kaum eine Antwort auf solchen schmählichen Antrag
gegeben.

In Riegel hatte ich die Ehre, meinem Königlichen
Herrn mich persönlich nähern zu dürfen. Mit gleicher
huldvoller Gnade, die er mir schon als Graf von Pro=
vence bewiesen hatte, geruhte Seine Majestät Lud=
wig XVIII. mich auch jetzt wieder zu empfangen. Er
hatte mein trauriges Schicksal, alle meine Angehörigen
durch die Guillotine verloren zu haben, bereits erfahren
und sagte mir viele theilnehmende Worte hierüber, die
lindernder Balsam für mein von Schmerzen zerrissenes

Herz waren. Über meine stete Theilnahme an den Kämpfen in der Vendée und Bretagne hatte Seine Majestät die Gnade, mir ebenfalls manche beifällige Worte zu sagen. Wiederholt mußte ich in Privat-Audienzen, die mitunter mehrere Stunden währten, meinem Königlichen Herrn eine genaue Schilderung aller Kämpfe und Kriegszüge, an denen ich theilgenommen hatte, geben, was ich denn auch mit völliger Unbefangenheit und Unparteilichkeit, wie ich solche vor meinem eigenen Gewissen verantworten zu können glaubte, erfüllte. Bei der Erzählung der großen Leiden, welche die treuen Bewohner dieser Gegenden wegen ihrer Anhänglichkeit an das legitime Königshaus Frankreichs hatten erdulden müssen, traten dem Könige wiederholt Thränen des innigsten Mitgefühls in die Augen und er brach in die Worte aus: „Die armen, armen Leute! — Gottes Gnade muß es ihnen vergelten, was sie für uns gelitten haben; ich habe leider jetzt weder Macht noch Mittel dazu." Der Tod von Heinrich de la Rochejacquelin erregte besonders auch das innige Mitgefühl des Königs und bei wiederholten Gelegenheiten kam er hierauf zurück und ward nicht müde, mich nach den näheren Einzelheiten, die dabei vorgefallen waren, zu fragen.

Über den jetzigen Zustand der Dinge in Frankreich, so weit wenigstens ich selbst ihn aufgefaßt hatte, gab ich meinem Königlichen Herrn auf dessen Begehr einen freimüthigen Bericht. Ich sprach es unumwunden aus, daß meiner festen Überzeugung nach, für den Augenblick wenigstens, an eine Schilderhebung für das legitime Princip in den Provinzen von Frankreich, die ich jetzt gründlich kennen gelernt hatte, nicht zu denken sei. Die Theile von Poitou und Anjou, welche man die Vendée nannte, wären des erfolglosen Krieges, den sie so lange Zeit mit unsäglichen Opfern geführt hatten, müde und eine dumpfe Resignation hätte sich der Gemüther der treugebliebenen Einwohner bemächtigt. An Führern fehle es ganz, da fast alle Persönlichkeiten, welche in den letzten Kämpfen eine hervorragende Rolle gespielt hatten, ihre Treue mit ihrem Tod besiegelten. Der so einflußreiche Landadel jener Gegenden war weit über die Hälfte ausgerottet. Hunderte von jungen Edelleuten waren seit **1793** auf dem Schaffot oder dem Schlachtfelde gefallen, oder saßen als Krüppel, die nicht mehr zum Kämpfen taugten, ruhig auf ihren sehr zusammengeschmolzenen Besitzthümern und freuten sich der Amnestie, welche die Republik jetzt Allen gewährte. Die so einflußreichen Geistlichen, welche im Frühling **1793** die Bauern sehr zum Kampfe aufforderten, waren jetzt, da die Republik der katholischen Religion wieder größeren Schutz gewährte, sehr ruhig geworden. Bei den letzten Kämpfen unter Charette hatte ich schon wiederholt zu bemerken Gelegenheit gehabt, daß die meisten Landgeistlichen sich uns mehr

ungünstig, als günstig gesonnen zeigten und den Bauern
den Anschluß an unsere Schaaren häufig abriethen, äu=
ßerst selten aber zuriethen. Die Geistlichen sind ja über=
haupt mehr Männer des Friedens als des Kampfes,
wie es ihr Beruf auch so erfordert und werden stets nur
im alleräußersten Nothfall zu Letzterem auffordern. Die
Geistlichkeit Frankreichs hatte jetzt andere Wege gefun=
den, ihren alten Einfluß ganz wieder in der früheren
Weise herzustellen, als durch das Schwert. In der Bre=
tagne wären jetzt wohl noch einzelne Chouanshaufen zu=
sammenzubringen, aber kein allgemeiner Aufstand konnte
entflammt werden. Besonders der letzte unglückliche Lan=
dungsversuch auf der Halbinsel Quiberon hätte sehr ent=
muthigend auf die Stimmung der legitim gesinnten Be=
wohner gewirkt. In Bordeaux würden zwar bei dem
Einzug Seiner Majestät des Königs weiße Fahnen in
Menge wehen, bedeutende Hurrahs erschallen und die
Zahl der antichambrirenden Personen würde sehr groß
sein; um aber auch für ihren Monarchen zu kämpfen
und Gut und Blut zu wagen, dazu besaßen die Bewoh=
ner der reichen Handelsstadt zu viel merkantilen Sinn.
In den übrigen Französischen Provinzen, die ich durch=
zogen hatte, wirkte der Waffenruhm, den sich die Heere
jetzt erkämpften, zu berauschend, als daß an eine irgend=
wie einflußreiche Erhebung für die Legitimität in diesen
gedacht werden könnte.

Dies war in kurzen Umrissen der Inhalt der Berichte, welche ich bei wiederholten Gelegenheiten meinem Königlichen Herrn und Gebieter unumwunden mittheilte. Die Stirn des Monarchen verfinsterte sich zwar mitunter bei meinen Worten und sein Auge drückte Schmerz und Unwillen zugleich aus, und doch schien er meine Freimüthigkeit nicht so empfindlich aufzunehmen, als dies leider sein erlauchter Bruder, Seine Königliche Hoheit der Graf von Artois, auf der Insel Dieu gethan hatte. Als ich von der jetzt in Frankreich herrschenden Begeisterung für den Waffenruhm der republikanischen Heere sprach und wie selbst sonst sehr legitim gesinnte Personen sich dieser Stimmung nicht ganz erwehren könnten, brach Seine Majestät mit trübem Lächeln in die Worte aus: „Ja, so sind meine Franzosen, man verschaffe ihnen Waffenruhm gegen auswärtige Feinde, und sie werden die härteste Despotie jubelnd ertragen, während eine friedliche Regierung, die das wahre Glück des Volkes anzubahnen strebt, stets gegen die Umtriebe der Parteien ankämpfen muß und die Gelüste der Ehrgeizigen niemals befriedigen kann."

Wie oft sind mir später bei wiederholten Gelegenheiten diese Worte des Monarchen, welche den Französischen Nationalcharakter so scharf bezeichnen, wieder eingefallen. Kann ich mich selbst doch von dieser Eigenthümlichkeit nicht ganz lossprechen! Ich habe bis 1815 fast

ununterbrochen gegen das Princip der Französischen Re=
volution mit den Waffen in der Hand gekämpft und
Napoleon Bonaparte gewiß auf das Bitterste ge=
haßt, und doch empfand ich mitunter eine gewisse Art
von innerer Freude über den unvergänglichen Waffen=
ruhm, den dieser Mann mit seinen Heeren meinem Va=
terlande Frankreich verschaffte. Ich entsinne mich noch,
daß mich der Untergang des Französischen Heeres 1812
in Rußland aufrichtig betrübte und ich in den Jubel
der Englischen Officiere, mit denen vereint ich damals
in Spanien kämpfte, nicht einstimmen konnte, und doch
war dieser Untergang für den Sieg des legitimen Prin=
cips, dem ich mein ganzes Leben geweiht hatte, das gün=
stigste Ereigniß, was nur eintreffen konnte. Der Legi=
timist und der Franzose kamen überhaupt sehr häufig bei
den langjährigen Kämpfen, die ich mit fremden Trup=
pen gegen die Französischen führen mußte, in Wider=
spruch. Es bedarf keiner weiteren Begründung, daß dies
nur auf Augenblicke geschehen konnte, und ich dem Prin=
cipe der Legitimität sonst immer unerschütterlich treu blieb.

In Mühlheim war damals das Condé'sche Emigran=
ten=Corps, was jetzt von England besoldet wurde, ver=
sammelt, und ich traf manche Bekannte und Freunde
unter den Officieren desselben. Es waren auch einige
ehemalige Vendéekämpfer in dieses Corps jetzt aufgenom=
men worden, die demselben zur großen Ehre gereichten

und treffliche Officiere abgaben. Tüchtige Kämpfer, an
denen jeder Zoll ein ritterlicher Edelmann und nicht blos
ein aufgeblasener Hofmann war, befanden sich darunter.
Im Allgemeinen litt übrigens das Condé'sche Corps auch
an den großen Übelständen, die ich schon früher bei der
Schilderung der Französischen Emigranten = Regimenter
auf der Insel Dieu erwähnt habe, wenn es auch sonst
mehr Kriegsgewohnheit, als diese besaß. Besonders die
Mannschaft, unter der sich viele geworbene Ausländer
aus aller Herren Länder, oder auch kriegsgefangene Re=
publikaner, die jede Gelegenheit zur Desertion benußten,
befanden, ließ sehr viel zu wünschen übrig. Auch die
Disciplin war nur sehr mangelhaft und selbst unter den
Officieren befanden sich leider manche, die lieber ihren
Vergnügungen nachgingen, als daß sie mit gewissenhaf=
ter Strenge ihre dienstlichen Pflichten erfüllt hätten. Das
Condé'sche Corps war dazu bestimmt, am oberen Rhein
zu fechten, und wenn das Glück günstig war, zwischen
Breisach und Hüningen über diesen Fluß zu setzen und
den Kriegsschauplaß in das obere Elsaß zu verlegen.
Leider kam es nur nicht hierzu! Da Englisches Geld
dies Corps besoldete, so war auch ein Englischer Com=
missair, Oberst Crawford, bei demselben gegenwärtig,
der großen Einfluß auf Alles ausüben wollte und auch
ausübte. Die Anordnungen dieses Herrn hatten gerade
nicht dazu beigetragen, mir den Dienst in dem Condé=

schen Corps — ganz abgesehen von manchen anderen auch sonst nicht angenehmen Verhältnissen — erwünscht zu machen.

Es war mir persönlich sehr angenehm, daß Seine Majestät der König Ludwig es wünschte, einen Offi= cier, der ihm mitunter freimüthige Berichte über die Kriegsoperationen schreiben konnte, in dem Hauptquar= tier Seiner Kaiserlichen Hoheit des Erzherzogs Carl, der am Niederrhein befehligte, zu haben. Auf eigenhän= bige Verwendung des Monarchen gestattete der Erzher= zog Carl es, daß ich als Volontair=Officier ohne Rang und Gage bei einem Regimente, was unter seinen Be= fehlen stand, eintreten durfte.

Wir hofften alle auf einen sehr günstigen Ausgang des Feldzuges gegen Frankreich, da die am Rhein ver= sammelte Kaiserlich Österreichische Macht, zu der noch einige andere Deutsche Fürsten ihr Contingent hatten stoßen lassen, sehr beträchtlich war. Leider lauteten die Nachrichten aus Ober=Italien, wo Napoleon Bona= parte Sieg auf Sieg erfocht, so ungünstig, daß über 20,000 Mann der besten Österreichischen Truppen jetzt in Eilmärschen vom Rhein nach Italien marschiren muß= ten. Dies schwächte die Truppen am Rhein so sehr, daß sie keinen entscheidenden Schlag gegen die republi= kanische Armee unternehmen konnten. Auch kam noch dazu, daß der republikanische General Moreau, der hier be=

fehligte, so große militairische Talente entwickelte, daß, außer dem Erzherzog Carl selbst, keiner der übrigen Österreichischen Generale ihm hierin nur im Mindesten gleich gestellt werden konnte.

Bevor ich übrigens zu der Österreichischen Armee am Niederrhein abging, hatte Seine Majestät der König Ludwig XVIII. die hohe Gnade, mich unter die Zahl der Ritter vom Orden des heiligen Ludwig aufzunehmen. Während der kurzen Zeit, daß ich jetzt mich hier in dem Hauptquartier des Conbé'schen Corps aufhielt, hatte ich auch die Ehre, dem jungen Herzog von Eng- hien vorgestellt zu werden. Ein ungemein ritterlicher, liebenswürdiger Prinz war dies, voller Talente und gro- ßer persönlicher Tapferkeit, wovon er schon bei wieder- holten Gelegenheiten die ehrenvollsten Beweise abgelegt hatte. Ich habe selten einen jungen Mann gekannt, für den ich schon gleich bei der ersten Begegnung eine so wahre Zuneigung faßte, wie für diesen Prinzen. Wä- ren alle übrigen höheren Führer im Conbé'schen Corps ihm nur im Entferntesten gleich gewesen, dann hätte ich es mir zur besonderen Ehre angerechnet, unter diesen Truppen meine ferneren Waffenthaten gegen die Re- publikanen verrichten zu dürfen. Leider war dies aber nicht der Fall.

Die Ermordung des Herzogs von Enghien gehört unbedingt zu den größten Schandthaten, durch welche

Napoleon Bonaparte seinen sonst so großen Waf=
fenruhm besudelt hat. Seine lange Haft in St. Helena
war nur eine gerechte Strafe für diese That.

In dem Gefolge Seiner Majestät des Königs, der
mir dies gestattet hatte, machte ich während dieser Zeit
auch einen Ritt zu den weit vorgeschobenen Avantgar=
den des Condé'schen Corps, die während des Waffen=
stillstandes nur durch den hier sehr schmalen Rhein von
den Republikanern getrennt waren. Unser Königlicher
Herr ritt, so nahe der Fluß es uns gestattete, an die
Republikaner, die in großen Schaaren versammelt wa=
ren, heran und rief ihnen einige herzliche Worte, die
drüben wohl verstanden wurden, zu. Alle Republikaner
hatten so viel Anstandsgefühl, den rechtmäßigen König
von Frankreich bei seinem Fortreiten auf das Ehrerbie=
tigste zu begrüßen.

Ende Mai, als der Waffenstillstand aufhören und
die Feindseligkeiten beginnen sollten, begab ich mich in
Begleitung eines Österreichischen Obersten in das Haupt=
quartier Seiner Kaiserlichen Hoheit des Erzherzogs Carl.
Seine Majestät der König hatte die Huld gehabt, mir
ein tüchtiges Pferd, was ein unlängst gestorbener Offi=
cier des Condé'schen Corps besessen, zu schenken und mir
auch sonst einen Beitrag zu den Equipirungskosten zu
bewilligen. Auf Gage oder irgend sonstige Geldbewilli=
gungen hatte ich freiwillig selbst verzichtet.

In den ersten Tagen des Juni im Hauptquartier des Erzherzogs Carl angekommen, hatte ich bald die hohe Ehre, diesem edlen Sprößling des uralten Habsburger Kaiserstammes, der seine jugendliche Stirn bereits mit so reichen Lorbeeren des Ruhmes geschmückt hatte, vorgestellt zu werden. Gleich bei den ersten Worten, die der Erzherzog an mich zu richten die Gnade hatte, imponirte mir die Größe seines Geistes und die Festigkeit seines Charakters, die aus seinen blauen Augen hervorblitzte und in jedem Zug seines Gesichtes ausgeprägt lag. Ich erkannte nicht allein den Kaiserlichen Prinzen, der vermöge seines hohen Ranges mir Respect einflößen mußte, sondern den großen Feldherrn, den ich aus ganzer Seele verehren konnte, in ihm. So oft ich in späteren Jahren auch noch unter den Befehlen des Erzherzogs Carl zu dienen die Ehre hatte, so verringerte sich dieses Gefühl der höchsten Verehrung doch keinen Augenblick, sondern vergrößerte sich im Gegentheil noch immer mehr und mehr. Der Ausdruck des Gesichts des Erzherzogs war ernst, ja selbst streng und die Furchen des Nachdenkens, die auf seiner hohen Stirn eingegraben lagen, gaben ihm oft ein älteres Aussehen, wie es zu seinem damals noch jugendlichen Alter paßte. Er sprach im Ganzen nur wenig, aber sehr bestimmt und scharf und hatte die seltene Gabe, mit kurzen Worten Vieles ausdrücken zu können. Sehr einfach in Anzug und Benehmen und jeglicher

Oftentation und mochte folche beftehen, worin fie wolle, fern, hatte er in feinem Auftreten doch etwas entfchieben Bornehmes und man fah es ihm an, daß fchon feine Geburt ihn auf die höchfte Stufe des Lebens geftellt hatte. Von den unter ihm dienenden Soldaten wurde der Erzherzog Carl in hohem Grade verehrt und jedes Öfterreichifche Regiment, welches zu dem Corps ftoßen durfte, das er befehligte, fchätzte fich fehr glücklich und wurde wegen diefes Vorzuges von den übrigen Truppen beneidet. Dabei hafchte er nicht im Mindeften nach fogenannter Popularität, fprach mit den Soldaten äußerft felten, mifchte fich faft niemals in ihre Reihen und ftrafte jegliche Dienftwidrigkeit mit äußerfter Strenge, die fich nur ausnahmsweife zu irgend einer Milde erweichen ließ. Der rohfte Soldat fühlte aber, daß er unter einem großen Feldherrn ftehe, der ihn zum Siege und nicht, wie dies manche andere Öfterreichifche Befehlshaber thaten, leider nur zu beftändigen Niederlagen führe; dies begründete wefentlich die aufrichtige Verehrung der Armee für ihren hohen Führer. Auch an gewiffenhafter Sorge für das Wohl der Soldaten ließ es der Erzherzog Carl niemals fehlen und war rückfichtslos ftrenge gegen fchurkifche Intendanten, betrügerifche Lieferanten und habfüchtige Commiffariats = Beamten, welche den armen Soldaten ihren ohnehin kargen Lebensunterhalt noch mehr fchmälern wollten. Leider konnte man gleiche Sorgfalt nicht

Mem. eines Legit. II.   4

bei allen anderen höheren Österreichischen Generalen rüh=
men und es gab manche darunter, die viel zu bequem
und indolent waren, sich um dergleichen Dinge weiter
zu bekümmern.

Das Österreichische Heer selbst, wenigstens der Theil
desselben, in dessen Reihen ich jetzt zu dienen die Ehre
hatte, fand ich gegen das Jahr 1792, wo ich es zuerst
kennen lernte, in vieler Hinsicht vortheilhaft verändert.
Man sah den Soldaten an, daß sie schon vier tüchtige
Feldzüge durchgemacht hatten, und sie zeigten ungleich
größeres Selbstvertrauen und eine bedeutendere Leichtig=
keit in allen ihren Bewegungen, als früher der Fall war.
Besonders das Corps der Subaltern = Officiere hatte in
diesen vier Jahren sehr gewonnen und fast in allen Re=
gimentern gab es eine Menge ganz vortrefflicher Ritt=
meister und Hauptleute. Gar die Cavallerie war in je=
der Hinsicht nur lobenswerth und in Allem, was tüch=
tige Pferde, gewandtes Reiten der Leute und innige Ver=
trautheit mit dem Dienst anbelangte, der Französischen
weit überlegen. Leider ließen sich im Allgemeinen von
der Österreichischen Generalität lange nicht die gleichen
Vorzüge rühmen. Es gab zwar eine Menge vortreffli=
cher Österreichischer Generale, die wahre Zierden ihres
Standes waren und in jeder Armee vollgültig ihren Platz
eingenommen hätten, leider aber auch nur zu viele gänz=
lich unfähige Menschen, die besser zu Hause auf der Faul=

banf hinterm Ofen, als im Felde an der Spiße tapfe=
rer Regimenter, Brigaden oder gar Divifionen ihren
Plaß gefunden hätten. Diefe Männer, entweder alt,
abgelebt und in der unnüßen Pedanterie ergraut, oder
fo leere Strohföpfe auf ihren Schultern tragend, daß
auch nicht ein Fünfchen militairifches Talent mehr darin
Plaß fand, verdarben durch ihre Dummheit nur zu häu=
fig, was die braven Truppen mit ihrem Blute theuer
genug erfauft hatten. Selbft in den vierjährigen Feld=
zügen von 1792 an hatten diefe Herren auch noch nicht
das Allerminbefte gelernt und es herrfchte oft eine Be=
fchränftheit in ihren felbftftändigen Anordnungen oder eine
pedantifche Langfamfeit in den ihnen befohlenen Ausfüh=
rungen, daß ganz unmöglich ein günftiger Erfolg errun=
gen werden fonnte, mochten fich dabei die braven Trup=
pen auch mit der äußerften Aufopferung fchlagen. Lang=
famfeit, Schwerfälligfeit und Pedanterie waren überhaupt
nach wie vor die gefährlichften Gegner, welche die fonft
fo fchöne und tapfere Öfterreichifche Armee in ihrem In=
nern felbft zu befämpfen hatte, und hierin waren felbft
feit 1792 nur verzweifelt geringe Fortfchritte eingetreten.
So feft war diefer alte Schlendrian eingewurzelt, daß
felbft ein fo genialer und fräftiger und dabei mit fo gro=
ßer äußerer Machtvollfommenheit ausgerüfteter Feldherr,
wie der Erzherzog Carl war, ihn nicht zu durchbrechen
vermochte. Die fühnften Entwürfe und die fchnellften

Ausführungspläne dieses ausgezeichneten Generals wur=
den nur zu oft durch die Dummheit oder unnütze Lang=
samkeit seiner Unterbefehlshaber gänzlich wieder vereitelt.
Und nun gar dies monströse Unwesen, was der Hoffriegs=
rath in Wien trieb, der Hunderte von Meilen vom Kriegs=
schauplatz entfernt, sich in Alles und Jedes mengen wollte
und ohne dessen ausdrückliche Genehmigung, auf deren
Einholung im günstigsten Fall oft Wochen vergehen konn=
ten, keine irgendwie entscheidende Operationen geschehen
sollten, mochten auch die dringendsten Umstände eine noch
so schleunige Ausführung erfordern. Selbst einen ein=
fachen Subaltern=Officier, wie ich es war, mußte diese
entsetzliche Langsamkeit und Pedanterie oft peinlich be=
rühren, wie viel mehr daher einen höheren General, der
wirklich Strebsamkeit zeigte.

Unter solchen Umständen mußte daher der Erfolg der
Feldzüge von 1796 und 1797 in der Hauptsache ein ent=
schieden ungünstiger sein, wenn freilich bei sehr vielen
einzelnen Gelegenheiten die Truppen sich großen Waffen=
ruhm erkämpften.

Mehrere Gefechte mit abwechselndem Erfolg waren
schon zwischen den Französischen und Österreichischen
Truppen vorgefallen, als ich am 19. Juni in der Ge=
gend von Düsseldorf zuerst Gelegenheit hatte, in das
feindliche Feuer zu kommen. Ein früherer Gegner aus
dem Vendéekrieg, der bekannte General Kleber, befeh=

ligte hier die Republikaner und dies steigerte womöglich
noch mehr meine Kampfeslust. Im Feldzug von **1792**
hatte es mich geschmerzt, mit Fremden gegen meine
Landsleute fechten zu müssen, die Ereignisse aber, die
ich seitdem erdulden mußte; erstickten dies Gefühl gänz=
lich in mir. Ich fühlte eine große Freude jetzt in mei=
ner Brust, als die ersten Österreichischen Kanonenkugeln
tiefe Furchen in ein republikanisches Bataillon, was sich
gegen uns aufgestellt hatte, rissen. Die Republikaner
fochten mit großem Muthe und noch größerem Geschick
und drängten unseren Angriff anfänglich zurück. Ich
war außer mir vor Zorn, daß ich jetzt gleich das erste
Mal wieder, wo ich gegen die verhaßten Feinde kämpfte,
kein Sieger, sondern am Ende gar ein Flüchtling sein
sollte. Es war ein Wallonisches Regiment, bei dem ich
zur Dienstleistung zugetheilt war, und die meisten Sol=
daten desselben verstanden daher meine Französischen Zu=
rufe, mit denen ich ihre Kampfeslust zu vermehren suchte.
Das weit sichtbare Ludwigskreuz auf meiner Brust be=
zeichnete mich den Feinden als einen Franzosen und ver=
mehrte so ihre Wuth gegen mich. Deutlich hörte ich,
daß ein republikanischer Hauptmann seinen Voltigeurs
zurief, „besonders auf mich zu zielen, denn ich müsse
ein Schuft von Emigrant sein und es sei verdienstlicher,
einen solchen niederzuschießen, wie zehn Österreicher.“
Wenigstens ein Dutzend Kugeln pfiffen mir jetzt ganz

nahe um die Ohren und doch war es Gottes Wille,
daß mich keine einzige davon nur im Mindesten verletzte.
Ein Österreichischer Jäger stürzte neben mir, auf den
Tod verwundet, zu Boden. Sogleich ergriff ich das ge-
ladene Gewehr des Gefallenen, rief dem republikanischen
Hauptmann zu: „gardez-vous, Monsieur!" und schoß
ihn durch die Brust, so daß er sogleich todt zusammen-
fiel. — Wenn wir auch anfänglich zurückgeworfen wurden, so erhielten wir doch bald Verstärkungen und drängten nun unsererseits die Feinde zurück. Wir machten
an 6- bis 700 Gefangene und zwar größtentheils von
einem Bataillon, was 1793 gegen uns in der Vendée
gefochten und sich dort durch seine wilde Grausamkeit
einen übelen Ruf erworben hatte. Es waren meist Leute
aus der Normandie, rohe, verwilderte Kerle, ohne Religion und Gewissen in der Brust, aber gute Soldaten,
die sich bis zum letzten Augenblick standhaft vertheidigten;
dies Lob darf ich ihnen mit einiger Gerechtigkeit nicht
versagen.

Es hatte den ganzen Tag über eine drückende Hitze
geherrscht und da wir sehr viel hin und her marschirt
waren, so bemächtigte sich eine große Erschöpfung unserer Soldaten. Auf dem Kampfesplatz selbst, von dem
wir die Franzosen vertrieben hatten, wurden die Bi-
vouaksfeuer angezündet und mit Ausnahme der nothwendigsten Posten lag bald fast Alles im tiefsten Schlaf.

Unsere republikanischen Feinde schienen von gleicher Er=
müdung bezwungen zu sein, denn in auffallender Nähe
von uns brannten ihre Wachtfeuer. Mein durch mehr=
jährige Strapazen abgehärteter Körper fühlte nicht leicht
Müdigkeit, zumal wenn ich, wie jetzt der Fall, den bit=
ter gehaßten Feinden so nahe gegenüberstand. Ich bat
um die Erlaubniß, mit einer aus Freiwilligen zusam=
mengesetzten Patrouille in der Nacht noch einen heimli=
chen Überfall gegen die republikanische Vorpostenkette
unternehmen zu dürfen. Unter dem Commando eines
energischen Jäger=Hauptmanns marschirten wir mit 50
bis 60 Mann, denn so viele Freiwillige hatten wir aus
der ermatteten Mannschaft zusammengebracht, mit äußer=
ster Behutsamkeit ab. Die Französischen Heere haben sich
zu keiner Zeit durch strengen Vorpostendienst sonderlich
ausgezeichnet, und so glückte es uns auch diesmal, an
die größtentheils schlafenden Vedetten unbemerkt heran=
zukommen und sie entweder gefangen zu nehmen oder
zusammenzustoßen. Wir überfielen nun in aller Schnel=
ligkeit zwei Feldwachen und machten an 30 bis 40 Ge=
fangene dabei, allarmirten die ganze uns gegenüberste=
hende feindliche Linie, die unter die Waffen treten mußte,
und kehrten mit Tagesanbruch wieder in unser Lager
zurück, ohne bei dieser ganzen Unternehmung auch nur
einen einzigen Mann verloren zu haben. — Daß ich zu
dieser kleinen, so gut ausgefallenen Expedition den ersten

Impuls mit gegeben hatte, trug wesentlich dazu bei, mir
von nun an eine viel angenehmere Stellung unter den
Österreichischen Officieren zu sichern. Selbst der Erzher=
zog Carl, der davon benachrichtigt war, hatte die
Gnade, mir später einige anerkennende Worte hierüber
zu sagen.

Die Französischen Generale am Oberrhein hatten ge=
gen die ihnen gegenüberstehenden Österreichischen Truppen
inzwischen leider nur zu bedeutende Erfolge erkämpft, so
daß der Erzherzog Carl genöthigt wurde, mit einem
Theile der unter seinem Befehle stehenden Truppen dort=
hin zu eilen. Mit großer Kühnheit und Geschicklichkeit
war der republikanische General Moreau, derselbe, der
seinen früheren demokratischen Schwindelgeist bereuend,
1813 in dem Russischen Heere vor Dresden einen ehren=
vollen Soldatentod fand, am 25. Juni bei Straßburg
über den Rhein gegangen. Es standen nur einige Öster=
reicher, hingegen an 7= bis 8000 Mann sogenannte
„Schwäbische Kreistruppen" unter einem gänzlich unfähi=
gen General hier, und die waren freilich einem Moreau
und seinen kampfgewohnten Schaaren nicht gewachsen.
Der Deutsche ist ein äußerst braver Soldat, wenn er
vielleicht auch nicht immer den kriegerischen Ungestüm
der Franzosen besitzt; aber er will energische Officiere
haben, die ihn unter strenger Disciplin halten und stets
in Allem mit gutem Beispiele vorangehen, sonst taugt

er selten viel für einen herzhaften Krieg. Bei diesen Schwäbischen Kreistruppen fehlte es, einzelne Ausnahmen abgerechnet, noch immer bedeutend an recht tüchtigen Offcieren und deshalb war auch ihre Brauchbarkeit für den Krieg verhältnißmäßig nur gering.

Unaufhaltsam drang General Moreau jetzt mehr gegen das Innere von Deutschland vor, und wenn die treffliche Österreichische Reiterei bei wiederholten Gelegenheiten ihm auch empfindliche Niederlagen beibrachte, so blieb er im Ganzen und Großen doch vollständiger Sieger.

Die Organisation der damaligen Österreichischen Armee war sehr schwerfällig, so leichtfüßig und ausdauernd auch die einzelnen Truppentheile sich zeigten, und so kamen wir trotz alles Drängens und Treibens des Erzherzogs Carl jetzt doch nicht so schnell vorwärts, wie dies bei Französischen Regimentern der Fall gewesen wäre.

Am 9. Juli kamen wir endlich bei Herrenalb mit der von Moreau commandirten republikanischen Armee zusammen. Es war ein blutiger Tag, an dem von beiden Seiten mit äußerster Erbitterung gefochten wurde, und der lange in seinen Erfolgen zweifelhaft blieb. Ich selbst kämpfte auf dem rechten Österreichischen Flügel, den der Erzherzog Carl in eigener Person befehligte. Durch die Gegenwart ihres Kaiserlichen Prinzen begeistert, fochten die braven Österreichischen Truppen mit einem Muthe, wie er nicht größer sein konnte, und so

4*

ſtandhaft ſich die uns gegenüberſtehenden Republikaner
unter dem General Deſaix auch vertheidigten, ſo wur=
den ſie dennoch zurückgedrängt. Beſonders ein Bataillon
des braven Öſterreichiſchen Regiments Manfredini machte
hier eine Bajonnet = Attaque, wie ich ſolche niemals kräf=
tiger habe ausführen ſehen. Es war wirklich ein herrli=
cher Anblick, dieſe tapfere Schaar, feſtgeſchloſſen, Mann
an Mann, gegen die Feinde losſtürmen zu ſehen. Mochte
das heftige Feuer der gut bedienten Geſchütze der Repu=
blikaner auch noch ſo verheerend in ihren Reihen wirken,
ſie ſetzten trotzdem unerſchüttert den Sturm fort. Man
hat ſpäter ſo viel die unerſchütterliche Standhaftigkeit
der alten Garde von Napoleon Bonaparte gerühmt,
und ich will gern annehmen, daß dieſelbe eine in jeder
Hinſicht ausgezeichnete Truppe geweſen iſt, einen ent=
ſchloſſeneren Bajonnetangriff, wie ihn jetzt hier dies Ba=
taillon von Manfredini ausführte, hat ſie aber auch nie=
mals gemacht. Ich befand mich an dieſem Tage im
Stabe des Öſterreichiſchen Feldzeugmeiſters Graf La=
tour, der hier am rechten Flügel ſpeciell befehligte.
Dieſer würdige Mann war unbedingt mit der tüchtigſte
General zur Ausführung eines energiſchen Angriffs, den
die Öſterreichiſche Armee nur beſaß, wenn er auch viel=
leicht keine ausgedehnten ſtrategiſchen Operationen zu ent=
werfen vermochte. Es war eine wahre Freude, die un=
erſchütterliche Ruhe zu ſehen, mit welcher der Feldzeug=

meifter Latour mitten im heftigften feinblichen Kano=
nenfeuer feine weiteren Befehle zur Verfolgung des Sie=
ges ertheilte. Wir brängten die Feinde vollftändig zu=
rück und warfen fie über einen kleinen Bach, der ihrer
Front eine fefte Stüße gab.

Was half es uns aber, wenn wir auf dem rechten
Flügel auch die Feinde zurückbrängten, während hinge=
gen unfer linker Flügel vollftändig. gefchlagen wurde.
Der republikanifche General St. Cyr, der hier unter
Moreau befehligte, zeigte bei diefer Gelegenheit wieder
das entfchiebene militairifche Talent, was ihn fpäter mit
zu einem der beften Heerführer von Napoleon Bona=
parte erhob. Dem ihm gegenüberftehenden Öfterreichi=
fchen General konnten aber leiber keine gleichen Fähig=
keiten nachgerühmt werden. Die Öfterreichifchen Truppen
follen auch hier mit der äußerften Tapferkeit gefochten,
und befonders einige Ungarifche Bataillone fich fehr aus=
gezeichnet haben. Troßdem wurden fie jedoch fo weit
zurückgebrängt, daß auch unfere weit vorgefchobene Stel=
lung unhaltbar blieb und wir noch in der Nacht den
Rückzug von der fo blutig erkämpften Wahlftätte antre=
ten mußten. Das war denn eine böfe Nachricht für
unfere Truppen und die armen Abjutanten, die den Be=
fehl hatten, diefe Rückzugsordre an die einzelnen Regi=
menter zu überbringen, wurden oft nicht allzu freundlich
dafür empfangen. Die ftrenge Disciplin, welche in dem

Heere Seiner Majestät des Kaisers von Österreich stets geherrscht hat, zeigte sich auch jetzt wieder in sehr vortheilhafter Weise. In guter Ordnung zogen wir ab, und dies imponirte den Feinden so sehr, daß sie keine weitere Verfolgung zu unternehmen wagten.

Wir mußten nun leider immer weiter zurückmarschiren und unaufhörlich folgten uns die siegreichen Colonnen des Generals .Moreau nach. Zwar vertheidigte unsere Arrieregarde wiederholt einzelne Punkte mit Glück und brachte der allzu hitzig vordringenden republikanischen Avantgarde noch manche Nachtheile bei; allein im Ganzen geschah unser gut geordneter Rückzug doch fort und fort. Ich war über dies Unglück in der finsterſten Stimmung und wenn mich der Dienst nicht dazu zwang, vermied ich womöglich jede Gesellschaft und suchte die Einsamkeit. Es war mir mitunter, als schwebe ein finsteres Geschick über meinem Haupte, das mich dazu verdamme, immer und immer nur an Kriegen, die mit einer Niederlage unserer Sache enden sollten, theilzunehmen. Es bedurfte oft der ganzen Macht des Gebetes, um mich auf diesem unheilvollen Rückzuge nicht mitunter zu sündhaften Zweifeln an Gottes Barmherzigkeit und Allweisheit zu reizen. Ein ehrwürdiger Feldcaplan, der sich im Hauptquartier des Erzherzogs Carl befand, war mir in diesen finsteren Stunden Trost und Stütze und seinem geistlichen Zuspruche verdanke ich viel.

Die Uneinigkeit, welche zwischen den Deutschen Für=
sten von jeher geherrscht hat und der später Napoleon
Bonaparte einen so großen Theil seiner wichtigsten Er=
folge verdankte, fing auch jetzt wieder an, sich auf eine
recht betrübende Weise zu zeigen. Kaum verfolgte, trotz
aller Tapferkeit der einzelnen Regimenter, das Unglück
die Österreichische Armee, so trennten sich auch bald die
Truppen der kleineren Deutschen Fürsten von ihr. Der
Kurfürst von Sachsen schloß Frieden mit der Französi=
schen Republik und rief seine braven Soldaten, die bis=
her heldenmüthig an unserer Seite gefochten hatten, zu=
rück, und auch die einzelnen Süddeutschen Fürsten beeil=
ten sich, um Frieden zu bitten. Wie ein siegreicher
König und nicht wie ein Fluch und Zerstörung mit sich
bringender demokratischer Eroberer, ward General Mo=
reau in Carlsruhe und Stuttgart und den übrigen klei=
nen Residenzen am Rhein und Main empfangen. Die
Strafe für diesen schwächlichen Kleinmuth folgte nur zu
bald nach. Die uns nachrückenden republikanischen Heere,
welche jetzt die Deutschen nicht mehr fürchteten, sondern
nur tief zu verachten anfingen, plünderten und brand=
schatzten die von ihnen besetzten Landstriche auf die un=
barmherzigste Weise. Der General Moreau selbst
suchte der Zügellosigkeit seiner Truppen noch einigerma=
ßen Einhalt zu thun, obgleich ihm dies nur schwach ge=
lingen konnte; desto ärger wüthete aber der republikanische

General Jourdan, der den Main hinauf nach Franken gezogen war. Die sogenannten „höllischen Colonnen", die ich schon bei Gelegenheit des Krieges in der Vendée genannt habe, befanden sich unter seinen Schaaren und diese hatten im Plündern und Brennen schon früher eine gute Übung gewonnen. Unermeßlichen Schaden litten diese Landstriche am Rhein und Main und an der obe= ren Donau bis Donauwörth hin in diesem Jahre, und konnten nun erst recht aus eigener Erfahrung beurthei= len, was der republikanische Wahlspruch: „Krieg den Palästen und Friede den Hütten!" eigentlich zu bedeuten habe. Doch der Fleiß der Bevölkerung dieser schönen Gaue ist so groß, der Boden so fruchtbar und das Klima für den Anbau aller Feldfrüchte so mild, daß schon bin= nen wenigen Jahren die schweren Wunden dieses Krie= ges wieder vernarbt waren.

Bei Cannstadt am Neckar hatten wir abermals ein sehr heftiges Gefecht mit den Franzosen zu bestehen, in welchem wir ihre gar zu hitzig vordringenden Avantgar= den mit blutigen Köpfen wieder zurückwarfen. Bei die= ser Gelegenheit schloß sich ein hübscher Pudel, der einem erschossenen Österreichischen Officier gehört hatte, so an mich an, daß er seitdem mich nie wieder verließ. Bis zum Jahre 1809 hat dies treue Thier alle meine Kriegs= fahrten und Irrzüge beständig mit mir getheilt, und manche Nacht habe ich im Bivouak mein müdes Haupt auf seinem weichen Rücken gebettet. Hunger und Durst, Kälte und Sonnenbrand, Regengüsse und Schneegestöber theilte Fidele beharrlich mit mir, war freundlich gegen meine Freunde und wachsam gegen meine Feinde. Als ich beim Ausbruch des Feldzuges von 1809 das treue Thier wegen gänzlicher Altersschwäche eigenhändig erschoß, war ich mehrere Tage so traurig, als sei mein bester Freund mir gestorben.

Wir waren nun allmählig bis in die große Donau-Ebene zwischen Ulm und Nördlingen zurückgedrängt worden, und bestanden hier am 11. August ein ungemein blutiges Treffen, was den ganzen Tag anhielt. Hin und her wogte der Angriff und bald drängten wir die Republikaner zurück, bald mußten wir uns wieder etwas zurückziehen, um nicht von ihnen überflügelt zu werden. In der Nacht vorher hatte ein so starkes Gewitter, wie ich es niemals früher erlebte, statt gefunden und ein Wolkenbruch machte die Wege in diesem fetten Erdboden hier fast unpassirbar. Ungeachtet dieser Hindernisse zeichnete sich besonders die treffliche Österreichische Reiterei in hohem Grade aus und mehrere Regimenter machten bewunderungswürdige Attaquen. Hätte der republikanische General St. Cyr nicht auch diesmal wieder mit großer Meisterschaft manövrirt, so wären die Feinde entschieden von uns zurückgeworfen worden. Siebzehn Stunden währte dieser Kampf; dann trat die Dunkelheit ein, so daß er nicht weiter fortgesetzt werden konnte. Beide Theile blieben auf dem Kampfplatz die Nacht hindurch stehen und Niemand konnte sich mit Recht den Sieg zuschreiben. Ich selbst ward noch am Abend durch einen Baumast, den eine feindliche Kanonenkugel abriß und mir gewaltsam gegen die Brust schleuderte, so arg verletzt, daß ich fortgetragen werden mußte. Man brachte mich noch in der Nacht nach dem freundlichen Städtchen Donauwörth und von dort nach Augsburg. Hier hatte ich das Glück, in einem wohlhabenden Bürgerhause einquartiert zu werden, wo ich eine ungemein sorgsame Pflege fand. Die Tochter des Hauses, die mit einem Goldarbeiter verlobt war, konnte als Modell einer echt Deutschen Schönheit gelten. Blaue Augen, hellblondes Haar, schlanke Glieder und vollen Busen hatte sie, war dabei sittsam im Blick, züchtig in allen Mienen und Bewegungen, aber etwas langsam und schüchtern und von keiner Grazie im Gang. Mich pflegte das holde Kind mit großer Sorgfalt und ich bin ihr zu Dank verpflichtet. Bei all' dem vielen Unglück, was mich fast mein ganzes Leben hindurch traf, hatte ich wenigstens das Glück, bei meinen häufigen Verwundungen in der Regel gutmüthige Menschen und besonders Frauen zu finden, die mich mit großer Sorgfalt pflegten.

Ich genaß gerade noch zur rechten Zeit, um an dem mit Recht so berühmten Flankenmarsch des Erzherzogs

Carl zur Umgehung des Feindes Antheil nehmen zu
können. Zwar war ich noch etwas schwach und beson=
ders meine Brust schmerzte mich beim lauten Sprechen
sehr; doch ließ meine eifrige Kampfeslust mich alle diese
Unannehmlichkeiten bald überwinden. Dieser Marsch un=
seres hohen Feldherrn, der mit genialer Kühnheit erson=
nen und mit musterhafter Ordnung ausgeführt wurde,
verschaffte uns glänzende Erfolge. Mit 20,000 Mann
auserlesener Truppen ging der Erzherzog Carl bei In=
golstadt über die Donau, um der sogenannten republi=
kanischen Sambre = und Maas = Armee ganz unerwartet
in die Flanke zu fallen. Der republikanische General
Bernadotte, der später zum ewigen Hohn des heiligen
Princips der Legitimität König von Schweden ward und
blieb, wurde zuerst von uns angegriffen und tüchtig zu=
rück geworfen. Das war denn nach so langen Leiden
wieder ein heller Tag der Freude für mich, als ich diese
bitter gehaßten Republikaner in eiliger Flucht von dan=
nen stieben sah. Ich war jetzt dem berühmten Wallo=
nischen Dragoner = Regiment Latour, was sich schon in
allen diesen Kriegen so unsterblichen Ruhm erworben hatte,
zugetheilt worden und unter den gewichtigen Schwerthie=
ben dieser tapferen Reiter sanken jetzt manche Verheerer
der Vendée zusammen. Bei Amberg kam es am 24. Au=
gust wieder zu einem recht heftigen Gefecht, an dem ich
tüchtig mit theilnehmen konnte. Ich trug jetzt wieder

mein altes Schwert aus der Vendée, was längere Zeit auf der Insel Wight aufbewahrt gewesen war, und die scharfe Klinge desselben röthete sich gehörig vom feindlichen Blut. Mit gewohnter Standhaftigkeit vertheidigten sich auch an diesem Tage wieder die Republikaner und wir hatten anfänglich harte Arbeit, bis wir ihre Reihen zersprengten. Vier Kaiserliche Grenadier-Bataillone, eine wahre Elitetruppe, von dem braven General Werner geführt, durchbrachen aber endlich das feindliche Centrum, und nun hieben wir Reiter von Latour-Dragoner und besonders auch die Ungarischen Husaren des Regiments Blankenstein denn so recht drein. Noch in der späten Nacht versuchten die Republikaner, sich abermals zu setzen, wurden aber wieder von uns auseinandergesprengt und weiter verfolgt. Ich hatte das Glück, einen republikanischen Bataillons-Chef, der bei Quiberon gegen mich gefochten hatte, gefangen zu nehmen. Er erkannte mich wieder und es schien ihn doppelt zu erzürnen, daß gerade von mir, dem ehemaligen Chouansführer, jetzt seine Gefangennahme bewirkt war. „Beruhigen Sie sich, Bürger, wir brechen kein Versprechen und ermorden keine Gefangenen auf so niederträchtige Weise, wie Ihre Genossen es bei Auray thaten", sagte ich diesem Republikaner, drehte ihm dann den Rücken und befahl meinem Diener, nach Möglichkeit für ihn zu sorgen. Im Jahr 1811 focht dieser Mann als Brigade-Gene-

ral in Spanien mir gegenüber. — Kaum war diese sogenannte Sambre = und Maas = Armee von uns geschlagen worden, so erhielten ihre Soldaten auch die verdiente
Züchtigung für die rohen Gewaltthätigkeiten, welche sie
in so barbarischer Weise bisher auf ihrem Marsche in
Deutschland verübt hatten. In Franken, im Spessart
und in allen diesen schönen Gegenden am Main wohnte
eine kräftige Landbevölkerung, die damals wenigstens noch
sich durch wahre Anhänglichkeit an die Satzungen unserer heiligen Religion auszeichnete. Besonders die vielen
kirchenschänderischen Handlungen der Republikaner hatten
die Bauern empört und dies Gefühl der Rache machte
sich jetzt gegen die zersprengten Feinde Luft.

Ganze Ortschaften standen unter Anführung ihrer
Geistlichen, Gutsherrn oder Förster auf, nahmen alle
möglichen Waffen in die Hand und griffen nun die einzelnen kleinen Schaaren der flüchtenden Republikaner an.
Es sind viele Wälder und Berge in diesen Gegenden von
Deutschland und diese boten den Bauern nun günstige
Gelegenheit dar, ihren kleinen Krieg mit Geschick fortzuführen. Viele Hunderte von Feinden fielen auf diese
Art durch die Hände der wüthenden Bauern, denn wie
es bei dergleichen Gelegenheiten stets der Fall sein wird,
dachte man von keiner Seite daran, Pardon zu geben.
Die Republikaner tödteten jeden Bauer, der ihnen nur
irgendwie bewaffnet in die Hände fiel und brannten ganze

Dorfschaften nieder, und die Bauern hingegen erschlugen alle Soldaten mit nicht mehr Gewissensbissen, als ob sie einen tollen Hund erschlagen hätten. Es war ganz der grausame kleine Krieg, wie ich ihn in der Vendée und Bretagne schon mitgefochten hatte.

Wir Österreichischen leichten Truppen verfolgten dabei die geschlagenen Feinde mit rastlosem Eifer und ganze entmuthigte Schaaren derselben ließen sich oft freiwillig durch kleine Streifpatrouillen von uns gefangen nehmen, aus Furcht, sonst in die Hände der grimmigen Bauern zu fallen und dann von diesen ohne Weiteres ermordet zu werden. Dieser kleine Krieg war ganz nach meiner Art und Tag und Nacht saß ich fast im Sattel, um ja diesen republikanischen Schaaren den möglichsten Abbruch zuzufügen. Wiederholt haben wir übrigens ganze Trupps von Gefangenen nur mit äußerster Mühe den wüthenden Bauern, die sie ermorden wollten, entrissen. Ich entsinne mich noch, daß ich unweit Würzburg meine Dragoner vom Regiment Latour mit flachem Säbel auf die dicken Köpfe der tobenden Bauern einhauen ließ, da diese uns mit aller Gewalt einen Trupp von Republikanern entreißen wollten, um solche zu tödten. Da ich mit der Wallonischen Mannschaft Französisch sprach, so hielten die Bauern uns anfänglich ebenfalls für Franzosen und wollten uns schon ernsthaft angreifen und nur mit Mühe konnte ein herzugeeilter Forstbeamte die wüthenden Kerle

davon überzeugen, daß wir zu den Truppen des Erzher=
zogs Carl gehörten. Es war eine unbeschreibliche Ver=
wirrung, denn weder ich, noch meine Mannschaft ver=
standen ein Wort von dem rauhen Dialect der Bauern,
noch vermochten wir mit unserem gebrochenen, frembar=
tigen Deutsch uns diesen wieder verständlich zu machen.

Eine Menge grausamer Scenen, wie ich solche nur
zu oft schon erlebt hatte, sah ich noch bei dieser Verfol=
gung der geschlagenen Republikaner und so bitter ich solche
auch haßte, so fühlte ich doch häufig Mitleid mit dem
Schicksal der Einzelnen. Ich hätte solche wilde Grau=
samkeit, wie jetzt die Bauern sie zeigten, bei diesen so
phlegmatischen und gutmüthig dreinschauenden Deutschen
gar nicht erwartet. Die entfesselte Leidenschaft der un=
teren Stände bleibt sich jedoch fast bei allen Völkern
gleich und ewigen Fluch verdienen daher diese Demokra=
ten, welche solche Stürme aufrühren.

Die Republikaner mußten sich nun so eilig zurückzie=
hen, daß sie einen großen Theil ihrer geraubten Beute
nicht mitschleppen konnten. Unsere leichten Truppen, die
stets den flüchtigen Feinden auf den Fersen saßen, mach=
ten manchen guten Fang, und Gold= und Silbermünzen
waren in den Händen unserer Soldaten nichts Seltenes.
So entsinne ich mich noch, daß wir einmal den Wagen
eines Kriegscommissärs, wie diese Blutsauger, welche die
republikanischen Heere in ganzen Schaaren begleiteten,

und in der Regel noch ungleich ärgere Erpressungen,
als die Soldaten selbst, verübten, genannt wurden, ein=
holten. Wir fanden in dem Wagen einen Kasten mit
2000 baaren Gulden und außerdem mehrere silberne
und goldene Kirchengeräthe, die dieser dicke Schuft von
Commissär, der jetzt gar kläglich bat und winselte,
irgendwo gestohlen haben mußte. Letzteres erbitterte die
alten Wallonen unserer Mannschaft, die in der Regel
einen festen Glauben und wahre Religiosität haben, gar
sehr. Der Commissär ward über die Deichsel seines
eigenen Wagens gelegt und erhielt einige Dutzend wohl=
gemessene Hiebe mit dem Steigbügelriemen über seine
prallen Nanking=Kniehosen, die ihm ein alter Walloni=
scher Reiter mit sichtbarem Vergnügen aufzählte. Zur
Strafe mußte er dann noch den weiteren Weg zu Fuße
und dabei mit dem einen Arm an den Steigbügel eines
Dragoners gebunden, zurücklegen, wobei er sehr prustete
und stöhnte. Wir ermittelten später, daß diese Kirchen=
geräthe aus einer Fränkischen Dorfgemeinde, ungefähr
20 Meilen weit entfernt, gestohlen waren und sandten
sie alsbald durch sichere Gelegenheit dahin zurück. Zu=
fällig ritten wir am anderen Morgen durch ein armes
Dorf, was von den Republikanern ganz niedergebrannt
war, dessen halbverhungerte Bewohner weinend und
händeringend auf den noch rauchenden Trümmern der
früheren Stätten ihres häuslichen Glückes saßen. Die

gutmüthigen, leicht beweglichen Wallonen wurden hier=
durch gerührt und bestimmten sogleich 1000 Gulden für
diese Armen, die dem schnell herbeigeholten Pfarrer zur
geeigneten Vertheilung übergeben wurden. Die anderen
1000 Gulden vertheilten die 15 Mann der Patrouille
unter sich, und da wir bald darauf in Würzburg ein=
zogen, so fand dies Geld, in guten Frankenwein ver=
wandelt, schnell seinen Weg durch die durstigen Kehlen
der Reiter. Zufällig fragte ich einige Tage später diese
Leute, was sie mit ihrem Beuteantheil gemacht hätten,
und lachend gestanden mir Alle ohne Ausnahme, daß sie
auch keinen Gulden mehr davon besäßen, sondern Alles
vertrunken und verjubelt hätten. So geht es im Kriege
zu; „Heute roth, morgen todt!" sagt ja der alte Deutsche
Soldatenspruch.

Bei Würzburg versuchte der republikanische General
Jourdan zuerst wieder, einen kräftigen Widerstand uns
entgegenzusetzen, so daß es hier am 3. September zu
einer blutigen Schlacht kam. Der Erzherzog Carl eilte
dem General Sztarray, der sich nur mit äußerster
Anstrengung gegen das Andringen der ihm an Zahl weit
überlegenen Feinde behaupten konnte, möglichst schnell zu
Hülfe, als wir plötzlich durch den Main im Weiter=
marsch aufgehalten wurden. Für die Infanterie war
zwar eine schmale Schiffbrücke geschlagen; die Cavallerie
konnte diese nicht passiren und wollte unschlüssig am Ufer

halten bleiben. Der edle Kaiserliche Prinz, der uns be=
fehligte, war aber nicht allein ein großer Feldherr, son=
dern auch ein persönlich sehr muthiger Soldat; dies
zeigte er auch jetzt wieder in hohem Grade. „Ein Fluß
wie der Main darf für meine Reiter kein Hinderniß
sein; vorwärts also, meine Herren!" rief er zu seiner
Umgebung aus, und spornte dann ohne Weiteres sein
Roß an, daß es in den Fluß mit ihm hineinsetzte. Dem
Beispiele des hohen Führers folgten sogleich alle anwe=
senden Schwadronen, unter denen auch die des schönen
Cüraffier=Regiments Mack waren, und setzten durch den
Fluß. Ich selbst befand mich etwas abwärts von dieser
Stelle und wir gingen alsbald auch durch den Main,
wobei uns zwei oder drei Pferde ertranken. Ganz durch=
näßt stürzten wir uns auf die republikanische Reiterei,
die anfänglich hartnäckigen Widerstand leistete, so daß
es zu einem lebhaften Reiterkampfe, Mann gegen Mann,
kam. Ich hieb bei dieser Gelegenheit einen republikani=
schen Stabsofficier, der aus größter Nähe seine Pistole
gegen mich abgefeuert, mich aber wunderbarer Weise
verfehlt hatte, zusammen. Das große Normännische Roß,
was er ritt, war mir eine erwünschte Beute, da mein
eigenes Pferd sich schon sehr abgetrieben zeigte.

Nach anfänglich sehr hartnäckigem Widerstand traten
die republikanischen Truppen ihren Rückzug an, der bald
darauf in eine unordentliche Flucht ausartete. Wir

drängten mit unserer trefflichen Reiterei schnell nach, hie=
ben noch viele Republikaner zusammen, nahmen eine noch
größere Zahl gefangen und machten reiche Beute. Got=
tes Gnade, das Talent des Erzherzogs Carl und die
große Tapferkeit der einzelnen Truppen hatten den Öster=
reichischen Waffen hier bei Würzburg einen glänzenden
und in seinen Folgen wichtigen Sieg wieder verliehen.
Unaufhaltsam ging der Rückzug der geschlagenen Maas=
und Sambre=Armee nun gegen den Rhein fort und nach=
drücklich verfolgten wir sie und zersprengten jeden Wi=
derstand, den einzelne Schaaren hie und da noch zu lei=
sten versuchten.

Zum ersten Mal seit den sechs Jahren, welche ich
nun im Kampfe für die verletzte Legitimität unter den
Waffen zubrachte, nahm ich jetzt an einem anhaltend
glücklichen Feldzug theil. Gerechte Freude über diese
Reihe von Siegen erfüllte mein Herz und in meine sonst
so düstere Stimmung fielen immer mehr und mehr helle
Sonnenblicke des Kriegsglücks. Den „schweigenden Fran=
zosen" hatten meine frohlaunigen Österreichischen Kame=
raden mich bisher genannt, und wenn ich auch hoffen
durfte, mir ihre Achtung als Mensch und Soldat erwor=
ben zu haben, so besaß ich doch nicht ihre Zuneigung,
da mein finsteres Wesen sie stets von mir entfernt hielt.
Jetzt bei dieser eifrigen Verfolgung des geschlagenen
Feindes mischte ich mich häufiger in ihre heitere Gesell=

schaft und gewann mir so manche wackere Freunde un=
ter diesen ritterlichen Gestalten. Gern und viel verkehrte
ich besonders auch mit einem Oberstlieutenant d'Aspré,
der ein Grenadier=Bataillon mit großer Auszeichnung
befehligte, und mir fortan ein treuer Freund sein gan=
zes Leben hindurch blieb.

Ich hoffte in manchen Stunden jetzt schon, unser
Siegesmarsch würde nicht nur bis an, sondern auch über
den Rhein gehen und wir in Paris einmarschiren, um
der ganzen republikanischen Wirthschaft ein Ende zu ma=
chen und Ludwig XVIII. auf den Thron seiner Väter
zu setzen. Mein fester Entschluß war, alsbald nach Er=
reichung dieses schönen Zieles in den hohen Orden der
Maltheser=Ritter zu treten, um mein ferneres einsames
Leben dem Dienste der Kirche und dem Kampfe gegen
die Ungläubigen zu weihen. Gott der Herr verfügte es
in seiner Allweisheit anders und ließ mich noch bis 1814
die Waffen gegen die Principien der Revolution führen.

Am 14. September hatten wir bei Wetzlar ein hef=
tiges Gefecht gegen den republikanischen Nachtrab, der
uns unter dem Befehl des muthigen Generals Lefebre
den Übergang über die Lahn streitig machen wollte. Wir
warfen die Feinde jedoch entschieden zurück und gingen
über den Fluß, um unseren Siegesmarsch weiter fort=
zusetzen. Mir ward bei dieser Gelegenheit mein bei
Würzburg erbeutetes Pferd schon wieder unter dem Leibe

erschossen und es kostete Mühe, daß ich mir ein anderes
erträgliches Thier verschaffen konnte. Es folgten über=
haupt wieder mehrere heftige Gefechte, denn die republi=
kanische Armee, die jetzt unter dem muthigen General
Marceau bedeutende Verstärkungen erhalten hatte,
zeigte sich nunmehr hartnäckiger in ihrer Gegenwehr.
General Marceau selbst, der abgesehen von seiner re=
publikanischen Schwindelei, persönlich ein sehr braver
Mensch gewesen sein soll, wie er jedenfalls ein muthi=
ger und geschickter General war, wurde bei Altenkirchen
schwer verwundet und fiel dann als Sterbender in un=
sere Hände. Zufällig war ich ein Augenzeuge von der
Verwundung dieses Generals, die bei einem kleinen Vor=
postengefecht durch einen Thyroler Scharfschützen, wie wir
deren mehrere bei uns hatten, geschah. Der Thyroler
hatte sich fast schon verschossen, als er den General
Marceau gerade in gehöriger Büchsenschußweite auf
einem Pferde reiten sah. „Schaun's, das is halt noch
a Vogerl, der einen Schuß lohnt!" rief er in seinem
Thyroler Dialect einem neben ihm stehenden Officier zu,
zielte bedächtig und durch die Brust getroffen stürzte der
republikanische General, wir wußten anfänglich Alle
nicht, daß es gerade Marceau war, vom Pferde.
Der ritterliche Charakter des Erzherzogs Carl sah in
Marceau nur den tapferen Soldaten und nicht den
General einer Armee, die den Mördern seiner Cousine,

der unglücklichen Königin Marie Antoinette, diente,
und handelte demgemäß. Der Leiche des Gestorbenen
wurden die gleichen militairischen Ehrenbezeugungen, als
sei sie die eines Österreichischen Generals, erwiesen und
eine starke Cavallerie-Escorte geleitete den Sarg alsdann bis an die republikanischen Vorposten. Meinem
inneren Gefühle widerstrebte es, einem Feinde meines
Königs, einem General der Heere, die Alles, was mir
auf Erden theuer war, vernichtet hatten, dergleichen
Ehrenbezeugungen zu erweisen und ich schloß mich daher
von der Leichenparade aus.

Der Erzherzog Carl wandte sich nun mit einem
Theile seines Heeres, zu dem auch ich gehörte, wieder
dem Oberrhein zu, um den Kampf mit dem General
Moreau, der inzwischen von der Donau bei Donauwörth zurückmarschirt war, weiter fortzusetzen. Wir
hatten noch manche kleine Gefechte und wiederholt fand
ich Gelegenheit, mich mit den bitter gehaßten Feinden
umherzuschlagen. Ein sehr blutiger Kampf fand am
24. October bei Kandern unweit Freiburg im Breisgau
statt. Es war ein scheußliches Wetter, der Regen goß
in Strömen herab und die Wege zeigten sich fast grund-
los. Die zahlreiche K. K. Cavallerie konnte fast gar
nicht gebraucht werden, was den Österreichern großen
Nachtheil brachte, während hingegen die Republikaner
von ihrer starken und trefflich postirten Artillerie den be-

deutendſten Nutzen hatten. Anfänglich wollte der Sieg
ſich uns nicht zuwenden, und mehrere Angriffe ſcheiter=
ten, bis der Erzherzog Carl, nur dem Antriebe ſeines
glühenden Muthes folgend, ſeine Truppen perſönlich in
das heftigſte Feuer führte. Rechts und links ſchmetter=
ten die republikaniſchen Kugeln die Soldaten unmittelbar
an der Seite des Kaiſerlichen Prinzen nieder, aber
Habsburg=Lothringen's edler Heldenſohn wich und wankte
nicht und führte ſomit ſeine Sturmcolonnen zum end=
lichen Siege.

An dieſem heftigen Gefechte nahm auch das Condé=
ſche Emigranten=Corps einen lebhaften Antheil und
ſchlug ſich vortrefflich, wobei beſonders der junge Herzog
von Enghien verdienten Ruhm erwarb. Wie man er=
warten darf, erfüllte mich beſonders dieſe bewieſene
Tapferkeit und Kriegstüchtigkeit des Emigranten=Corps
mit der lebhafteſten Freude. Noch in ſpäter Nacht eilte
ich in das Lager desſelben, um allen Bekannten meinen
Dank auszuſprechen und ſogleich auch die ehrenvolle
Mittheilung zu machen, daß der Erzherzog Carl ſein
Wohlgefallen über dieſe tapfere Haltung des Condé'ſchen
Corps zu erkennen zu geben geruht hatte. Wenn man
ſolche Botſchaft zu überbringen das Glück hat, ſcheut
man wahrlich weder Kälte, Regen, Sturmwind und grund=
loſe Wege, noch die größte körperliche Ermüdung und
jegliches Hinderniß überwindet man leicht.

102

Wir blieben an diesem Tage auch wieder vollständig Sieger; der geschlagene General Moreau trat am anderen Morgen in aller Frühe den Rückzug an und ging bei Hüningen auf das linke Rheinufer zurück. Das war denn ein gutes Ende des anfänglich für unsere gerechte Sache so unglücklichen Feldzuges von 1796 in Deutschland.

Drittes Capitel.

Einnahme von Kehl. Ungünstiger Einfluß der Ab-
reise des Erzherzogs Carl nach Italien auf die
Österreichische Rhein-Armee. Republikanische und
Österreichische Officiere. General Davoust. Emi-
granten-Familien. Wiederbeginn der Feindselig-
keiten. Unglückliche Gefechte. Friedensschluß zu
Campo-Formio. Reise durch Preußen nach Mi-
tau. Streit mit Mitgliedern der Französischen
Gesandtschaft in Berlin. Ankunft in Mitau.
Einfaches Leben daselbst. Der Hofstaat Seiner
Majestät des Königs Ludwig. Wolfs- und Bä-
renjagden in Lithauen.

––––––––

Die Neujahrsnacht von 1796 auf 1797 brachte ich in
den Laufgräben vor Kehl zu, welches wir nun schon seit
zwei Monaten belagerten und die Republikaner hartnäckig vertheidigten. Ein stürmisches, schicksalreiches Jahr,
in dem ich Vieles erduldet und manche bittere Erfahrung
wieder gemacht hatte, lag abermals hinter mir. Zwei-
mal war ich wieder in diesem Zeitabschnitt im Kampfe

für die Sache meines Königs und Herrn verwundet wor=
den und sieben verschiedene Blessuren trug mein Körper
nun schon. Die Zahl derselben war aber noch lange
nicht voll und sollte sich gerade noch verdoppeln, bis es
mir endlich gelang, die weiße Fahne der Bourbon's auf
dem Palast der Tuilerien in Paris wieder wehen zu
sehen.

Es war ein harter, schwerer Dienst, den die Öster=
reichischen Truppen hier bei der Einschließung von Kehl
hatten, und wir alle litten nicht wenig von Kälte und
dem Ungestüm der Witterung. Die feste Disciplin in
den Truppen, dieser herrliche Vorzug, der die K. K.
Österreichische Armee niemals bis zu einer ungeordneten
Flucht hat entmuthigen lassen, blieb aber unerschüttert
und vollkommenes Vertrauen auf das endliche Gelingen
unserer Sache beseelte Alle. Um das neue Jahr würdig
zu beginnen, erstürmten wir am Abend des Neujahrs=
tages die wichtigste Schanze der Franzosen, „das Wolfs=
loch" genannt, und trieben die Feinde bis auf die im
Rhein liegende Erleninsel. Neue Truppen rückten aber
von Straßburg her mit Übermacht gegen uns an, so
daß wir diese Insel nicht halten konnten und nach blu=
tigem Kampfe wieder räumen mußten. Einige Tage
darauf ergab sich Kehl an uns und der Weg nach Straß=
burg und von da nach Paris schien uns gebahnt zu sein.
Leider sollte es aber vorerst noch nicht dahin kommen.

In Italien, wo der kühne General Napoleon Bonaparte, dieser seltene Meister der Kriegskunst, die republikanischen Heere befehligte, hatten diese eine Reihe der wichtigsten Siege sich auf's Neue errungen. Während wir die Franzosen am Rhein schlugen und in Frankreich einzumarschiren hofften, schlug Napoleon Bonaparte die Österreicher überall in Italien und bereitete sich vor, seine siegreichen Schaaren selbst in das Innere der Österreichischen Monarchie zu führen. Unter solchen Umständen legte der Erzherzog Carl den Oberbefehl der am Rhein stehenden Heere nieder und begab sich in den ersten Tagen des März 1797 nach Italien, dort das Commando zu übernehmen. Eine ungeheuere, durch nichts auszufüllende Lücke ließ sein Abgang bei uns zurück, und selbst der gewöhnliche Soldat fühlte den Verlust, den wir dadurch erlitten hatten. Von dem Tage an, als die kräftige Hand des ruhmgekrönten Feldherrn bei uns den Zügel des Obercommandos abgab, fiel sogleich Alles in die alte Schlaffheit und Schwerfälligkeit zurück. Die Soldaten schlugen sich zwar nach wie vor mit gewohnter Standhaftigkeit, sobald man sie nur gut in das Feuer hineinführte, und auch die Disciplin blieb unerschüttert; aber das Selbstvertrauen, die muthige Zuversicht auf des Feldherrn Größe, ging uns sogleich verloren, als der Erzherzog fehlte. Unter den höheren K. K. Generalen befanden sich leider damals eine nur

5*

zu große Menge gänzlich unfähiger Männer, die ihren
Posten nicht im Mindesten ausfüllen konnten. Es wa=
ren manche brave Haudegen darunter, die ein Paar
Reiter=Regimenter vortrefflich zur Attaque führen, oder
mit einigen Grenadier=Bataillonen sehr muthig eine feind=
liche Position erstürmen konnten, sobald sie den Befehl
dazu erhielten, wie z. B. der General Werneck; aber
ein strategisches Talent, was dem der uns gegenüberste=
henden republikanischen Generale Moreau, Davoust
und Hoche nur einigermaßen gleich gewesen wäre, be=
saßen sie nicht im Mindesten. Andere Generale, die wir
hatten, waren altersschwach, zaghaft oder von einer fast
unglaublichen Beschränktheit. Es ist buchstäblich wahr,
daß im Feldzuge von 1797 ein höherer Österreichischer
General keinen Kriegsrath halten wollte, da in dem
Dorfe kein Tisch, der mit einem grünen Tuche bedeckt
war, aufgetrieben werden konnte, und es von Alters
her herkömmlich sei, nur um einen solchen Tisch den
Kriegsrath zu versammeln. In Folge dessen wurden
keine Beschlüsse für die Operationen der nächsten Tage
gefaßt, so dringend nothwendig diese auch immerhin sein
mochten, sondern man sandte ein Commando aus, um
aus einer größeren Stadt den unumgänglich nothwendi=
gen grünen Tisch zu requiriren. Der gegenüber com=
mandirende General Hoche zeigte sich minder pedantisch,
griff am andern Morgen die in Folge des nicht abge=

haltenen Kriegsraths unvorbereiteten Österreicher mit rück=
sichtsloser Kühnheit an, und schlug sie gehörig. Der so
wichtige grüne Tisch langte gerade an, als der eilige
Rückzug der Österreicher schon begonnen hatte, fiel bald
in die Hände der nachrückenden Franzosen und wurde
von diesen mit spöttischem Hohn bei einem großen Freu=
denfeuer verbrannt. Ähnliche Züge kamen nur zu häu=
fig vor; kurz wir glichen, seitdem uns der Erzherzog
Carl verlassen hatte, einem zwar kräftigen und gesun=
den Körper, dem aber die belebende Seele, die ihn zu
energischer Verwendung seiner Kraft bewegen kann, fehlt.

Unter solchen Umständen mußten meine anfänglich so
schönen Hoffnungen auf einen baldigen Rhein=Übergang
nur zu schnell wieder erlöschen.

Wir standen übrigens nach der Einnahme von Kehl
einige Monate lang den Feinden ruhig gegenüber, und
alle Feindseligkeiten hatten aufgehört, da ein gegensei=
tiger Waffenstillstand abgeschlossen war. Wiederholt
kamen einzelne republikanische Officiere in das Öster=
reichische Lager herüber, wie auch Österreicher die Repu=
blikaner besuchten. In dem Corps des Generals Mo=
reau hatte stets ein gewisser anständiger, ja ich möchte
fast sagen aristokratischer Ton unter den Officieren ge=
herrscht, und diese sich dadurch vortheilhaft von ihren
Kameraden in der sogenannten „Sambre= und Maas=
Armee" ausgezeichnet. Wie schon früher erwähnt, hatte

der unläugbar große Waffenruhm, den sich die republi=
kanischen Heere in allen bisherigen Feldzügen erkämpf=
ten, seine Wirkung auf viele junge Männer aus alten
Familien nicht verfehlt, diese leider bewogen, Dienste in
den Reihen derselben zu nehmen und so das Princip der
Legitimität zu verläugnen. Man fand daher bei den
Truppen des Generals Moreau jetzt eine Menge von
Officieren, welche sogar Träger der glänzendsten Adels=
namen Frankreichs waren. Sie wurden dort schon sehr
gern gesehen, machten ein besonders schnelles Avancement
und selbst die gemeinen republikanischen Soldaten fochten
lieber unter den Befehlen von Officieren vornehmer Ge=
burt, vorausgesetzt, daß diese wirkliche militairische Tüch=
tigkeit besaßen. Ein junger ehrgeiziger Edelmann, der
militairisch erzogen war und Muth und kriegerische Tüch=
tigkeit besaß, konnte sicher sein, in den Heeren der Re=
publik jetzt ein glänzendes Avancement zu finden, sobald
seine Charakterschwäche ihm gestattete, die heilige Legi=
timität zu verlassen. So befehligte ein Vetter von mir,
der mit mir im gleichen Alter stand, und früher eben=
falls in der Garde du Corps Seiner Majestät des Kö=
nigs gedient hatte, drüben unter dem General Moreau
als Oberst ein schönes Husaren = Regiment. Er schrieb
einen sehr artigen Brief an mich und wünschte mich zu
besuchen, was jetzt während des Waffenstillstandes recht
gut bewerkstelligt werden konnte. Ich antwortete ihm

ganz kurz, daß meine Grundsätze es mir nimmermehr ge=
statten würden, einen Officier, der unter der dreifarbi=
gen Fahne diene und jetzt ein Kamerad der Mörder
meiner Familie sei, als Verwandten zu begrüßen.

Leider waren mehrere Officiere des Condé'schen Corps
jetzt erbärmlich genug, ihren Abschied zu fordern, nach
Frankreich zurückzukehren und dort Dienste in der Ita=
lienischen Armee unter dem General Bonaparte zu
nehmen. Einer dieser Erbärmlichen, ein Graf G....,
ebenfalls ein entfernter Verwandter von mir, war sogar
schamlos genug, zu mir zu kommen, um mir die Hand
zum Abschied zu reichen. Ich drehte ihm schweigend den
Rücken, und es war dies das Einzige, was ich meinem
Gefühle nach thun konnte. Dieser Graf G.... machte
später unter Napoleon, der den Adel, der schwach ge=
nug war, ihm zu dienen, auf jegliche Weise zu begün=
stigen suchte, ein schnelles Avancement und focht im
Jahre 1810 als Brigade=General in Spanien mir ge=
genüber. Er fand 1812 in Rußland einen ehrlichen
Soldatentod.

Kamen übrigens republikanische Officiere zu uns auf
das rechte Rheinufer, so vermied ich jeglichen Verkehr
mit ihnen und verließ die Orte, die sie besuchten. Ein=
mal wurde ich übrigens vom Feldmarschall = Lieutenant
Graf Sztarray in einer dienstlichen Unterredung mit
dem republikanischen General Davoust (dem späteren

Marschall) als Dollmetscher gebraucht. Davouſt, dem mein fertiges Franzöſiſch auffallen mochte, frug mich nach Beendigung der Unterredung, als der Graf Sztar= ray ſich bereits entfernt hatte und ich zurückbleiben mußte, um noch einige dienſtliche Papiere in Empfang zu nehmen, was ich für ein Landsmann ſei. „Ich bin aus der Bretagne, diente früher als Garde du Corps Seiner Majeſtät dem hochſeligen König Ludwig XVI., focht dann unter Larochejacquelin und Charette in der Vendée, war mit bei Quiberon und werde fort= fahren zu kämpfen, bis der König Ludwig XVIII. wieder ſeinen Einzug in Paris gehalten hat", antwortete ich in kurzem Tone. Der General Davouſt maß mich mit einem Blick voller Haß und Wuth von oben bis unten, brach dann in ein rohes Gelächter aus und rief ſo laut, daß es ſeine ganze Umgebung hören konnte: „Nun, mein Herr, da werden Sie gleich dem ewigen Juden wandern und fechten können, denn Ihr ſogenann= ter Schattenkönig wird niemals ſeinen Fuß wieder in die Tuilerien ſetzen, dafür ſtehe ich!" und dabei ſchlug er klirrend mit der Hand an ſeinen großen Schleppſäbel. Ich ſchwieg ſtill, empfing bald darauf meine Depeſchen und ritt zurück, ohne ein Frühſtück, was mir einige re= publikaniſche Adjutanten voller Artigkeit anboten, anzu= nehmen. — Es war im Sommer 1814 und ich ſtand als Garde = Oberſt des Königs Ludwig XVIII. im

Vorzimmer des Audienzsaales des Königlichen Schlosses der Tuilerien in Paris, als dieser Davoust hereinkam, um eine Audienz bei unserm Königlichen Herrn zu erbitten. Er war ungemein artig gegen mich, und fing ein Gespräch an. Ich konnte es nicht unterlassen, ihm zu sagen: „Nun Sie sehen, mein Herr Marschall, ewig habe ich doch nicht zu kämpfen nöthig gehabt, um den Einzug unseres Herrn und Königs, dem auch Sie jetzt Ihre Huldigungen darzubringen wünschen, feiern zu helfen. Erinnern Sie sich wohl eines Gespräches am Rhein bei Kehl im März 1797? Ich bin mir stets getreu geblieben!" Der Marschall Davoust erkannte mich jetzt wieder und eine tiefe Röthe, ich weiß nicht ob der gerechten Beschämung oder des Zornes, überzog sein Gesicht. In demselben Augenblick ward die Ankunft des Königs gemeldet und ein weiteres Gespräch mußte aufhören. Später haben wir es Beide vermieden, wieder mit einander zu sprechen. — Den militairischen Talenten von Davoust lasse ich übrigens volle Gerechtigkeit wiederfahren und rechne ihn zu den besten und energischsten Generalen, die Napoleon später hatte. Ein großes Glück für unseren legitimen König wäre es gewesen, hätte er nur auch viele solche Officiere gehabt, die ihm mit gleicher rücksichtsloser Kühnheit gedient.

Die Hoffnung, daß unser Heer bald den Rhein überschreiten und nach Frankreich marschiren würde, hatte

während des Winters 1796 — 1797 manche Emigran=
ten = Familien nach Baden = Baden, in dessen Nähe ich
längere Zeit im Quartier lag, geführt. Ich fand manche
Bekannte unter diesen Familien und wäre meine Stim=
mung danach gewesen, so hätte ich ein ganz angenehmes
geselliges Leben hier führen können. Meine Trauer ver=
hinderte mich aber, größere Gesellschaften zu besuchen
und ich lebte wie immer still und zurückgezogen und ver=
kehrte äußerst selten mit diesen Emigranten. Manche
von ihnen lebten auch jetzt noch in gedankenlosem Leicht=
sinn fort und trieben, so weit ihre pecuniairen Mittel
es gestatteten, dasselbe frivole und vergnügungssüchtige
Leben, was mich schon 1792 in Coblenz so oft empört
hatte. Der Ernst der Zeit und das Unglück des Va=
terlandes hatten den Leichtsinn dieser unverbesserlichen
Menschen noch nicht gebrochen; sie besuchten ein von ih=
nen errichtetes Liebhabertheater häufiger, als die Messe,
lasen den Voltaire lieber als das Brevier und glaubten
Wunder was für große Thaten zu verrichten, wenn sie
die unbeholfenen Manieren der uns gegenüberstehenden
republikanischen Officiere auf ihrem Theater in karrikirten
Darstellungen verspotteten. Besonders einige vornehme
Damen des Pariser Hofadels zeichneten sich auch hier wie=
der, wie überall im Leben, auf eine mir recht widerliche
Weise aus. Andere Emigranten = Familien lebten, ihrer
Würde angemessen, in einfacher Zurückgezogenheit. Eine

Wittwe mit ihren zwei Töchtern war mir besonders ach=
tungswerth, ihr Mann war Oberst gewesen, die drei
Söhne Officiere und alle biere hatten die Treue für
ihren König und Herrn auf der Guillotine gebüßt. Diese
drei Damen waren stets in tiefe Trauer gekleidet, zogen
sich von jeglicher Geselligkeit zurück und arbeiteten mit
dem angestrengtesten Fleiß, um zierliche Goldstickereien
zu verfertigen und sich so ihren Lebensunterhalt auf an=
ständige Weise zu erwerben. Besonders die reichen Öster=
reichischen Cavallerie=Officiere kauften diesen Damen viele
Goldstickereien ab, um solche nach Hause zu schicken. Die
Eine dieser Schwestern heirathete später einen reichen
Österreichischen Officier; die andere ward nach der Mutter
Tod barmherzige Schwester in einem Kloster der Schweiz.

Mitte April wurde der Waffenstillstand endlich auf=
gehoben und die Feindseligkeiten fingen zwischen uns und
den drüben über den Rhein stehenden Republikanern von
Neuem an. Zwar waren meine anfänglichen Hoffnun=
gen auf einen glücklichen Ausgang des Feldzuges seit dem
Abgang des Erzherzogs Carl sehr gesunken, aber trotz=
dem freute ich mich ungemein auf diesen Wiederausbruch
der Feindseligkeiten. Hatte ich doch dadurch wenigstens
Aussicht, mit den Feinden meines Königs in ehrlichem
Kampfe die Waffen messen zu können. Der Bestimmung
nach mußte von Seiten der Republikaner der Waffen=
stillstand drei Tage vorher gekündigt werden, und ein

junger Bataillons=Chef vom Stabe des Generals Mo=
reau brachte uns diese Aufkündigung. Die Österreichi=
schen Officiere, die stets eine ritterliche Gutmüthigkeit ge=
gen ihre Feinde bewiesen, luden diesen Französischen Of=
ficier nebst seinem Adjutanten zu einer Bowle ein, um
den Wiederausbruch des Krieges gebührend zu feiern.
Es wurde bei dieser Gelegenheit viel gelacht und gesun=
gen und man hätte nicht glauben können, daß diese frohe
Gesellschaft aus gegenseitigen Feinden bestände, die sich
darüber freuten, in den nächsten Tagen wieder mit den
Waffen in der Hand gegen einander kämpfen zu dürfen.

Mit großer Kühnheit und noch größerem strategischen
Talent unternahm der General Moreau auch diesmal
wieder den Rhein=Übergang. Unsere braven Truppen
kämpften, wie immer, mit dem unerschütterlichsten Hel=
denmuthe, aber unsere Generale waren den uns gegen=
überstehenden republikanischen Generalen Davoust, Van=
damme und Duham an Talenten nicht gleich und be=
sonders der brave, ehrenwerthe Feldmarschall=Lieutenant
Graf Sztarray, der hier befehligte, konnte sich mit
einem Moreau nicht vergleichen.

Am 21. April kam ich selbst bei dem Dorfe Diers=
heim mit den Republikanern so recht in ein heftiges Ge=
fecht. Wir hieben uns mit Französischen Husaren und
Dragonern fast eine ganze Stunde hindurch herzhaft
herum und meine Klinge konnte sich wieder von dem

Blute der Feinde röthen. Auch ich selbst erhielt bei die=
sem Kampfe einen leichten Streifhieb, der aber so unbe=
deutend war, daß ich keine Stunde deshalb dienstuntaug=
lich blieb. Trotz aller Tapferkeit unserer Soldaten wur=
den wir aber an diesem Tage entschieden zurückgedrängt
und verloren selbst viele Gefangenen und Kanonen. Der
General Moreau manövrirte meisterhaft und brachte
seine zahlreichen Reserven, die er bis dahin mit weiser
Vorsicht zurückgehalten hatte, so recht zur gelegenen Zeit
in das Gefecht. Ich schwebte an diesem Tage zuletzt in
der großen Gefahr, vom Feinde gefangen genommen zu
werden, was ein entsetzliches Schicksal für mich gewesen
wäre. Bei einem Ritt zum General Oreilly, der spä=
ter selbst gefangen genommen wurde, hatte ich mich ver=
irrt und war zuletzt hinter die Colonnen der inzwischen
vorrückenden Republikaner gekommen. So wie ich dies
bemerkte, verbarg ich mich mit meinem Pferde zwischen
dichten Gebüschen, um womöglich im Schutz der Dun=
kelheit wieder zu den Österreichischen Truppen mich durch=
zuschleichen. Glücklicher Weise kannte ich in dieser Rich=
tung jeden Weg und Steg sehr genau, denn ich hatte
während des Waffenstillstandes einige Wochen in Diers=
heim im Quartier gelegen und bei meinen täglichen lan=
gen einsamen Spaziergängen das ganze Terrain, meiner
Gewohnheit nach, genau recognoscirt. Wiederholt rit=
ten jetzt Französische Husaren = Abtheilungen unmittelbar

neben dem Busche, hinter dem ich hielt, vorbei und es war eine große Gnade Gottes, daß sie mich nicht ent= deckten. Dabei hatte ich Mühe, mein Pferd, einen klei= nen, unansehnlichen aber dauerhaften Polnischen Hengst, an einem lauten Wiehern, was mich verrathen hätte, zu verhindern.

Als die Dunkelheit angebrochen war, machte ich mich wieder auf den Weg, um mich womöglich durchzuschlei= chen. Kaum zwei Stunden mochte ich geritten sein, als ich in einem engen Waldthal einen Reitertrupp auf mich zu kommen sah. Es war eine republikanische Husaren= Patrouille von acht bis zehn Mann, die sich ebenfalls verirrt zu haben schien, denn schon von Weitem konnte ich ihren Führer die wildesten Französischen Flüche aus= rufen hören. Nur Geistesgegenwart konnte mich jetzt retten. Ich warf schnell meinen weißen Reitermantel, der mich als Österreicher verrathen hätte, fort, setzte eine Feldmütze auf, und da ich eine dunkle und keine weiße Uniform trug, wie solche die meisten Österreichischen Re= gimenter hatten, so konnte ich in der nächtlichen Finster= niß schon für einen Französischen Chasseur gelten. Es verursachte mir zwar ein peinliches Gefühl, zu solcher Täuschung meine Zuflucht nehmen zu müssen, doch zwang die harte Nothwendigkeit dazu. Ich ritt den Husaren ent= gegen, rief ihnen ein lautes „Halte — là, qui vive?" zu und erhielt die Antwort: „Vive la republique!"

Ein alter Brigabier befehligte diese Patrouille, und ich
gab mich ihm als einen Französischen Officier zu erken=
nen, was er auch glaubte und gleich lachend sagte: „Sie
müssen aus der Bretagne sein, man hört es an Ihrem
Dialect. Ich bin auch daher und dies freut mich dop=
pelt, Sie hier zu finden." Ich ritt nun ganz unbefan=
gen neben diesen Französischen Husaren her, plauderte
mit ihnen über alle möglichen Dinge und gab vor, zu
einem Regimente zu gehören, was, wie ich wußte, erst
vor wenigen Tagen zu dem Corps des Generals Mo=
reau gestoßen war. Die Husaren erzählten mir dabei,
daß die Österreichischen Truppen in vollem Rückzug be=
griffen und selbst schon über den Kniebißpaß gegangen
wären. Troß dieser zwangslosen Unterhaltung warb mir
doch die Zeit unerträglich lang, denn der geringfügigste
Zufall konnte meine Entdeckung herbeiführen und dann
war mir der Tod, oder was noch schrecklicher war, eine
Gefangenschaft gewiß.

Schon begann der Morgen zu grauen, und traf
mich das Tageslicht noch in dieser unfreiwilligen Gesell=
schaft, so mußte ich nothwendiger Weise erkannt werden.
Ein schneller Entschluß war daher dringend nothwendig.
Dicht am Wege brauste in einer Schlucht ein Bergwas=
ser, und war ich nur erst darüber hinweg, so konnten
die Husaren mir nichts mehr thun, denn mit ihren plum=
pen Pferden vermochten sie nicht nachzufolgen. Mein

kleiner Hengst war ein sicherer Springer, das wußte ich
und wagte daher den Satz. Ich blieb einige Schritte
zurück, als wolle ich am Zaume etwas schnallen, warf
dann plötzlich mein Pferd herum, hieb ihm mit voller
Kraft die Sporen in die Weichen — und der Satz ge=
lang. Ganz erstaunt über diese plötzliche That, hielten
die Husaren an und wußten anfänglich nicht, was sie
aus meinem seltsamen Benehmen machen sollten. „Vive
le roi — à bas la republique!" rief ich laut in mei=
ner Freude über meinen glücklichen Sprung und sprengte
landeinwärts. Einige Kugeln sandten die getäuschten Hu=
saren mir nun noch aus ihren Carabinern nach, die aber
unschädlich waren. Ich sprengte, so schnell es die engen
Bergschluchten nur gestatteten, von dannen und dankte
Gott mit froherfülltem Herzen, daß er mich wieder aus
dieser großen Gefahr erlöst hatte. Mehrere Meilen hatte
ich noch zu reiten und mein Pferd, welches seit 36 Stun=
den mich fortwährend auf dem Rücken trug, ohne nur
das mindeste Futter zu bekommen, wurde schon müde,
als ich endlich auf eine Österreichische Jäger = Patrouille
stieß und somit gerettet war. In unserem Hauptquar=
tier, in dem ich als Volontair = Officier Dienste that,
hatte man mich schon als verloren angesehen und die
freudigen Gesichter bei meiner Wiederkehr gaben mir das
glückliche Gefühl, daß ich hier Freunde zählte. Ich muß
auch bekennen, in keinem der anderen Heere, mit denen

ich gegen das Princip der Französischen Revolution kämp=
pfen mußte, habe ich jemals so viele wahre Freunde und
treue Kameraden gehabt, als in dem Seiner Apostoli=
schen Majestät.

Traurig waren übrigens die Folgen des letzten Ta=
ges für unsere Waffen und die schon wiederholt ange=
deuteten Übelstände in dem oberen Commando zeigten
sich jetzt in recht widerwärtiger Weise. Hätte der Erz=
herzog Carl uns befehligt, der Erfolg dieses unheil=
vollen Tages wäre sicherlich ein ganz anderer gewesen.

Mag ein Österreichisches Corps in Folge seiner schlech=
ten Führung auch noch so häufig geschlagen werden, Öster=
reichische Regimenter, Bataillone oder Schwadronen, die
tüchtige Führer haben, werden niemals entmuthigt wer=
den; dazu ist die Disciplin zu strenge und der ganze
Heeres = Organismus zu fest. Mit dem feurigen Unge=
stüm, der die Französischen Truppen so häufig auszeich=
net, habe ich niemals K. K. Österreichische Soldaten an=
greifen sehen, außer vielleicht hie und da National=Un=
garische Regimenter, aber auch niemals, und selbst bei
den schlechtesten Rückzugsmärschen, diese Unordnung,
Muthlosigkeit und gänzliche Auflösung jeglicher Disciplin
bemerkt, wie dies bei den Franzosen, sobald sie Unglück
haben, sehr häufig der Fall ist.

So hieben unsere Vorposten sich denn am 22. April
wieder recht tüchtig mit den Franzosen herum, und ich

sollte eben zwei Escabrons Husaren herbeiholen, um eine
kleine Attaque auf eine republikanische Infanterie = Pa=
trouille, die sich zu weit vorgewagt hatte, zu machen,
als plötzlich ein Französischer Abjutant mit einem we=
henden weißen Schnupftuch in der Hand, auf uns zu=
gesprengt kam. Wir stellten das Gefecht für den Augen=
blick ein und ich erhielt den Befehl, den republikanischen
Officier nach seinem Begehr zu fragen. „Es ist ein Waf=
fenstillstand abgeschlossen; ich bringe den Befehl, alle
Feindseligkeiten sogleich einzustellen", schrie mir der Re=
publikaner zu. Ich hoffte noch, das Ganze beruhe auf
einem Irrthum und führte ihn zu dem Obersten, der
unsere Arrieregarde commandirte, während die Republi=
kaner vorläufig ihre Gewehre in Pyramide zusammensetz=
ten und unsere Husaren absaßen und die Säbel einsteckten.

Es war aber leider nur zu richtig, zu Leoben hatte
man einen Waffenstillstand abgeschlossen, dem später der
bekannte Frieden von Campo = Formio folgte. Ein Brief
des Generals Moreau, dem ein Schreiben des K. K.
Feldzeugmeisters Graf Latour beigeschlossen war, theilte
uns die Nachricht mit, daß fortan jegliche Feindseligkei=
ten von beiden Seiten unbedingt vermieden werden soll=
ten. Das war denn ein gar harter Schlag für mich,
und es ist mir noch jetzt erinnerlich, in welcher tiefen
Betrübniß ich die nächsten Tage zubrachte. Alle meine
Hoffnungen für die baldige Wiederherstellung der Legi=

timität in Frankreich waren jetzt gänzlich vernichtet, und
es gab kein tüchtiges Heer mehr, in dem ich gegen die
Mörder meines Königs, meiner Eltern und Geschwister
kämpfen konnte. Ich hatte jetzt wirklich Stunden, in
denen ich der Verzweiflung nahe war und Gottes Fü=
gungen fast verflucht hätte, und nur der fromme Zu=
spruch des ehrwürdigen Feldpaters, dem ich diesen sünd=
haften Zustand meiner Seele sogleich beichtete, konnte
mich wieder beruhigen und kräftigen.

Wie die politischen Verhältnisse jetzt standen und
nachdem Bonaparte Sieg auf Sieg erfochten und sei=
nen Marsch bis in das Herz der Monarchie ausgedehnt
hatte, blieb dem Österreichischen Cabinet freilich nichts
Anderes übrig, als diesen Frieden von Campo = Formio
unter möglichst günstigen Verhältnissen zu schließen. —
Mit großer Ausdauer, wenn auch leider nicht immer
mit Geschick, hatte Seine Apostolische Majestät seine
Heere gegen die Französischen Republikaner kämpfen las=
sen und seine Schuld war es nicht, daß das Princip
der Revolution jetzt als vollständiger Sieger aus diesem
fünfjährigen Kampfe hervorging. Die schwache und un=
geschickte und dabei doch noch übermüthige Weise, mit
der man 1792 den Krieg begann, trug jetzt ihre unheil=
vollen Früchte. Wären Preußen und Österreich nur da=
mals so einig als später 1813 — 1814 gewesen, und
hätte man mit einigem Ernst eine bessere Organisation

Mem. eines Legit. II.   6

der Reichstruppen begonnen, unzweifelhaft wäre die Coalition im Jahre 1792 oder auch noch 1793 vollständig Sieger gegen die demokratische Revolution geblieben. Preußen und auch das übrige Deutschland haben ihre damalige klägliche Schwäche und fluchwürdige Uneinigkeit später, da sie unter der eisernen Zwingruthe des Usurpators Napoleon Bonaparte seufzten, hart genug büßen müssen.

Die Aufnahme des jetzt abgeschlossenen Friedens war bei den K. K. Truppen, in deren Mitte ich mich befand, sehr verschieden. Ein großer Theil der höheren Stabsofficiere und auch wohl die meisten Soldaten waren der fünfjährigen, wenn auch nicht ruhm= so doch erfolglosen Kämpfe ziemlich überdrüssig und freuten sich daher des Friedens. Hätte ihr Kaiser und Herr dies befohlen, so hätten auch Officiere wie Soldaten ausdauernd fort und fort gekämpft, wie dies ja auch ihre Pflicht erforderte; so aber war es ihnen doch recht angenehm, jetzt endlich wieder in die Heimath zurückmarschiren zu können. Alle jungen und ehrgeizigen Officiere nur trauerten natürlich darüber, daß jetzt der Krieg und somit die Gelegenheit, Ruhm und Ehre zu erkämpfen, vorüber sei, wie dies mehr oder weniger in allen Armeen der Fall sein wird. Eine große Zahl sehr ehrenwerther Männer diente auch im Heere, die es schmerzlich empfanden, jetzt wieder in die Heimath zurückmarschiren zu müssen, ohne sich mit

den Lorbeeren des Sieges schmücken zu können. Ihrem
Wunsche nach hätte von allen wahrhaft conservativ ge=
sinnten Fürsten Europa's der Krieg gegen die Franzö=
sische Revolution mit größtem Nachdruck und vollkommen=
ster Einigkeit fort und fort geführt werden müssen, bis
das ganze Princip derselben vollkommen vernichtet wäre.
Es fehlte nicht an einsichtsvollen Männern, die aus die=
sem Waffenstillstand von Leoben die schlimmsten späteren
Folgen prophezeiten. Sie hatten Recht, denn von die=
ser Zeit an datirt sich der frevelhafte Übermuth Napo=
leon's, der sich noch immermehr bis zu einer schwin=
delhaften Höhe steigern sollte, bis er dann endlich in
St. Helena das verdiente Ende fand.

Bald nach dem geschlossenen Waffenstillstand ward
die K. K. Armee nun in weitere Cantonnirungsquartiere
verlegt. Ich blieb noch mehrere Wochen bei dem Trup=
pencorps, dem ich zugetheilt war, denn wie der Mensch
immer noch zum Hoffen geneigt ist, so hoffte ich auch
jetzt immer noch wieder auf einen abermaligen Ausbruch
des Krieges. Wiederholt drang auch das Gerücht zu
uns, die Friedensunterhandlungen hätten sich zerschlagen
und die eisernen Würfel des Krieges würden von Neuem
rollen. Hörte ich solche Kunde, dann ergriff mich eine
große Freude. Einige Tage später folgte die Unglücks=
botschaft dann immer wieder, es sei an keinen Krieg
vorläufig zu denken, und wenn die Herren Diplomaten

auch jetzt noch allerlei Kriegszüge gegen einander führ=
ten und mit ihren spitzen Federn sich schmerzliche Wun=
den beizubringen suchten, so würden die wirklichen Waf=
fen jetzt vorläufig ruhen. Diese ewige Ungewißheit,
dieses stete Schwanken zwischen Furcht und Hoffen, regte
mich ungemein auf und griff meine Gesundheit mehr an,
als dies die härtesten Strapazen selbst des Vendéekrieges
vermocht hätten. Meine eine Wunde am Fuß war auch
wieder aufgebrochen, und verursachte mir viele Schmer=
zen, so daß ich mehrere Wochen nur an einer Krücke
mühsam umherhumpeln konnte. Es war wieder einmal
ein recht trauriger Frühling für mich, obgleich ich sonst
in einem sehr anmuthigen Dorfe in Ober = Schwaben
bei einem alten gutmüthigen Dorfgeistlichen im Quartier
lag. Die braven Ober=Schwaben, die einfach in ihren
Sitten, treu ergeben ihrer Religion und voller Anhäng=
lichkeit an ihre alten Gebräuche sich zeigten, zogen mich
sehr an. Ich verstand nur leider von ihrem eigenthüm=
lichen und mir gerade nicht wohllautenden Dialect sehr
wenig, sonst verweilte ich gern unter diesen conservativ
gesinnten Bauern, mit ihren hellgelben Lederhosen, statt=
lichen rothen Westen mit Silberknöpfen, und den alter=
thümlichen dreieckigen Hüten, die fast ganz nach militai=
rischem Muster geformt waren. Wie viele tüchtige got=
tesfürchtige und streng conservative Menschen habe ich
überhaupt unter den Bauern der verschiedensten Gegen=

den Deutschlands gefunden und wie unverantwortlich
wäre es, wenn die Regierungen nicht alle Mittel an=
wendeten, um diese brave Bevölkerung von jeglicher be=
mokratischen Schwindelei fern zu halten.

In den ersten Tagen des Octobers 1797 verließ ich
die K. K. Armee. Ich hatte ja nur als Volontair, ohne
Gage, Anciennität und irgendwie Anspruch auf eine
dauernde Anstellung, in den Reihen derselben gekämpft
und so konnte denn jetzt, bei dem sicher in Aussicht ste=
henden Frieden hier kein ferneres Bleiben für mich sein.
Nicht ohne tiefe Rührung schied ich von diesem schönen
tapferen Heere, was nur stets solcher Anführer, wie es
der Erzherzog Carl war, bedurft hätte, um mit ganz
anderen Erfolgen aus diesen mehrjährigen Feldzügen zu=
rückkehren zu können. — Herzlich drückte ich manchem
wackeren Kameraden beim Scheiden die Hand, denn es
stand ja noch in ganz ungewisser Ferne, wenn ich sie
jemals wiedersehen würde. Ich blieb den ganzen Win=
ter über einsam auf dem Dorfe bei dem Pfarrer woh=
nen und beschäftigte mich mit der Erlernung der Deut=
schen Sprache. Im Frühling 1798 ging ich wieder fort.

Ludwig XVIII., mein Herr, der nunmehr in Mi=
tau residirte, hatte die Gnade gehabt, mir jetzt einen
Platz unter den wenigen Gardes du Corps, die den
Dienst um seine Person verrichteten, anzubieten. Zwar
ward mir gleich dabei geschrieben, die Königlichen Ein=

künfte wären jetzt so beschränkt, daß ich keine Besoldung empfangen könne; doch hatte ich selbst ja noch so viel gerettet, um mein möglichst frugales Leben aus eigenen Mitteln bestreiten zu können. Ich lebte zwar ungleich lieber im Feld, als am Hoflager, und mein einfaches Wesen paßte auch nicht sonderlich für letzteres; da aber augenblicklich kein Krieg geführt wurde, so nahm ich das gnädige Anerbieten meines Herrn und Königs mit dankbarem Herzen an.

Meine beschränkten Mittel gestatteten mir nur, die weite Reise von Schwaben nach Rußland mit der ordinären Post zu machen. Ein ordinärer Postwagen damaliger Zeit war wahrlich kein angenehmer Platz und so durfte ich diese weite Reise mehr zu den Beschwerden, wie Vergnügungen rechnen. Da die Postwagen fast stets Schritt fuhren, so konnte ein rüstiger Fußgänger füglich mit ihnen wetteifern und so bin ich von Ulm bis Königsberg, wo ich mich nach Riga einschiffte, gewiß zwei Drittheil des Weges zu Fuß gegangen und nur ein Drittheil gefahren. Die Gesellschaft auf diesen Postwagen war häufig so schlecht, daß ich lieber in der brennendsten Sonnenhitze zu Fuß nebenher ging, als auf der Bank zwischen solchem Gesindel saß. Es waren keine fleißigen Bauern, oder brave Bürger, denn mit solchen wackeren Menschen habe ich mein ganzes Leben hindurch gern und häufig verkehrt und ihre kernhafte Un=

terhaltung dem faden Modegeschwätz eleganter Salon=
herren vorgezogen, sondern hausirende Juden, renommi=
rende Handlungsreisende, liederliche Dirnen und herum=
strolchende Comödianten, deren ungewaschene Mäuler
nur zu oft von den schmutzigsten Zoten oder den unver=
ständigsten liberalen Floskeln überflossen. Zwischen Nürn=
berg und Bamberg war ich sogar zwischen eine Comö=
diantenbande gerathen, die den ganzen Postwagen bis
auf meinen Platz einnahm. Obgleich den Tag über wie=
derholte starke Gewitter sich entluden, und es heftig reg=
nete, so zog ich es doch vor, lieber zu Fuß zu gehen,
als in solcher Gesellschaft zu fahren. Von Leipzig bis
Wittenberg fuhr eine schüchterne kleine Waise, die Toch=
ter einer verstorbenen Predigerfamilie, mit auf dem Post=
wagen.   Einige freche Handlungsreisende waren sehr
unverschämt gegen dies junge hübsche Mädchen, so daß
ich mich veranlaßt fand, ihnen sehr bestimmt ein beschei=
denes Betragen anzuempfehlen. Einer dieser Menschen,
ein recht zudringlicher Patron, wurde nun so grob ge=
gen mich, daß mir endlich die Geduld riß und ich ihm
eine derbe Ohrfeige verabreichte. Ich bin von der Na=
tur mit bedeutender Körperkraft ausgestattet und mein
bisheriges Leben trug dazu bei, solche zu stärken und so
schwoll dem Burschen denn seine Wange gewaltig an. Die
übrigen Handlungsdiener wollten nun auf mich zusprin=
gen, ich ergriff schnell meinen Säbel, der neben mir auf

der Sitzbank lag und drohte denselben zu gebrauchen.
Dies wirkte und die Gesellschaft ward nun stille und
bescheiden, was sie gleich anfänglich hätte sein sollen.
Die Tante meines kleinen Schützlings, die in Witten=
berg wohnte, eine brave Cantorsfrau, war mir sehr
dankbar und ruhte nicht, bis ich sie besuchte und eine
Unmasse dünnen Caffee bei ihr getrunken und süßen Ku=
chen gegessen hatte. Die gute Frau nöthigte so sehr
und ich fürchtete, daß sie meine Weigerung übelnehmen
würde, und so aß und trank ich von dem süßen Zeug
mehr, als mir eigentlich gut war und wäre fast krank
davon geworden.

In Potsdam hielt ich mich einige Tage auf, und es
interessirte mich, Alles hier zu sehen, was an Friedrich
den Großen erinnern konnte. Hätte dieser große Kö=
nig und Feldherr noch gelebt, sicherlich wäre es von ihm
nicht geduldet worden, daß die Revolution in Frankreich
eine solche Ausdehnung, wie leider jetzt der Fall war,
gewonnen. Die Preußische Garde sah stolz und präch=
tig aus und alle Officiere, die ich erblickte, hatten ein
echt militairisches Aussehen. Was half dies aber Alles
hier in Potsdam und Berlin! Im Feldlager gegen die
republikanischen Heere wäre der rechte Platz für alle
diese Truppen gewesen, nicht aber hier auf den Parade=
plätzen der Königlichen Residenzstädte. Ich kann nicht
läugnen, daß ich seit der Baseler Convention ein unge=

mein bitteres Gefühl gegen Preußen im Herzen trug und deshalb auch die mir von dem Feldzug von 1792 her näher bekannten Officiere nicht aufsuchen mochte. Und dennoch trugen diese Herren nicht die mindeste Schuld an dieser schwächlichen Politik des Preußischen Hofes, sondern hätten sicherlich gern mit allen Kräften gegen die Französische Revolution und deren gefährliche Principien gekämpft, wenn ihr König und Herr ihnen dies nur gestattet.

In Berlin interessirten mich die Truppen und alle militairischen Anstalten besonders. Man konnte hier recht deutlich erkennen, daß Preußen ein Militairstaat sei und eine tüchtige militairische Kraft besitze, wenn es solche nur richtig anwenden wollte. Die Preußischen Soldaten sind stets besser, als die Preußischen Diplomaten gewesen. Die Stadt selbst hatte zwar einige stattliche Plätze und prächtige Gebäude, gefiel mir aber im Allgemeinen nicht sonderlich. Es sah Alles etwas künstlich gemacht aus, und der äußere Schein schien eine überwiegende Geltung zu haben. Paris, so sehr ich diese Gifthöhle auch haßte, machte mir doch einen ganz anderen groß= städtischen Eindruck, als Berlin im Jahre 1798 und selbst 1831, wo ich es zum zweiten Mal wieder besuchte.

Unter den Einwohnern schienen viele unnütze Pflaster= treter und politische Maulhelden zu sein, wie dies fast überall in den großen Städten der Fall sein wird. Solche

6*

Leute sind widerlich, aber nicht gefährlich, und jede ener=
gische Regierung kann mit einem Bataillon tüchtiger Gre=
nadiere ganze Schaaren dieser raisonnirenden Großstädter
leicht zu Paaren treiben. Ein unangenehmer Vorfall
kürzte meinen Aufenthalt in Berlin ab, denn ich hatte
anfänglich die Absicht, hier einen Reisegefährten, der
mit einem eigenen Wagen nach Mitau fahren wollte,
zu erwarten. In dem damals elegantesten Caffeehause
(es war aber Alles sehr bescheiden hier) saß ich eines
Abends ganz ruhig und las Zeitungen. Zwei Franzo=
sen, die unfern von mir saßen, so recht von der Sorte
der eleganten Gecken, deren es zu allen Zeiten in Pa=
ris leider nur zu viele gegeben hat, bemerkten die De=
coration des Ludwigs=Ordens auf meiner Brust und
fingen nun absichtlich an, Alles, was legitimistisch war,
auf die gemeinste Weise zu schmähen. Anfänglich achtete
ich nicht auf dies Geschwätz; als aber die Wichte sogar
die Ehre der hochseligen Königin Marie Antoinette
auf die frechste Weise anzutasten wagten, übermannte
mich gerechter Zorn. Ich stand auf, ging an diese bei=
beiden sehr elegant aufgeputzten Herren heran und nannte
sie „freche Schufte", was sie ja auch waren, erklärte
mich aber bereit, dafür Genugthuung mit den Waffen
zu geben. Der eine dieser Herren wollte nun auf mich
zuspringen, um mir eine Ohrfeige zu geben; ich kam ihm
aber zuvor und warf den Schwächling so kräftig auf das

Billard hin, daß ihm die Rippen im Leibe knackten. Ich
erklärte mich nochmals zu jeglichem Duell bereit, schrieb
dem Kellner meine Adresse auf und erfuhr von diesem,
daß diese beiden Herren zu dem Personal der damaligen
Gesandtschaft der Französischen Republik am Preußischen
Hofe gehörten. Mich freute dies, denn es wäre mir
sehr erwünscht gewesen, meine Klinge an solchen republi=
kanischen Diplomaten zu versuchen, und so ging ich ru=
hig nach Hause.

Am anderen Morgen erhielt ich statt einer Auffor=
derung zum Duell, wie ich solche sicher erwartet hatte,
die Anweisung, auf das Polizeibureau zu kommen. Ganz
erstaunt ging ich dahin, ward von einem Secretair oder
Rath oder was dieser Herr nun sonst sein mochte, zwar
sehr artig empfangen, erhielt aber von ihm die Weisung,
innerhalb drei Tagen Berlin zu verlassen. Ich frug um
den Grund dieses mir sonderbar erscheinenden Befehls,
und der Herr Polizeibeamte theilte mir mit, daß von
Seiten der Französischen Gesandtschaft eine Beschwerde
gegen mich eingelaufen sei. Auf meinen Wunsch führte
man mich zu dem obersten Polizeichef Berlins und ich
erzählte diesem Herrn freimüthig, aber vollkommen wahr=
heitsgemäß, den Hergang der ganzen Sache. Der alte
Herr zuckte verlegen die Achsel, schnupfte eine Priese,
bot mir wieder eine an, sprach einige Worte, „meine
Anhänglichkeit für die Königliche Familie sei zwar sehr

schön, und ich hätte einen wahrhaft ritterlichen Charak=
ter, allein die Republik Frankreich sei augenblicklich sehr
mächtig, Preußen dürfe es nicht mit ihr verderben und
so müsse es denn bei dem Befehl zu meiner Abreise blei=
ben, wenn nicht die Französische Gesandtschaft selbst mir
einen längeren Aufenthalt gestatten würde." Empört sagte
ich ihm, ich sei viel zu stolz, um mit einem Sieyès,
dem Sendlinge der Französischen Jakobiner, nur irgend=
wie in die allermindeste Berührung treten zu wollen und
in keiner Lage meines Lebens und gar in dem jeßigen
Fall, würde ich die Vermittelung dieser Feiglinge, die
mich benuncirten, anstatt sich mit mir zu schlagen, in
Anspruch nehmen. Ich würde übrigens nicht erst in drei
Tagen, sondern schon morgen Berlin verlassen. Damit
empfahl ich mich, besorgte mir von der Russischen Ge=
sandtschaft einen Paß nach Rußland und rüstete mich
zur schleunigsten Abreise. Am Abend erhielt ich einen
Besuch von einem Officier aus der Umgebung des Prin=
zen Louis Ferdinand, der mich im Auftrage desselb=
ben einlud, die übrige Zeit, die ich noch in Berlin blei=
ben wollte, als täglicher Gast in seinem Palais zuzu=
bringen. Ich erkannte dankbar den echt ritterlichen Sinn
des Prinzen, der sich in dieser Einladung aussprach und
die große Artigkeit darin für mich an, war aber selbst
zu verstimmt, um davon Gebrauch zu machen und lehnte
daher in einem sehr höflichen Schreiben das Anerbieten

ab. Man hatte mir auch gesagt, daß dieser sonst so aus=
gezeichnete Prinz, der 1806 bei Saalfeld den Heldentod
fand, leider einen genauen Umgang mit Freigeistern, so=
genannten geistreichen, emancipirten Jüdinnen und ähn=
lichen Elementen der Gesellschaft führe. Zu einem Ver=
kehr mit derartigen Damen und Herren passe ich nun
einmal nicht und habe mich mein ganzes Leben hindurch
von jeglicher Berührung mit ihnen grundsätzlich mög=
lichst fern gehalten.

Da das Wetter schön, der Postwagen nach Stettin
aber möglichst schlecht war, so vertraute ich nur mein
bescheidenes Gepäck letzterem an und setzte meine Reise
zu Fuß fort. Es waren keine, von der Natur sehr be=
günstigte Gegenden, durch welche ich wandern mußte,
aber ich befand mich doch dort wohl. Die Landbevöl=
kerung in diesen Brandenburgischen und Pommerschen Di=
stricten zog mich sehr an; es waren hier kernige und tüch=
tige Menschen, voller Einfachheit der Sitten und pa=
triarchalischen Lebensgewohnheiten. Fast in jedem Zim=
mer traf ich Bildnisse von Friedrich dem Großen,
oft zwar nur sehr roh ausgeführt, aber doch immer cha=
rakteristisch. Ich muß gestehen, daß, wenn ich in ein
Haus komme, mag dies nun vornehm oder gering sein,
und ich finde das Bild des Monarchen nicht am besten
Platz des Familienzimmers hängen, so ergreift mich so=
gleich ein gewisses Vorurtheil gegen die Bewohner des=

selben. Umgekehrt aber fasse ich sehr leicht Vertrauen zu Leuten, die ihre Wohnungen mit solchen Bildern schmücken und diese groben Holzschnitte von dem großen Friedrich in allen Pommerschen und Brandenburgischen Schenk=, Bauern= und Bürgerstuben haben mich sogleich ungemein günstig für die Bevölkerung gestimmt. Man kann Pommern und Brandenburg die Preußische Vendée und Bretagne nennen, und dies ist in meinem Sinn das beste Lob, was man diesen Provinzen nur zu ertheilen vermag.

Es scheint übrigens in Norddeutschland nicht Sitte zu sein, daß Leute von Stande zu Fuß reisen, denn wiederholt bin ich sehr verwundert angesehen und sogar von Gensd'armen und Polizeibeamten nach meinem Paß gefragt worden. In Pasewalk traf ich zufällig einen ehemaligen Preußischen Hauptmann, mit dem ich 1792 im Felde sehr bekannt geworden war, der jetzt als rei= cher Gutsbesitzer in der Nähe wohnte. Er war unge= mein verwundert, mich hier als Fußreisenden zu finden und lud mich mit so großer Herzlichkeit ein, wenigstens einige Wochen auf seinem Landgute zu bleiben, daß ich diese Einladung auf mehrere Tage annahm. Ich erzählte meinem Gastfreund die traurige Geschichte meines Lebens und er konnte daher leicht begreifen, daß meine Stim= mung nicht der Art war, um an lärmenden Vergnügun= gen Gefallen zu finden.

Es war eine stille, ungemein ansprechende Häuslich=
keit auf dem Gute meines Gastfreundes, die mich in
mancher Hinsicht an unser früheres glückliches Familien=
leben auf dem väterlichen Schlosse in der Bretagne er=
innerte. Recht, Frömmigkeit und gute Sitte herrschten
auch hier und jede Frivolität und verderbliche Freigei=
sterei war streng von der Schwelle dieses Pommerschen
Landsitzes ausgeschlossen. Mein Gastfreund hatte noch
vor Kurzem seinen Hauslehrer, einen Genfer, sogleich
entlassen, als dieser ihm gestanden, daß Voltaire und
Rousseau zu seinen Lieblings=Schriftstellern gehörten.
Er hatte Recht hierin gehabt, denn will man wahrhaft
conservativ sein, so muß man dies Princip auch stets be=
wahren und selbst in Kleinigkeiten nicht davon abgehen;
denn nur dann kann man ein gutes Beispiel für seine
Umgebung bilden.

Ich lernte auf diesem Pommerschen Gute auch meh=
rere Landedelleute der Nachbarschaft kennen, die größten=
theils nach der löblichen Sitte des Adels jener Gegen=
den früher in dem Heere ihres Königs gedient hatten.
Es waren durchweg ehrenwerthe, wackere Männer, von
treuherzigem Wesen, in deren Mitte ich mich wohl fühlte,
wenn auch meine ganze Stimmung nicht für größere
Kreise paßte. Eine streng conservative Gesinnung und
eine wahre Anhänglichkeit an das Königliche Haus fand
ich überall vorherrschend. Es ward mir jetzt klar, daß

der große Friedrich sich in allen seinen Kriegen be=
sonders auf die Pommerschen und Brandenburgischen Re=
gimenter verließ, wie denn diese auch in den Feldzügen
von 1813—1815 die meisten Schlachten gegen den Usur=
pator Bonaparte geschlagen haben. Will man übri=
gens Norddeutsche Edelleute so recht schätzen und achten
lernen, so muß man sie auf ihren Landgütern im häus=
lichen Kreise sehen; in der Fremde erscheinen sie oft etwas
abstoßend, absprechend und förmlich und erwerben sich
lange nicht so viele Freunde, als die jovialen und ge=
müthlichen Österreicher.

Ich trennte mich ungern von dieser liebenswürdigen
Familie, auf deren Gute ich ungefähr 14 angenehme Tage
verlebt hatte, doch man erwartete mich in Mitau und
so gebot es meine Pflicht, dahin zu reisen. In Stettin
hoffte ich eine Schiffsgelegenheit nach Riga zu finden,
täuschte mich aber und setzte nun theils zu Fuß, theils
mit dem Postwagen, die Landreise nach Königsberg fort.

Der Schirrmeister des Postwagens von Stolpe aus,
ein alter Veteran von Friedrich dem Großen,
war ein prächtiger Mann, der viel Interessantes erzählte,
und den ich in den zwei Tagen, die ich mit ihm fuhr,
ordentlich liebgewonnen hatte. Beim Abschied schenkte
ich ihm einen Ulmer Pfeifenkopf, den ich seit dem Feld=
zug von 1792, in dem ich das Rauchen lernte, stets
bei mir geführt hatte. Ich hatte mir jetzt vorgenom=

men, aus ökonomischen Gründen das Tabackrauchen gänz=
lich aufzugeben, bis ich wieder im Felde gegen die Feinde
meines Königs fechten konnte. Getreulich habe ich dies
gehalten und am ersten Gefechtstage, dem ich unter Su=
worow wieder beiwohnte, auch die erste Pfeife wieder
angebrannt. Sie schmeckte mir in doppelter Hinsicht köst=
lich und noch jetzt erinnere ich mich lebhaft dieses Genusses.

In Königsberg traf ich glücklicher Weise ein segel=
fertiges Schiff, was mich nach Riga brachte und von
dort fuhr ich mit einem Miethswagen nach Mitau. In
der letzten Hälfte des Juni 1798 traf ich in dieser Kur=
ländischen Hauptstadt, der derzeitigen Residenz des Königs
Ludwig XVIII. von Frankreich und Navarra, ein.

Mein Königlicher Herr empfing mich mit großer
Gnade und hatte die Huld, mir mehrere unverdiente
Lobsprüche über mein Benehmen während der Feldzüge
von 1796 und 1797 zu sagen. Tief gerührt küßte ich
die Hand, die von der Vorsehung berufen war, das
Scepter des so schönen und doch leider durch eigene
Schuld so unglücklichen Frankreichs zu führen. Durch
die Gnade meines Königs ward ich jetzt als „Cavalier
des Königlichen Hauses" angestellt, hatte aber außer
einem sehr einfachen täglichen Mittagsmahl, weiter keine
Bezüge zu erhalten. „Ich bin ein armer Verbannter,
der leider selbst genöthigt ist, von fremder Pension zu
leben, und kann daher meine Getreuen nicht so beloh=

nen, als ich es gern möchte", sagte der König zu mir.
Welch ein Unterschied zwischen dem glänzenden Hofhalt
zu Versailles und diesem, fast an Ärmlichkeit grenzenden
Leben, in dem zwar geräumigen, aber halbverfallenen
und unwohnlichen Schlosse zu Mitau war es! In
Allem und Jedem war die größte Sparsamkeit geboten,
wenn freilich mit Einschluß der Garde du Corps der
Königliche Hofhalt noch immer an 140 bis 150 Cava=
liere, Beamte und Diener zählen mochte. Sehr viele
derselben, die nur noch irgend etwas Vermögen hatten,
erhielten übrigens gar keine Besoldung, die Anderen
aber so wenig, daß sie nur bei der größten Einschrän=
kung einigermaßen davon leben konnten. Ich selbst hatte
jetzt auch nur noch sehr geringe pecuniäre Mittel und
nahm mir vor, mich jeder Entbehrung, die sich nur
irgendwie mit dem Anstand vertrüge, gern zu unterzie=
hen. Mit einem früheren Kameraden von der alten
Garde du Corps zusammen bezog ich ein sehr dürftig
möblirtes Zimmer unweit des Schlosses, um so an
Miethe, Licht und Heizung zu sparen. Wir frisirten
uns gegenseitig selbst, reinigten unsere Kleider, kochten
den Thee, den wir Mittags und Abends tranken, und
hielten uns nur einen Russischen Jungen, der unsere
Zimmer ausfegen und unsere Stiefeln wichsen sollte,
letzteres aber gewöhnlich so schlecht machte, daß wir das
Meiste selbst dabei thun mußten. In unserer äußeren

Erscheinung hielten wir stets auf den Anstand, wie er Französischen Edelleuten und Officieren geziemte, sonst versagten wir uns aber jeden Genuß, der irgend welche Ausgabe erforderte. Ein Mittagsessen aus Suppe, Gemüse und Fleisch und einem leichten Backwerk, wozu Sonntags ein Glas Wein gegeben wurde, erhielten wir im Schlosse, und so setzten wir es durch, daß Jeder von uns durchschnittlich mit monatlich 10 Silberrubeln ausreichte. Man kann sich also leicht vorstellen, daß wir nur sehr beschränkt leben konnten, zumal in Mitau alle Artikel für die Garderobe theurer, als in Paris waren. Wohlfeile Preise hatten dagegen alle gewöhnlichen Lebensmittel.

Unser Leben war sehr einförmig, aber sonst nicht unangenehm, da es an Umgang mit tüchtigen Menschen nicht fehlte. Wir standen frühzeitig auf, hörten täglich die Messe in der Cathedrale von Mitau, in der von Französischen Geistlichen aus dem Gefolge des Königs Gottesdienst gehalten wurde, und brachten des Vormittags einige Stunden im Königlichen Vorzimmer zu. Sonst machte ich mir viele Leibesbewegung, badete täglich im Flusse, so lange die Witterung dies nur irgendwie gestattete, und nahm bei einem alten pensionirten Russischen Stabsofficier, der sich freundlich dazu erboten hatte, Unterricht in der Russischen Sprache. Es kostete mir dies viele Mühe, doch ließ ich nicht darin nach, bis

ich wenigstens einigermaßen Russisch verstehen und spre=
chen konnte. Wußte ich doch nicht, ob mich das Schick=
sal nicht am Ende dazu verdammen würde, noch lange
als Verbannter in Rußland zu bleiben. Ich zähle es
zu den größten Fehlern meiner Landsleute, der Fran=
zosen, daß sie sich überall so geringe Mühe bei der Er=
lernung der Sprache fremder Länder, in denen sie leben,
geben. Die Abendstunden von 7 bis 9 Uhr, wo ich ge=
wöhnlich schon mein Lager aufsuchte, verbrachte ich in
der Regel beim Schachspiel. Sehr häufig spielte ich mit
dem Grafen Guiche, Capitain der Königlichen Garde,
der ein leidenschaftlicher Schachspieler war. Einige Mal
im Monat fanden auch stets kleine Gesellschaften in den
Gemächern unseres Königlichen Herrn statt. Die Be=
leuchtung war zwar nur mäßig und die Bewirthung un=
gemein einfach, und man ward somit daran erinnert,
daß man sich jetzt am Hofe eines durch die Revolution
seines legitimen Thrones beraubten Königs befinde.
War auch die Zahl der Eingeladenen nur klein, so war
die Auswahl desto größer, und der stolzeste Fürstenhof
Europa's hätte sich eines Adels nicht zu schämen ge=
braucht, wie König Ludwig ihn jetzt in Mitau um sich
zu vereinigen wußte. Der gute gesellschaftliche Ton,
durch den der Altfranzösische Adel sich früher in ganz
Europa so berühmt gemacht hatte, war hier würdig ver=
treten, und auch von der Frivolität, die mich in Coblenz

bei leider nur zu vielen Emigranten empört hatte, fand man hier nichts wieder. Der Herzog v. Villequier, der Ober=Kammerherr des Königs, und der Cardinal Montmorency, der Großalmosenier von Frankreich, wußten schon jede Spur von Frivolität aus dem König= lichen Schlosse zu verbannen. Manche von den jüngeren Edelleuten der Garde du Corps suchten zwar mit den hübschen Russinnen in Mitau Liebesabenteuer zu begin= nen und erreichten auch in der Regel ihre Absicht, denn in jedem Lande der Welt werden Französische Officiere sich hierin leichter Erfolge rühmen können; aus dem Schlosse selbst war aber jedes frivole Treiben auf das Strengste verbannt. Bei den kleinen Abendgesellschaften entzückte der König alle Anwesenden durch seine große Liebenswürdigkeit in der Unterhaltung und die ungesuchte Würde, mit der er Jedem etwas Angenehmes zu sagen wußte. Im Allgemeinen war Seine Majestät zwar ernst, und man sah es seinem Gesicht an, daß nur zu traurige Gedanken seine Seele bewegten; allein es gab doch Stun= den, in denen er sehr mittheilsam, ja selbst sogar heiter sein konnte. Merkwürdig war die unbedingte, ja selbst begeisterte Anerkennung, die der König den großen mili= tairischen Talenten des Generals Bonaparte bei jeder Gelegenheit zollte, obgleich dieser als sein gefährlichster Gegner angesehen werden mußte. Dieser General führte damals gerade seinen kühnen Feldzug in Ägypten, und

der König ließ sich jeden Morgen mit dem größten In=
teresse die Zeitungen vorlesen und sprach unverhohlen
seine Freude aus, wenn günstige Nachrichten über die
Siege der Französischen Truppen darin enthalten waren.
So entsinne ich mich noch, daß bei einer Abendgesell=
schaft Seine Majestät ganz laut erklärte, „der General
Bonaparte sei der größte Feldherr, der jemals Fran=
zösische Soldaten befehligt habe." Der Graf v. La
Chapelle, einer der vornehmsten Cavaliere des Hofes,
antwortete ganz erstaunt: „Aber Sire, Heinrich IV.,
glorreichen Andenkens, Turenne, der Marschall von
Sachsen, der große Condé waren doch noch größere
Feldherren?" — „Nein, nein, lieber Graf, alle diese
Ehrenmänner waren große Soldaten, auf welche Frank=
reich mit Recht stolz sein kann, — aber solch' riesiges
militairisches Talent, wie dieser Bonaparte, besaßen
sie in der That nicht!" rief Seine Majestät förmlich in
heftigem Tone jetzt aus. Nach einer kleinen Pause,
während Alle schwiegen, fuhr er ungleich gemäßigter
fort: „Ja, säße ich als König auf dem Thron meiner
Väter, so machte ich diesen Bonaparte zu meinem
ersten General und Frankreich würde alsdann unbedingt
das mächtigste Land Europa's sein." Unser Königlicher
Herr versank dann wieder in ein tiefes Nachsinnen und
verließ kurz darauf schweigend den Saal, ließ uns aber
durch den Grafen d'Avaray, seinem vertrauten Freund,

bedeuten, wir möchten uns nicht stören laſſen und das
Souper ruhig beenden.

Wäre es dieſem edlen Könige vom Schickſal ver=
gönnt geweſen, sogleich, als er zur Succeſſion gelangte,
auch faktiſch den Thron Frankreichs beſteigen zu können,
statt daß er noch 20 Jahre in der Verbannung leben
mußte, welch reichen Segen würde seine Herrſchaft dem
Lande geſpendet haben! Als er endlich 1814 seinen Ein=
zug in Paris halten durfte, war er leider schon körper=
lich zu leidend und beſonders auch zu arg von der Gicht
geplagt, um die ganze Energie des Geiſtes, die dazu
gehört, die Franzoſen kräftig zu regieren, entfalten zu
können. Hier in Mitau lebte der König sehr zurückge=
zogen und machte sich auch lange nicht so viele körper=
liche Bewegungen, wie für seinen Gesundheitszuſtand
gut geweſen wäre. Er war faſt den ganzen Tag in sei=
nem Cabinet beſchäftigt, die ausgedehnte Correſpondenz
zu leiten, die er mit den getreuen Anhängern der Legi=
timität in allen Ländern Europa's unterhielt. Zwei bis
drei Secretaire, die ausſchließlich dem geiſtlichen Stande
angehörten, waren stets mit der Beſorgung dieſer Cor=
reſpondenz beſchäftigt. Eine große Menge von Briefen
und Zeitungen kam täglich im Schloſſe von Mitau an,
oder wurde von dort fortgeſandt, wie denn auch die
Zahl der legitimiſtiſchen Agenten, die ab= und zureiſten,
nicht gering war. Ich glaube, daß man an wenigen

Höfen in Europa von dem Stande der Dinge besser un=
terrichtet war, als gerade im Cabinet Ludwig XVIII.,
mit solchem Eifer dienten ihm seine Agenten. Es war
hierin, wie überhaupt in Allem, hier Alles ganz anders,
und auch meinem Geschmack ungleich mehr zusagender,
als am Hoflager des Grafen Artois damals auf der
traurigen Insel Dieu.

Von mehreren Cavalieren des Königlichen Hoflagers
in Mitau hörte ich jetzt mitunter andeuten, unser König
sei leider auch schon zu sehr von den liberalen Ideen
der Zeit angesteckt und würde, sobald er wieder auf dem
Thron Frankreichs sitze, den revolutionären Principien
zu große Concessionen machen. Ich habe mich mit mei=
nem einfachen Sinn niemals viel um politische Dinge
bekümmert und kann daher auch nicht beurtheilen, wie
weit diese Vorwürfe gegründet waren, glaubte aber nie=
mals auch nur einen einzigen Augenblick an deren Rich=
tigkeit. So viel weiß ich, daß ich die ultra = aristokra=
tischen Gesinnungen mancher Herren — und zwar größ=
tentheils solcher, die den persönlichen Kampf mit den
Waffen in der Hand für dieselben am Meisten scheuten,
ebenfalls nicht theilte. Ich bin gewiß ein strenger Le=
gitimist mein ganzes Leben hindurch gewesen und habe
für das unumschränkte Königthum, die heiligen Rechte
der Kirche und die guten Sitten der alten Zeit beständig
gekämpft, aber jede selbstsüchtige Überhebung des Adels

hat mir niemals gefallen wollen. Da wir nicht mehr
in den schweren Ritterrüstungen unserer Vorfahren käm=
pfen, so können wir auch nicht mehr auf alle Vorrechte
Jener vollgültigen Anspruch machen, und wenn wir die
Bequemlichkeit unseres Zeitalters genießen wollen, so
müssen wir auch einzelne Unannehmlichkeiten desselben
mit in den Kauf nehmen; anders geht es nun einmal
nicht. Einen mächtigen und festen Geburtsadel hat es
bei allen Völkern und zu allen Zeiten gegeben, und mag
die Revolution ihn in Frankreich auch noch so häufig
aufheben, er wird dennoch niemals seine Geltung verlie=
ren. Zeichnet der Adel sich aber selbst nur durch streng
adelige Gesinnung, wahre Frömmigkeit, altbegründete
patriarchalische Sitten, einfache Lebensweise, ritterlichen
Muth und humanes Benehmen gegen die unteren Stände
aus, so wird das Volk ihn stets sehr hoch stellen, wenn
er auch nicht durch allzu viele, nur dem Gemeinwohle
schädliche Privilegien besonders begünstigt ist. Die soge=
nannte liberale und dabei doch so aufgeblasene und selbst=
süchtige Bourgeoisie wird nun und nimmermehr den Ge=
burtsadel verdrängen können, denn sie besitzt wohl alle
Fehler desselben, nicht aber seine Vorzüge. Das untere
Volk gehorcht doch einem Montmorency, der nur
tüchtig ist, ungleich lieber, als einem Rothschild. —
Dies waren schon damals in Mitau meine einfachen
Ansichten und sie sind es auch jetzt noch, und ich habe

Mem. eines Legit. II.   7

mich zu keiner Zeit gescheut, solche unverhohlen auszu=
sprechen. Mochten einige Kammerherren oder gar einige
Damen, sogenannte Diplomatinnen im Unterrock, mir
auch darüber grollen, was kümmerte mich dies weiter.

Daß bei der großen Zahl von größtentheils ganz
unbeschäftigten Cavalieren, die damals in Mitau auf
engem Raum zusammengedrängt wohnten, Reibereien
nicht vermieden werden konnten, war natürlich. Ich selbst
mit meiner wortkargen Stimmung, die mich jede größere
Gesellschaft und besonders jedes Trinkgelage vermeiden
ließ, bin persönlich nicht dabei betheiligt gewesen, mußte
aber nothgedrungen von solchen Zänkereien mehr hören,
als mir lieb war. Bei einem Zweikampf zwischen zwei
jungen Cavalieren secundirte ich übrigens. Die Herren
schlugen sich tüchtig herum, zapften sich gegenseitig ihr
heißes Blut etwas ab, was auch nicht schaden konnte,
und vertrugen sich dann wieder mit einander. Der Kö=
nig mochte übrigens von all dergleichen Reibereien und
Zweikämpfen nichts hören und war auf die Theilnehmer
daran stets ungehalten, bis sein gutes Herz ihnen wieder
verzieh. Auf das Strengste hatte unser Königlicher Herr
uns den Befehl ertheilt, jede Gelegenheit zu Reibereien
mit Russischen Officieren und Cavalieren besonders sorg=
sam zu vermeiden und uns stets eines sehr höflichen aber
dabei doch auch zurückhaltenden Benehmens gegen diese
zu befleißigen. Dieser Königliche Befehl ward auch —

wenigstens so lange ich in Mitau verweilte — von al=
len Emigranten sehr streng befolgt. Wir kamen indeß
mit den in Mitau garnisonirenden Russischen Officieren
selten in Berührung, hatten aber mit mehreren Kurlän=
dischen Edelleuten, größtentheils sehr gewandten und ele=
ganten Herren, hie und da Umgang. Unser Königlicher
Herr beobachtete gegen alle Fremde, die ihm vorgestellt
werden zu dürfen baten, streng die alte Etiquette des
Schlosses in Versailles. Er war liebenswürdig gegen
Alle, hielt aber mit vollem Recht sehr streng darauf,
daß seinem Ansehen auch nicht das Allermindeste verge=
ben würde. Selten überhaupt hat wohl ein Monarch
eine solche lange, ungerechte Verbannung mit so großer
innerer wie äußerer Würde ertragen und sich die unge=
theilte Achtung Aller, mit denen er in Berührung kam,
erworben, als Ludwig XVIII.

Im Monat December folgte ich auf einige Wochen
der Einladung eines Russischen Landedelmannes, den ich
genauer kennen gelernt hatte, ihn auf seinem Landgute
in Lithauen zu besuchen. Mein Gastfreund war ein ge=
waltiger Nimrod und lebte auf seinem einsam in fast un=
ermeßlichen Wäldern gelegenen Schlosse beinahe aus=
schließlich den Freuden der Jagd. Da ich selbst von Ju=
gend auf ein leidenschaftlicher Jäger gewesen bin, so
paßte ich gut für seine Gesellschaft und wir jagten tag=
täglich von früh Morgens bis Abends spät. Unsere

Jagdluft war auch damit noch nicht immer befriedigt, und einigemal benutzten wir nach dem Abendessen das klare Mondeslicht, was die weiten Schneeflächen fast mit Tageshelle beleuchtete, um noch auf die Wolfsjagd zu fahren. Die Art und Weise, wie diese Wolfsjagd betrieben wurde, ist ganz eigenthümlich, und ich habe solche weder vorher noch nachher jemals in einem anderen Lande wieder gefunden. Es wird nämlich ein großer niedriger Bauernschlitten mit drei schnellen und sicheren Pferden in einer Reihe neben einander bespannt, und auf die Strohsitze desselben setzen sich nun so viele Jäger, als Platz finden können. Alle haben zwei bis drei gute Büchsen bei sich und man vergißt es auch nicht, einige Pistolen mitzunehmen, im Fall die Wölfe in allzugroße Nähe kommen sollten. Ein oder zwei Ferkel, die recht schreien, werden nun in einen starken Sack gesteckt und so fährt man in kalter, heller Mondscheinnacht nach solchen Feldern und Wegen, auf denen man am Sichersten große Rudel von Wölfen erwarten kann. Erblickt man nun in der Ferne ein Rudel Wölfe und in kalten Winternächten braucht man in den Lithauischen Wäldern selten vergebens danach zu suchen, so wird dieser Sack mit den Ferkeln auf den Schnee geworfen und mit einem starken Tau, was an 100 Fuß lang sein muß, an dem Schlitten befestigt, so daß er nachschleift. Solche Bewegung muß nun den Ferkeln gerade nicht sonderlich gefallen, denn sie erheben ein furchtbares Gequieke, was weit durch die stillen Wälder schallt. Kaum hört die hungrige Meute der Wölfe diese willkommenen Töne, so stürzt sie in wilder Hast herbei, um sich der Schweine zu bemächtigen. Die gefräßigen Thiere drängen sich in engen Haufen um den nachschleifenden Sack und zerren und reißen gierig daran herum. Diese Augenblicke müssen die Jäger benutzen, um Feuer zu geben, und sind sie nur einigermaßen geübt, so können ihre Kugeln fast nie fehlen. Nach den ersten Salven zerstreuen sich die Wölfe gewöhnlich, kommen aber bald wieder, so bald sie nur wieder das verführerische Ferkelgeschrei hören, so wild ist ihre Gier und gefräßig ihr Hunger. Wir haben einmal in einer Nacht auf diese Weise 17 Wölfe geschossen, freilich dazu aber auch vier Ferkel geopfert, die nach und nach in verschiedene Säcke gesteckt und nachgeschleift wurden. Diese Art von Jagden ist übrigens gar nicht ganz ohne Gefahr. Wenn der Kutscher seine Pferde nicht sehr in der Gewalt hat, werden diese häufig scheu, gehen durch, werfen den Schlitten um, wodurch die darin sitzenden Personen dann leicht auf den Schnee geschleudert und statt der Ferkel von den wüthenden Wölfen zerfleischt werden können. Ein solcher Fall war noch einige Jahre vorher auf dem Gute geschehen und drei Jäger hatten dabei ihr Leben eingebüßt, einem Vierten hatte ein Wolf aber die Nase abgebissen, bevor er sich rettete.

Diese zahlreichen Wölfe sind in vielen Theilen Polens und Rußlands eine große Plage, unter der besonders die Viehheerden der armen, so schon hart genug bedrückten Bauern sehr leiden müssen. Wir schossen in den 14 Tagen, daß ich hier auf dem Gute war, 34 Wölfe und doch war noch keine merkliche Abnahme dieser Bestien zu verspüren, so zahlreich sind sie. Auch an Bären fehlte es hier nicht, obgleich diese lange nicht so zahlreich und für die Heerden gefährlich sind, als die Wölfe. — Die erste Bärenjagd, die in einem dichten Urwald statt fand, wäre fast sehr verderblich für mich ausgefallen. Man hatte mir hinter einer wahrhaft riesigen Tanne den Platz angewiesen, und der Waldhüter meines Gastfreundes sagte mir, daß sehr wahrscheinlich ein Bär hier aus dem Dickicht hervorbrechen würde. Dringend ermahnte er mich noch, ja auf die Augen des Thieres zu zielen, damit die Kugel in das Gehirn eindringe, da bei dem zähen Leben desselben der Tod sonst nicht gleich erfolgte. Ein verwundeter und wüthender Bär ist aber für den Jäger ein ungemein gefährliches Thier.

Die Treibjagd begann, die Bauern mit ihren lautrasselnden Holzklappern, die Treibhunde mit ihrem heulenden Gekläffe unterbrachen die große Stille, die sonst auf diesen imposanten Wäldern des Nordens ruht. Ich kann nicht läugnen, auf meinem einsamen Platz pochte mir das Herz vor Erwartung, und eine Spannung

erfüllte meine Brust, wie ich solche in den letzten Jah=
ren niemals mehr empfunden hatte, wenn es in die
Schlacht ging.

Endlich knackte es in dem dichten Unterholz und man
hörte immer stärker und stärker das Geräusch der brechen=
den Zweige, als wenn ein kräftiges Thier sich gewalt=
sam eine Bahn brach. Ich spannte die Hähne der schwe=
ren Russischen Doppelbüchse, die mir mein Gastfreund
geliehen hatte und harrte gespannt des nächsten Augen=
blickes. Ein mächtiger, brauner Bär, sicherlich schon der
Stammvater eines ganzen Geschlechtes von Bären, er=
schien jetzt ungefähr 50 Schritte von mir entfernt im
Holze. So wie das Thier mich erblickte und sah, daß
es in seiner Flucht gehindert war, brummte es laut vor
Zorn, richtete sich auf den Hinterpratzen hoch auf und
brach mit den Vordertatzen einzelne Zweige ab, die es
grimmig um sich warf. Dies wüthende Thier in seiner
vollen Urkraft hier in dem finsteren, einsamen Wald,
war ein schöner, aber zugleich grausiger Anblick, den ich
niemals wieder vergessen habe. Wiederholt legte ich die
Büchse an, um zu zielen, aber die vielen kleinen Baum=
zweige zwischen mir und dem Bären verhinderten mich
stets daran, sein Auge scharf auf's Korn zu nehmen,
und ich mußte immer wieder absetzen. Ungeduldig hier=
über geworden, ging ich dem Bären nun auf 30 Schritte
nahe, um so besser zielen zu können, obgleich dies ziem=

lich unvorsichtig war. Ich drückte jetzt ab, der Schuß hallte im Wald wieder, aber leider war meine Kugel nicht in das Auge, sondern nur in die Unterlefze des Bären gedrungen. Das wüthende Thier stieß ein furcht= bares Geheul des Schmerzes und Zornes zugleich aus und stürzte in eiligen Sätzen auf mich zu. Wieder riß ich die Büchse an die Backe, um die zweite Kugel abzu= senden, allein der Schuß versagte, da das Pulver auf der Pfanne feucht geworden war. Jetzt schwebte mein Leben in der allergrößten Gefahr und nur die Gnade Gottes, die mir Kraft und Geistesgegenwart verlieh, konnte mich retten. Ich faßte mit der Linken die schwere, stark geschäftete Büchse am Lauf, um solche als Keule zu benutzen, und zog mit der Rechten ein scharfes und gutes Jagdmesser. So erwartete ich festen Fußes mei= nen gefährlichen Gegner. Weit hing die Zunge aus dem blutenden und geifernden Rachen heraus, und die Augen glühten wie Kohlen, als das mächtige Thier auf den Hinterpratzen auf mich zugestürzt kam, um mich mit seiner schrecklichen Umarmung zu erdrücken und dann zu zerfleischen.

Mit voller Kraft schmetterte ich dem Bären aber jetzt meinen schweren Büchsenkolben auf den Schädel, so daß er eine Secunde wie betäubt zu wanken anfing. Diesen Moment benutzte ich und stieß mit sicherer Faust die Klinge meines Jagdmessers dem Feinde gerade in das Herz hin=

ein. Ich hatte gut getroffen, auf der Stelle stürzte das riesige Thier zu meinen Füßen zusammen, zuckte noch einigemal und war todt. Beim Fallen hatte der Bär mir übrigens mit den scharfen Krallen seiner einen Vorderpratze auf dem rechten Vorderarm die dicke Wolfsschnur, die ich trug, aufgerissen und selbst die Haut noch etwas geritzt, so daß ich blutete. Die leichte Wunde verharrschte übrigens schon in einigen Tagen wieder.

Ich erhielt von meinem Gastfreunde und den anderen Russischen Edelleuten, die zur Jagd anwesend waren, über diese Tödtung des Bären manche Complimente. Aus dem Fell des Thieres ließ ich einen Pelz machen, den ich einem Freunde in dem Hofstaate unseres Königs schenkte. Dieser zeigte mir den Pelz noch im Jahr 1814 in Paris.

Viertes Capitel.

Wiederbeginn des Krieges. Der Feldmarschall Graf Suworow. Eigenthümlicher Empfang bei ihm. Eintritt als Adjutant in das Hauptquartier des Feldmarschalls. Züge aus seinem Leben. Energische Kriegführung. Zwistigkeiten in Wien. Die Kaiserlich Russische Armee der damaligen Zeit. Marsch durch Deutschland nach Italien. Begeisterte Anrede Suworow's an seine Soldaten. Erstürmung der Schanzen an der Abba.

Behagten mir die Jagden auf dem Gute meines Gastfreundes auch sehr, so mißfielen mir die rohen Trinkgelage und das hohe Kartenspiel, womit oft die Abende ausgefüllt wurden, desto mehr. Schon meine geringen pecuniären Mittel hätten es mir nicht gestattet, an letzteren theilzunehmen, wenn nicht überhaupt Hazardspiele gegen meine Grundsätze gewesen wären. Auch die harte Behandlung der Leibeigenen, die kaum als Menschen angesehen wurden, und die rohen und plumpen Sitten mancher der eingeladenen Russischen Landedelleute, erreg=

ten in hohem Grade mein Mißfallen. So schlug ich
denn eine wiederholte Einladung zu einem längeren Auf=
enthalt auf dem Landgute aus, zumal ich nicht gern auf
lange Zeit die Gaſtfreundſchaft von Menſchen, mit denen
ich nicht innig befreundet bin, benuzen mag, und langte
in den letzten Tagen des Decembers wieder in Mitau an.

Bei der Neujahrscour am 1. Januar 1799 war der
König ſehr huldvoll gegen mich. Am Schluſſe geruhte
der Monarch mir zu ſagen: „Nun, mein lieber Mar=
quis, wahrſcheinlich werden Sie bald wieder Gelegenheit
zu neuen Kriegsfahrten finden. Meine Herren Vettern, die
Kaiſer von Öſterreich und Rußland, ſcheinen endlich der Be=
leidigungen der Jakobiner in Paris müde zu ſein und wer=
den wohl bald mit kriegstüchtigen Heeren wieder gegen
das revolutionäre Frankreich in das Feld ziehen."

Solche Worte aus dem Munde meines Königlichen
Herrn waren von goldenem Klange für mein Ohr. Schon
längſt war ich dieſer gezwungenen Unthätigkeit über=
drüſſig und hatte immer wieder Gott in inbrünſtigen
Gebeten angefleht, er möge mich bald der Gnade theil=
haftig werden laſſen, mein Schwert auf's Neue gegen
die Mörder meiner Familie und die Feinde meines Kö=
nigs ziehen zu dürfen. Endlich ſchien alſo jetzt dieſe
Hoffnung erfüllt zu werden! In jedes tüchtige Heer,
was gegen die Franzöſiſche Republik focht, einzutreten,
war ich feſt entſchloſſen und bot ſich mir keine andere

Aussicht dazu dar, so wollte ich nöthigenfalls als gemei=
ner Reiter in einem Wallonischen Regiment des Öster=
reichischen Heeres Dienste nehmen. In großer Aufregung
verbrachte ich daher die Monate Januar und Februar
und je sicherer die Aussicht wurde, daß es wieder zu
einem Kriege kommen würde, desto lebhaftere Freude
empfand ich. Russische Regimenter zogen jetzt sehr häu=
fig durch Mitau, um sich nach Österreich zu begeben,
und Alles deutete darauf hin, daß ein großartiger Krieg
gegen die Republik geführt werden solle. Ich wollte
schon Schritte thun, um unter dem Befehl des Erzher=
zogs Carl zu fechten, als ich plötzlich und mir ganz
unerwartet, eine andere Bestimmung erhielt. Der be=
rühmte Russische Feldmarschall Graf Suworow, nach=
maliger Fürst Italijski, der sich bisher mit Recht so
großen Ruhm erworben hatte, war nach Mitau gekom=
men, um sich Ludwig XVIII. vorzustellen, bevor er
nach Deutschland ging, den Oberbefehl über die verei=
nigte Österreichisch = Russische Armee zu übernehmen.
Ganz Mitau war voll von dem Ruhm, aber auch zu=
gleich den vielen Sonderbarkeiten dieses eigenthümlichen
Mannes. Da meine Fußwunde mich schmerzte, so ging
ich an dem Tage nicht aus, obgleich ich es bedauerte,
den berühmten General nicht sehen zu können. Plötzlich
kommt ein Russischer Abjutant in Begleitung des alten
Stabsofficiers, der mir Unterricht in der Russischen

Sprache ertheilte, ganz eilig zu mir und meldet, der Feldmarschall Suworow wolle mich sprechen und ich solle sogleich zu ihm kommen. Ich konnte mir nicht denken, auf welche Weise ein so hoher General Kenntniß von meiner völlig unbedeutenden Persönlichkeit haben könnte, wollte daher meinen Ohren kaum trauen und erwiederte, daß hier ein Irrthum obwalten müsse. Der Adjutant verneinte dies aber und der alte Major rieb sich vergnüglich die Hände, und rief mir Russisch zu: „Nein, nein, kein Irrthum, Du selbst bist es, mein Lieber, den der große Suworow sprechen will." Ich warf mich nun in aller Eile in meine Uniform, bestieg eine Droschke, die unterdeß vor der Thüre halten geblieben war und fuhr zu Suworow. Unterweges zerbrach ich mir noch den Kopf, was derselbe eigentlich von mir wollte, konnte jedoch zu keinem Resultat gelangen.

Ich ward unverzüglich in einen großen, sehr dürftig möblirten Saal geführt, an dessen einer Seite einige Strohbündel lagen, während ein großes Feuer von ganzen Holzklötzen im Ofen brannte. An einem plumpen Tisch, auf dem mehrere Landkarten ausgebreitet lagen, stand ein kleiner alter Mann, so eifrig mit diesen Karten beschäftigt, daß er unsern Eintritt nicht zu bemerken schien. Der Adjutant blieb schweigend an der Thür stehen, und ich folgte seinem Beispiel, bemerkte aber, daß der kleine Mann trotz seiner eifrigen Beschäftigung den-

noch von Zeit zu Zeit einige scharfe und prüfende Blicke
auf mich warf. Er bot eine eigenthümliche Erscheinung
und ich freute mich, daß mir hinlänglich Zeit blieb, ihn
genau zu betrachten, ohne durch Sprechen dabei gestört
zu werden. Die reich gestickte Uniform eines Russischen
Feldmarschalls hing schlotternd auf dem dürren aber mus-
kulösen Oberkörper und schien für einen ungleich stärke-
ren Mann gemacht zu sein. Auf der Brust blitzten mit
Edelsteinen gezierte Großkreuze mehrerer hohen Orden,
während aus der nicht zugeknöpften Uniform ein grobes,
graues Leinwandhemd von der Art, wie die Russischen
Soldaten es tragen, hervorsah. Der Hals und ein Theil
der Brust waren entblöst und zeigten einen üppigen Wuchs
zottiger Haare. Weite Kosackenhosen von grobem Tuch
vervollständigten diesen Anzug, während gewöhnliche Sol-
batenstiefel die Füße bedeckten. Das Gesicht des Greises
war mager und scharf geschnitten und zeigte eine nervöse
Beweglichkeit in den Backenmuskeln, die kleinen, aber
sehr lebhaften graublauen Augen blitzten auffallend aus
ihren Höhlen hervor, das weiße Haar war vorn ganz
kurz nach Russischer Soldatenart abgeschoren, was das
Eigenthümliche der ganzen Erscheinung noch vermehrte.
Trotz aller dieser Eigenthümlichkeiten lag ein ungemein
energischer Ausdruck in dem Gesichte und offenbarte Kraft
und geistige Lebendigkeit. — Wohl eine halbe Stunde
blieb der Feldmarschall Suworow, denn der war es,

vor dem ich stand, eifrig mit seinen Landkarten beschäf=
tigt, ohne Notiz von mir und meinem Begleiter zu neh=
men. Plötzlich sprang er auf den Adjutanten zu und
sagte ihm in Russischer Sprache: „Ist das der Franzö=
sische Officier, den ich zu sprechen wünsche?" Mit einer
Verbeugung bejahte der Adjutant diese Frage. Der Feld=
marschall kam nun auf mich zu, stellte sich unmittelbar
vor mich hin und musterte mich vom Kopfe bis zu den
Füßen. Mich ärgerte diese Insolenz, die so wenig mit
unseren höflichen Französischen Sitten im Einklange steht,
und ich erwiederte diese Musterung mit eben so scharfem
Blicke. In ganz geläufigem, wenn auch nicht elegantem
Französisch sprach er nun zu mir: „Wissen Sie, Herr
Marquis, oder was für einen Titel sie sonst haben mö=
gen, daß ich Ihre Landsleute eigentlich nicht leiden kann?"

Diese unhöfliche Anrede empörte mich noch mehr, das
Blut stieg mir in das Gesicht und ich antwortete kurz:
„Wenn Euer Excellenz mich nur zu sich befohlen haben,
um mich mit einer Beleidigung zu empfangen, so wäre
es besser gewesen, daß ich zu Hause geblieben."

Der Feldmarschall stutzte einen Augenblick über eine
solche Antwort, die er nicht erwartet haben mochte, dann
nahm sein Gesicht einen freundlichen Ausdruck an, er
lachte und sagte: „Wie ein Pulverfaß, was Feuer fängt,
so rasch! — Nun, beruhigen Sie sich, der Feldmarschall
Suworow will keinen einzelnen Officier beleidigen! —

Wissen Sie, mein alter Freund, der Major Alexander Nicolajewitsch (so hieß der Major, der mir Unterricht in der Russischen Sprache ertheilte), hat mir Gutes von Ihnen gesagt. Sie haben tapfer bei jeder Gelegenheit gegen die Republikaner gefochten und nicht den müßigen vornehmen Herrn gespielt, wie so viele unnütze Emigranten. Hier haben Sie fleißig Russisch gelernt und nicht gefaullenzt, wie die Anderen und das gefällt mir. Seine Majestät, unser allergnädigster Czaar und Vater", hierbei machte der Feldmarschall eine tiefe Verbeugung, „hat die hohe Gnade gehabt, mir den Oberbefehl über das Russische Heer, was jetzt in Deutschland steht, anzuvertrauen. Wollen Sie mit in meine Suite treten? ein passender Rang und eine Beschäftigung wird sich für Sie finden. — Entscheiden Sie sich, in das Feuer sollen Sie schon bei mir kommen, das verspreche ich Ihnen!"

Dieser ehrenvolle Antrag des berühmten Feldmarschalls kam mir ganz unerwartet. Es lag Vieles darin, was mich im höchsten Grade reizen mußte, solch' Anerbieten anzunehmen. War ich bei Suworow, so konnte ich sicher auf eine thätige Theilnahme an blutigen Kämpfen gegen die verhaßten Feinde rechnen; dafür bürgte mir seine aus den Türkenkriegen rühmlichst bekannte Energie. Durch solche Theilnahme am Kampfe war aber mein Hauptwunsch erreicht, und alles Übrige mußte dagegen zurücktreten. Mein Entschluß war daher sogleich

gefaßt, und ich sagte dem Feldmarschall, daß ich seinen
Antrag annehmen würde, im Fall mein Herr und Ge=
bieter mir die Genehmigung dazu ertheilen würde.

„Das versteht sich, ohne Erlaubniß seines Fürsten
darf ein getreuer Unterthan nichts unternehmen, erbitten
Sie sich womöglich morgen Audienz bei Seiner Maje=
stät, (auch jetzt verneigte sich der Fürst, obgleich lange
nicht so tief, als vorhin bei der Nennung seines Monar=
chen) Sie müssen mir aber noch Ihr Ehrenwort geben,
hinter meinem Rücken keine politische und kritische Cor=
respondenz mit irgend einer Person zu führen", setzte er
noch hinzu.

Als ich mich nun beim Feldmarschall beurlauben
wollte, sagte er in freundlichem Tone zu mir: „Sie
können gleich zum Abendessen bei mir bleiben und sehen,
wie es bei mir zugeht. Ich fürchte aber, es wird Ih=
nen nicht sonderlich gefallen, denn Ihr Herren Franzo=
sen seid Leckermäuler und sollt sogar gebratene Frosch=
keulen essen, und ich bin nur ein einfacher Russischer
Soldat, der nur für den Hunger ißt und für den Durst
trinkt." In der That war das Abendessen, dem ich nun
beiwohnte, fast mehr wie einfach. Zwei Kosacken setzten
auf den mit einem groben Tuch bedeckten Tisch eine ge=
waltige Schüssel mit Sauerkraut und eine andere mit
Heringen; hieraus bestand die ganze Mahlzeit. Serviet=
ten fehlten gänzlich und auch die Eßbesticke waren ganz

felbmäßig. Später wurde eine große Bowle mit star=
kem und gutem Punsch gebracht, und der Fürst trank
selbst vier bis fünf Gläser, wie er auch die sechs bis
sieben Adjutanten und Generalstabsofficiere, die er bei
sich hatte, zum fleißigen Trinken einlud. Kam ein Ab=
jutant oder auch nur irgend ein Soldat während dieser
Mahlzeiten mit einer Meldung in das Zimmer, so reichte
ihm Suworow stets seinen eigenen mit Wein oder
Punsch gefüllten silbernen Feldbecher zum Trinken, und
freute sich, wenn der den ganzen Inhalt mit einem Zuge
leerte. So hielt er es auch während des Feldzuges,
wo ich fast täglich an seinem Tische speiste.

Bei dieser ersten Abendmahlzeit, vor der — und dies
gefiel mir sehr — der Feldmarschall ein kurzes Gebet
in Russischer Sprache hermurmelte und andächtig das
Kreuz schlug, wie es überhaupt oft von ihm geschah,
überraschte mich dieser seltsame Mann noch mehr durch
mancherlei Eigenthümlichkeiten, aber auch durch seine schar=
fen, treffenden Bemerkungen und den Reichthum mili=
tairischer Kenntnisse.

Ich mußte ihm auf seine steten Fragen sehr viele
Einzelheiten sämmtlicher Feldzüge, denen ich beigewohnt
hatte, berichten, und er zeigte sich ganz genau von dem
Gange derselben unterrichtet. Alles wußte er, jedes dar=
über erschienene Werk schien er gelesen, jede Landkarte
genau studirt zu haben. Dabei hatte er ein ungemein

scharfes Gebächtniß und, wenn er keine vorgefaßte Ab=
neigung hegte, wie es freilich häufig der Fall war, ein
sehr treffendes Urtheil. Er frug mich, welchen von den
Französischen Generalen ich für den bebeutendsten halte?
Meine Antwort war: Bonaparte, nächst ihm Maf=
sena und dann Moreau. Der Feldmarschall fing nun
laut zu klagen an, er sei ein unglücklicher Mann und
sein Unstern wolle es, daß er jetzt nicht gegen biesen
Bonaparte, der leiber in Ägypten sei, kämpfen könne.
Ich würde den Kerl auch schlagen und das wäre so ruhm=
voll, als wenn ich alle übrigen Feldherren zusammen ge=
schlagen hätte, und ich wäre dann der allerberühmteste
Feldherr, den es nur je gegeben und unsere alte, ehr=
würbige, geliebte Mutter Rußland hätte den Ruhm ba=
von gehabt. Was hilft es mir nun, wenn ich auch alle
biese anberen Kerle besiege und den Bonaparte nicht,
dann ist der Ruhm boch nicht vollstänbig und es bleibt
Alles ein Dreck. — Wenn boch bieser Bonaparte noch
zur rechten Zeit zurückkäme, daß ich ihn auch noch schla=
gen kann. So rief Suworow wiederholt aus und
lief dabei mit schnellen Schritten im Zimmer umher,
während ein convulsivisches Zucken über sein Gesicht zog,
und seine Augen blitzten.

Auch über die Österreichische Armee sprach er viel und
lobte solche, schien auch Achtung vor dem Feldherrnta=
lent des Erzherzogs Carl zu haben, äußerte sich aber

desto härter über fast alle anderen höheren Befehlshaber, die bisher gegen die Franzosen gefochten hatten.

Mehrere Stunden dauerte die Unterhaltung noch fort, wenn auch das Abendessen innerhalb einer Viertelstunde verzehrt war und trotz aller seiner Sonderbarkeiten lernte ich den Feldmarschall dabei schätzen. Besonders gefiel mir auch sein unerschütterliches Selbstvertrauen, mit dem er davon sprach, die Feinde zu schlagen, als wenn dies eine Sache sei, die sich von selbst verstände.

Am anderen Morgen bat ich um Audienz bei mei= nem Königlichen Herrn, die mir auch gewährt wurde. Ich theilte diesem den Antrag Suworow's mit und bat um die Gnade, solchen annehmen zu dürfen. Seine Ma= jestät gewährte mir freundlich diese Bitte und wünschte, daß ich aus dem Hauptquartier des Feldmarschalls Be= richte einsenden möge. Ich äußerte nun dem Könige das ausdrückliche Verlangen Suworow's, keine Briefe ohne sein Vorwissen zu schreiben und mein edler Monarch fand selbst, daß dies Begehren kein ungerechtfertigtes sei. ― „So fahren sie fort, mein lieber Marquis, mit gleicher Treue und Standhaftigkeit, wie sie es bisher gethan haben, für die heiligen Rechte der Legitimität zu käm= pfen. Möge der allgütige Gott Sie in seinen besonde= ren Schutz nehmen. Mein aufrichtiger Wunsch für Ihr ferneres Wohlergehen auf Ihrer gefährlichen Bahn wird Sie überall begleiten und meiner Königlichen Gnade seien

Sie stets versichert." Diese so überaus huldvollen Worte hatte mein König und Herr die Gnade, mir noch zu sagen und reichte mir dabei die Hand zum Abschiedskusse dar.

Der Kaiser Paul wollte nicht, daß Ausländer definitiv in sein Heer eintreten sollten, und so trat ich ausdrücklich nur als Volontair-Officier für die Dauer dieses Krieges gegen die Franzosen ein. Es war mir dies selbst sehr erwünscht, da ich für immer und gar im Frieden unter keiner Bedingung ein Russischer Officier hätte bleiben mögen. Es war sehr Vieles in der Stellung der Russischen Officiere, was mir nicht gefiel, vorzüglich aber, daß nicht genug auf das Ehrgefühl gehalten und sie nicht immer als Cavaliere behandelt wurden. Jetzt mag es dort auch wohl anders sein! Ich erhielt den Rang eines Hauptmanns im Generalstabe und alle Bezüge und Rechte eines solchen, wie auch einen Beitrag zu meiner Equipirung. Hiermit waren meine Ansprüche befriedigt; ich besorgte meine Equipirung, kaufte zwei Pferde, erhielt einen gewandten Kosacken als Burschen, und ging dann nach Wien ab, wohin sich der Feldmarschall inzwischen schon begeben hatte, um den Oberbefehl über die gesammte Österreichisch-Russische Armee zu übernehmen.

Je häufiger ich während dieses blutigen und rühmlichen Krieges von 1799 — 1800 mit Suworow in Berührung kam, desto mehr lernte ich diesen seltenen Mann schätzen. Außer dem Erzherzog Carl, der vielleicht noch

methodischer zu Werke ging, war er unbedingt der be=
deutendste Feldherr, der noch bisher gegen die Franzo=
sen commandirt hatte, ja vielleicht auch in den späteren
Kriegen gegen sie commandirte. Er war genial in sei=
nen Plänen und dabei doch bedächtig in seiner Vorbe=
reitung derselben, während er bei der Ausführung eine
rücksichtslose Energie entfaltete. „Soldaten sind zum
Todtschießen da und fallen sie, so schadet es nichts, wenn
nur der Sieg erkämpft wird", sagte er wiederholt und
handelte auch demgemäß. Wenn es irgend eine wichtige
Sache galt, kam es ihm keinen Augenblick darauf an,
Tausende von Kriegern zu opfern, und er konnte z. B.
in der furchtbar blutigen Schlacht bei Zürich ganze Ba=
taillone mit einer Gleichgültigkeit hinsinken sehen, als
ob es Mohnköpfe wären. Wer gefallen war, dem wid=
mete er nie ein Wort des Andenkens, und liebte es
nicht, wenn man an dessen Person ihn erinnerte. Gegen
seine lebenden und verwundeten Krieger war er voller
Sorgfalt und Aufopferung und wachte beständig für ihr
Wohlergehen, so weit sich dies mit seinen kriegerischen
Plänen vereinbaren ließ. So strenge er auf das eigent=
liche Wesen des Dienstes hielt, so überaus nachsichtig
war er bei seinen Russen gegen die äußere Form des=
selben. Ob eine Ordonnanz ihn bei seinem Titel oder
mit dem russischen Ausdruck „Väterchen" nannte, war
ihm völlig gleich, und alles Parademäßige sehr verhaßt.

So nahmen sich besonders die alten Kosacken, die ihn schon seit Jahren kannten, oft fast unglaubliche Frei= heiten gegen seine Person heraus. Ich habe gesehen, daß z. B. ein graubärtiger Kosack ihm in der Schweiz eine frohe Meldung machte und dafür einen guten Trunk aus des Feldmarschalls Becher thun durfte, wie dies üblich war. Dem Kosacken schien der starke Rum zu munden; er schmunzelte behaglich nach der Flasche, in der nur noch ein kleines Restchen war, und meinte: „Väterchen, die Nachricht war so gut, daß sie wohl noch ein zweites Schnäpschen verdient." Suworow lachte, gab dem Kosacken einen vertraulichen Beinamen und schenkte ihm eigenhändig den letzten Rest aus seiner Feld= flasche ein, obgleich er jetzt selbst den ganzen Tag über nur schlechtes Wasser zu trinken hatte. Einige Tage spä= ter war dieser Kosack im Dienst betrunken, was zufällig von Suworow bemerkt wurde. Die Strafe, welche ihm dieser dafür zuerkannte, waren hundert Kantschuh= hiebe, und auch kein einziger wurde davon erlassen. Über= haupt konnte der alte Feldmarschall mitunter ungemein hart sein und verhängte die strengsten Strafen über Sol= daten, wie Officiere. Trotzdem liebten die Soldaten und fast alle niederen Officiere ihn beinahe abgöttisch, hielten sich unter seiner persönlichen Anführung fast unbesiegbar und waren es daher in der That auch. Er kannte die Eigenthümlichkeiten der Russen auf das Genaueste, und

wußte mit musterhafter Menschenkenntniß alle seine Un=
tergebenen zu behandeln. Große Zuverlässigkeit lag gerade
nicht im Charakter Suworow's, und wie alle Slaven,
verschmähte auch er Lug und Trug nicht, wenn er mit
seiner geriebenen Schlauheit einsah, daß er auf geradem
Wege nicht so schnell zum erwünschten Ziele gelangen
würde. Wie in Allem, so war Suworow auch hierin
der größte Gegensatz des Herzogs von Wellington,
unter dem ich 1812 diente, der einen viel zu großen
Stolz besaß, um jemals nur ein unwahres Wort zu
sprechen. Persönlichen Muth und große Kaltblütigkeit
im feindlichen Feuer besaß Suworow in hohem Grade,
liebte aber tollkühne Tapferkeit, besonders wenn sie kei=
nen directen Nutzen brachte, nicht. Seine Hauptleiden=
schaft war eine unbegränzte Ruhmsucht, sowohl für Ruß=
land, dessen wahrer Sohn er war, wie auch für sich
selbst. Weitere politische Grundsätze besaß er nicht, und
hätte Rußland vermehrte Macht und Ehre und er selbst
persönlichen Ruhm dadurch erlangen können, so wäre
ihm auch ein Bündniß mit den Französischen Republika=
nern ganz recht gewesen. So sehr er sich auch jetzt den
Anschein gab, solche zu hassen, so haßte er im Grunde
seines Herzens Preußen und Österreich noch viel mehr,
und hätte lieber gegen, als für sie gekämpft. Er miß=
gönnte es Österreich wie Preußen, daß sie Slaven als
Unterthanen besaßen, und in den seltenen Augenblicken

der Freimüthigkeit, die ihn bisweilen überfielen, äußerte er einst zu einigen seiner Adjutanten: „Unser Czaar und Herr befiehlt, daß wir die Franzosen schlagen sollen, also werden wir sie schlagen, obgleich sie uns eigentlich gar nichts angehen. Besser wäre es, wir schlügen die Preußen und die Österreicher und eroberten uns Alles, was jemals Polnisch gewesen ist, und vertrieben dann die Türken aus Constantinopel. Dann ließe sich noch ein recht schönes Kaiserthum für unsern jungen Herrn, den Großfürsten Constantin, daraus machen, und für den Großfürsten Nicolaus würde Warschau oder Lemberg auch eine gute Residenz, und Danzig eine gute Hafenstadt abgeben. Das wären dann Reiche unseres Stammes, die ganz Europa beherrschten, und wenn man den Türken alsdann alle ihre Kinder wegnehmen und diese in unserer rechtgläubigen Kirche taufen ließe, so würde die heilige Mutter Gottes in Kasan (hiebei schlug er das griechische Kreuz) auch ihre Freude darüber haben. Solche Reiche zu erobern, wäre doch noch eine bessere Aufgabe für den alten Suworow, als hier in den Bergen der Schweiz hinter den Franzosen herzukriechen und sich über die Dummheit und Zaghaftigkeit der Herren in Wien tagtäglich zu ärgern. Doch unser Allergnädigster Kaiser (hier verbeugte er sich tief) befiehlt und Suworow und seine Russen gehorchen." Plötzlich fiel es ihm nun ein, er habe jetzt wohl zu viel gesagt, und seine Worte

könnten nach verschiedenen Orten hin berichtet und dort
übel aufgenommen werden, denn er stellte sich sogleich
an, als sei es nur ein Scherz, den er gemacht habe,
und trieb, wie dies in solchen Fällen seine Art war, die
albernsten Possen. Diese verschiedenen Possen, die er
trieb, und die wirklich oft eines so großen Mannes un=
würdig waren, beruhten größtentheils auf klug berech=
neter Verstellung. Er wollte seine Umgebung dadurch
auf die Probe stellen, mehrere ihm mißliebige Persön=
lichkeiten unter den Russischen und Österreichischen Gene=
ralen dadurch ärgern, was er auch vollständig erreichte,
und sich bei den Soldaten populär machen. Er konnte
es in seinen Grimassen mitunter so weit treiben, daß
man ihn fast als einen Verrückten ansehen mußte, und
wirklich selbst oft nicht wußte, ob man sich über diese Narr=
heiten ärgern oder sie verlachen sollte. Wehe aber dem,
in dessen Gesicht der durchdringende Blick des Feldmar=
schalls jemals ein Lächeln des Spottes erblickt hätte; er
konnte sicher sein, daß dieser sich grausam dafür an ihm
rächen würde. In hohem Grade rachsüchtig war, trotz
aller seiner sonstigen großen Gutmüthigkeit, der Feld=
marschall Suworow, wie sich denn überhaupt in sei=
nem ganzen Charakter die verschiedenartigsten Eigenschaf=
ten vereint fanden, und es unendlich schwierig, ja fast
unmöglich wurde, ein richtiges Gesammturtheil über ihn
zu fällen. So bin ich immer zweifelhaft darüber gewesen,

ob die große Frömmigkeit, die er bei jeder Gelegenheit
und wirklich oft etwas zu auffällig zur Schau trug,
Wahrheit oder nur klug berechnete Verstellung war. Zu
seiner Ehre will ich übrigens Letzteres annehmen, denn
er wäre mir sonst zu verächtlich gewesen; doch gab es
wirklich Augenblicke, wo man hierin fast an ihm hätte
irre werden können.

So roh und ungebildet er sich übrigens oft stellte,
und solche Verachtung er gegen jede Büchergelehrsamkeit
zu hegen schien, so war er doch dabei ein ungemein un=
terrichteter Mann, wie man solchen zu damaliger Zeit nur
äußerst selten im Russischen Heere finden konnte. Die
Kriegsgeschichte aller Völker und Zeiten hatte er sehr sorg=
fältig studirt und sich auch sonst noch mit verschiedenen
Wissenschaften beschäftigt, obgleich er dies mehr zu ver=
läugnen, als hervorzuheben suchte. Ein Meister war er
in kurzer und bündiger Schreibweise und alle seine Be=
fehle und Erlasse konnten wirklich als die besten Muster,
in wenigen und klaren Worten viel auszudrücken, gelten.
Alle Vielschreiberei war ihm ein Gräuel und er pflegte oft
zu sagen: „Die Menschen, die weder zum Handeln noch
zum Denken zu gebrauchen sind, legen stets den größten
Werth auf viele unnütze Schreiberei." Wehe dem Ad=
jutanten, der sich nicht kurz und klar auszudrücken ver=
stand, denn der Feldmarschall zerriß ohne Weiteres den
Bericht, statt ihn zu unterschreiben, warf die Stücke dem

Verblüfften vor die Füße und schrie mit einer Donner=
stimme: „Noch einmal machen und kürzer." Dieß konnte
bei neuen Abjutanten, die seine Art und Weise noch nicht
kannten, vier bis fünf mal geschehen, besonders wenn
die Zeit nicht drängte. Unerbittlich zerriß der Feldmar=
schall die Arbeit immer von Neuem wieder, bis sie ihm
kurz und bündig genug schien. Je höher aber der Ab=
jutant im Range stand, desto grober und rücksichtsloser
behandelte der alte Feldmarschall ihn, wie er denn über=
haupt nur sehr geringen Unterschied machte, ob er mit
einem Russischen General oder Corporal sprach. Wie
ungemein stach diese Suworow'sche Klarheit und Kürze
gegen die unendliche Breite, Schwülstigkeit und unnütze
Pedanterie, die damals in dem ganzen Geschäftswesen
des Österreichischen Heeres herrschte, ab. Besonders Al=
les was von dem Hoffriegsrath in Wien kam, war von
einer unglaublichen Weitschweifigkeit und Förmlichkeit.
Die Correspondenz zwischen diesem und Suworow
wurde gewöhnlich in Französischer Sprache geführt, und
wiederholt gab mir letzterer eine viele Bogen lange De=
pesche und sagte: „Ziehen Sie mir den Inhalt aus und
schreiben kurz auf, wozu diese Esel wieder Hunderttau=
sende von Buchstaben haben unnütz aufmarschiren lassen."

Bei seiner großen Arbeitsamkeit und der Schnellig=
keit, womit der Feldmarschall alle Geschäfte zu erledigen
pflegte, machte er übrigens gewöhnlich Alles selbst und

seine Abjutanten und Generalstabs = Officiere hatten in der Hinsicht nicht viel zu thun. Sonst freilich war es ein sehr schwerer und auch in vieler Beziehung unange= nehmer Posten, sein Abjutant zu sein und wer nicht eine eiserne Natur, eine stete Aufopferung und eine große Hin= gebung, entweder für die Person des Fürsten selbst, oder für die Sache, welcher dieser mit so glänzendem Erfolge diente, besaß, der paßte nicht zu solcher Stelle. Die jun= gen verwöhnten Söhne der Russischen hohen Aristokratie drängten sich nicht in das Hauptquartier des alten grim= migen Feldmarschalls und dasselbe galt ihnen als der Ort des höchsten Schreckens, aus dem Jeder, der es nur irgend vermochte, so schnell als möglich wieder zu entflie= hen trachten müsse. Es war zu komisch, wenn mitunter ein= zelne vornehme Herren aus Petersburg, die der Kaiser per= sönlich geschickt hatte, einige Zeit beim alten Suworow ausharren mußten. Er behandelte diese Officiere, die nicht direct unter ihm standen, zwar äußerlich mit der allergrößten, oft wirklich affectirten Höflichkeit, quälte sie aber sonst mit einer so ausgesuchten Grausamkeit, ließ sie so recht an allen großen Strapazen, die er sich selbst zumuthete, theilnehmen, daß diese Herren je eher je lie= ber wieder fortzukommen suchten. Seine eigenen Abju= tanten, die er sich selbst in der rauhen Schule der Tür= kischen und Polnischen Kriege aufgezogen hatte, hingen übrigens mit unbedingter Ergebenheit an ihrem alten wunderlichen, oft zwar halb verrückt erscheinenden und dabei doch so großartigen und kühnen Feldherrn.

Ich selbst mußte mich anfänglich oft gewaltsam bezwingen, um die mir ganz ungewohnte und so sehr gegen unsere Französischen Sitten verstoßende grobe Behandlung geduldig zu ertragen. In Italien frug mich einst bei einem Ritt, wo wir zufällig beide allein waren, der Feldmarschall, ob ich gern in seiner Nähe sei. Offenherzig antwortete ich ihm nein, denn er sage mir oft so grobe Worte, wie ich solche nicht gewohnt sei und nur lediglich von ihm in Betracht der großen Energie, die er gegen die mir so tief verhaßten Republikaner entwickle, ertragen würde. Der Feldmarschall sah mich durchdringend an, brach dann in ein Gelächter aus und rief: „O! Ihr Franzosen, was bildet Ihr Euch auf Euer feines Ehrgefühl so viel ein und seid doch wahrhaftig um nichts besser, als wir Russen. — Nun, Marquis, ich kann Sie gebrauchen und Sie können mich gebrauchen, also haben wir Beide gegenseitigen Nutzen von einander und das ist schon viel, und so bleiben wir zusammen, so lange dieser Krieg dauert."

Ich verneigte mich schweigend und ohne weiter ein Wort mit einander zu sprechen, ritten wir nach Hause. Von der Stunde an war Suworow artiger und minder rücksichtslos, aber auch kälter gegen mich und sprach, außer wenn der Dienst es erforderte, nur selten mit mir.

Sichtlich hatte er meine Freimüthigkeit übel empfunden, und doch konnte ich mich ihm gegenüber zu keiner Heuchelei oder gar Lüge entschließen, denn ich hätte alsbann meine Selbstachtung verloren. Für meine Theilnahme in der Schlacht an der Trebbia erhielt ich übrigens auf seine Verwendung das Georgenkreuz und später auch noch einen anderen Russischen Orden.

Staunens = und nachahmungswerth war die große persönliche Thätigkeit, die der alte Feldmarschall bei jeder Gelegenheit entwickelte. Nur wenige Stunden schlief er, seine Mahlzeiten kosteten ihm geringe Zeit, noch geringere seine Toilette und sonst war er unaufhörlich im Dienst. Oft sprang er mitten in der Nacht von seinem Strohlager auf, warf einen Soldatenmantel um, weckte wohl einen oder den anderen seiner Abjutanten, unterließ dies aber auch bisweilen, dann auf einen kleinen Kosackenklepper, deren fünf bis sechs stets zu seiner Verfügung gesattelt standen, ein Dutzend Kosacken von der Escorte mitgenommen, und nun die äußersten Vorposten des Heeres visitirt. Je schlechter das Wetter, je grundloser die Wege waren, desto häufiger trat er gewiß diese Ritte an, desto weiter dehnte er sie aus und erschien stets dort, wo man ihn am Wenigsten erwarten konnte. Alles wurde bei diesen Inspicirungen genau gemustert, keine Kleinigkeit entging ihm, und jede Nachlässigkeit bestrafte er auf der Stelle. Besonders achtete der Feld=

marſchall darauf, daß die Soldaten von ihren Vorge=
ſetzten nicht unnöthig geplagt wurden, und ihre Ratio=
nen auch richtig erhielten. So entſinne ich mich, daß,
als wir in Italien ſtanden, die Soldaten eines Regi=
ments, was der Feldmarſchall ganz unerwartet inſpicirte,
ſich beklagten, ungenießbares Brod erhalten zu haben.
Sogleich ward das Brod gekoſtet und es zeigte ſich ab=
ſcheulich, obgleich gutes Mehl zu bekommen geweſen wäre.
Der Feldmarſchall gerieth in furchtbaren Zorn, ſtellte
ſogleich eine Unterſuchung an, und ermittelte mit großem
Scharfſinn, um den ihn der gewandteſte Advokat hätte
beneiden können, daß der Lieferant, ein reicher Jude,
betrogen, der Oberſt aber um dieſen Betrug gewußt
hatte. Die Strafe folgte gleich der That, wie dies des
Feldmarſchalls Sitte war. Den Oberſten legte er in
Ketten, und bat den Kaiſer Paul, daß der ihn zum
Gemeinen degradiren möge, was auch geſchah, wo er
dann nachträglich noch funfzig Hiebe erhielt; der Jude
empfing ſeine Hiebe aber auf der Stelle, und zwar ſo
viele, daß er lange an den Nachwehen krank darnieder=
gelegen hat. Ähnlich waren alle Urtheilsſprüche, die der
Feldmarſchall bei dieſen unerwarteten Muſterungen de=
cretirte, und die gerechten, aber harten Strafen folgten
ſtets ſogleich der That.

Kam der Feldmarſchall von dergleichen Muſterungen,
die fünf, ſechs bis acht Stunden dauerten, in ſein Quar=

tier zurück, so gönnte er sich keine Ruhe, sondern schrieb
oder dictirte Befehle, studirte die Karten der Umgegend,
hörte Berichte an; kurz, war stets thätig und unermüd=
lich. Und so trieb er es tagtäglich ohne Rast und Ruhe
fort und war auf Märschen gewiß der Erste im Sattel
und der Letzte aus demselben. Ermüdung und Verweich=
lichung kannte er nicht, hatte keine Vergnügungen, Be=
dürfnisse fehlten ihm, und so konnte er sehr viel leisten.
Wer nicht eine Brust von Eisen und Sehnen von Stahl
hatte, der paßte nicht zum Adjutanten bei ihm. Auch
den Unermüdlichsten konnte er mitunter ermüden, und
so sehr abgehärtet ich auch war und meinem Körper
tüchtige Strapazen bieten durfte, so fühlte ich doch bis=
weilen, was es hieß, ein Adjutant Suworow's zu sein.

Seine Bedürfnisse waren gering, und die spärliche
Gage eines Russischen Subaltern=Officiers hätte aus=
gereicht, dieselben zu befriedigen. Er aß die gröbsten
Speisen und verschmähte es nicht, wochenlang das Essen
der gemeinen Soldaten zu theilen, so schlecht dies auch
war. Ließ er sich seine Mittagsportion aus dem Me=
nagekessel holen, so bezahlte er der Kochgesellschaft, bei
der dies geschah, stets einen Ducaten dafür. Überhaupt
war er gegen die Soldaten ungemein freigebig und da
er keinen Geiz kannte, verschenkte er fast sein ganzes
Einkommen an Invalide und Verwundete. Sein Leib=
koch war ein alter ausgedienter Soldat, der nur die

8*

.

gemeinſten Ruſſiſchen Speiſen bereiten konnte. Ich ent=
ſinne mich noch eines ungemein komiſchen Gaſtmahles,
was bald nach unſerem ſiegreichen Einzug in Mailand
der Feldmarſchall den vornehmſten Behörden der Stadt,
unter denen ſich auch der Erzbiſchof befand, und einigen
hohen Öſterreichiſchen Generalen gab. Alle dieſe Herren
waren in höchſter Galla, und auch unſer Feldmarſchall
hatte ſeine alte Galla=Uniform, die mit allen möglichen
Großkreuzen behängt war, angezogen, dabei aber ge=
wöhnliche Koſackenhoſen und Juchtenſtiefel, die entſetzlich
ſtanken. Alles Tiſchgeräth, was zu einem Palaſt der
Stadt gehörte, war vortrefflich. Die Tafel ſtarrte von
Porzellan und Silber, und Suworow behandelte ſeine
Gäſte mit der liebenswürdigen Höflichkeit und der un=
gezwungenen und dabei doch vornehmen Gewandtheit,
die ihm — wenn er wollte — ſo ſehr zu eigen ſein
konnte. Die ganze Bewirthung beſtand aus groben grauen
Erbſen, dem Lieblingseſſen der Ruſſiſchen Soldaten, und
Stockfiſch, der noch dazu ſehr ſchlecht roch, was den
Feldmarſchall jedoch nicht abhielt, einen ganzen Teller
davon mit ſichtbarem Behagen zu verſpeiſen; als Getränk
gab es nur gewöhnlichen Branntwein, wie ſolchen die
Soldaten geliefert erhielten; zum Deſert eine Art gro=
ber und ſchwerverdaulicher Kuchen in Syrup gebacken,
ebenfalls eine Lieblingsſpeiſe der Ruſſiſchen Volksclaſſen.
Die verlegenen Geſichter aller dieſer vornehmen Gäſte

über solche ihnen ganz ungewohnte Mahlzeit und dabei
der spöttische Hohn in den Zügen Suworow's gaben
ein köstliches Genrebild ab, was ich nie wieder vergessen
habe. Die Herren würgten und kauten an den harten
Erbsen und kosteten mit sichtbarem Ekel von dem schlech=
ten Stockfisch, aus Furcht, ihren Wirth zu beleidigen,
der dabei mit der liebenswürdigsten Miene immer mehr
nöthigte und wo er einen leeren Teller sah, solchen ei=
genhändig wieder füllte. Wir Adjutanten, die auch die
Honneurs machen mußten, bissen uns die Lippen fast
wund, um nicht laut herauszulachen, denn das Ganze
war wirklich zu komisch. Dabei ließ der Feldmarschall
stets die Gläser mit dem schlechten Fusel wieder vollfül=
len, brachte verschiedene Gesundheiten aus, leerte stets
sein eigenes Glas und wachte darauf, daß auch seine
Gäste ihre Gläser bei jedem Toaste leerten. Ich selbst
trank bei solchen Gelegenheiten statt des Branntweins
stets klares Wasser, was der Feldmarschall zwar wußte,
aber stillschweigend gestattete.

Zum Schluß der Mahlzeit stand der Feldmarschall
auf und sprach in ernstem Tone: „Ich fürchte, daß diese
einfachen Soldatenspeisen meinen verehrten Gästen nicht
sonderlich gemundet haben, denn ich sehe leider sehr viele
mißvergnügte Gesichter unter ihnen. Es thut mir dies
leid, denn ich bin nun einmal an dergleichen Speisen
gewöhnt und die Herren werden wohl nicht verlangen,

daß der alte Suworow, der einen so weiten Weg
aus Rußland hierher machte, jetzt noch seine Lebens=
gewohnheiten ändern soll. Ja, hätte man hier in Ita=
lien auch nur immer einfach gelebt und wären die vor=
nehmen Stände den alten Sitten ihrer Vorfahren treu
geblieben, statt in Weichlichkeit und Prasserei zu ver=
fallen, dann hätte man hier Kraft genug besessen, die
Franzosen sich selbst vom Leibe zu halten, und unser
Czaar Paul nicht nöthig gehabt, seine Soldaten deshalb
über die Alpen zu schicken." Diese Worte des Feldmar=
schalls machten wo möglich noch verlegenere Gesichter
unter seinen Gästen, als vorhin seine groben Speisen,
und Alle waren froh, als er bald darauf die Tafel auf=
hob und die Gesellschaft mit ausgesuchter Artigkeit entließ.

Kaum war der letzte der Fremden fort, so brach der
Feldmarschall in ein schallendes Hohngelächter aus, und
rief laut: „Die Kerle werden von dem schlechten Brannt=
wein acht Tage lang noch Kopfschmerzen haben, ebenso
lange werden ihnen die harten Erbsen im Magen liegen
und meine Worte zuletzt werden ihnen die Verdauung
auch nicht erleichtern helfen. Diese Mailänder Nobili
sind doch erbärmlich feige Kerle, ohne Saft und Kraft
in den Knochen und Gehirn im Kopfe. Da ist mir doch
jeder meiner Kosacken viel lieber."

Gleich nachher meldete man dem Feldmarschall, daß
einer der Mailänder Lohnbedienten, die zur Bedienung

angenommen waren, beim Stehlen von silbernen Löffeln
ertappt worden sei. Sogleich befahl er, daß ein Kosack
dem Kerl auf der Stelle hundert Hiebe mit dem Kant=
schuh aufzählen solle. Der Italiener schrie aber bei der
Execution so fürchterlich, daß es durch den ganzen Palast
gellte; zornig rief der Feldmarschall aus: „Man sieht,
der Kerl ist nur ein Italiener, der nicht einmal Schläge
vertragen kann, ohne zu schreien. Pfui, was für elende
Wichte sind dies!" Er befahl nun, mit der Execution
sogleich aufzuhören, den Lohnbedienten aber in eine Rus=
sische Trainjacke zu stecken und als Trainknecht bei den
Mauleseln, die zum Transport der Lebensmittel ange=
kauft wurden, zu verwenden. Was der Feldmarschall
befahl, geschah auch pünktlich, und so wurde dieser dicke
Mailänder Lohnbediente denn Russischer Trainknecht, wo=
bei er sich freilich an schlechtes Essen und viele Prügel
gewöhnen konnte. Als solchen habe ich ihn noch nach
der Schlacht bei Zürich gesehen, und der arme Teufel
war so abgemagert, daß man ihn kaum wiedererkennen
konnte. Er winselte mich um meine Verwendung beim
Feldmarschall an, die ich ihm auch gewährte. Unsere
meisten Maulesel waren bei dem ewig denkwürdigen
Übergange über die Alpen ohnehin gefallen, und so ge=
währte der Feldmarschall dem jetzt doch überflüssigen
Italiener die Erlaubniß zur Heimkehr, schenkte ihm auch
sechs Ducaten aus seiner Tasche als Reisegeld. „Der

Schuft wird keinem Russen jemals wieder silberne Löffel
stehlen", sagte er dabei lachend.

Dies eigenthümliche Gastmahl in Mailand erfreute
alle Russischen Soldaten in hohem Grade. Sie machten
ihre Scherze darüber und erzählten sich lachend: „Der
Alte habe die vornehmen Herren hier, die immer in
Sammet und Seide gingen, mit grauen Erbsen und
Stockfischen bewirthet, und sie dafür tüchtig gescholten,
daß sie an so guten Speisen keinen Wohlgeschmack fänden."

Durch solche und ähnliche Züge wußte Suworow
das Selbstvertrauen seiner Soldaten ungemein zu kräftigen, und das war der Hauptgrund, warum er sie
unternahm.

Ebenso einfach wie in seiner sonstigen Lebensweise,
war der Feldmarschall auch in seiner Garderobe. Tagtäglich, das Wetter mochte sein wie es wollte, ließ er
einige Eimer kaltes Wasser sich über den bloßen Leib
gießen, und wusch Gesicht und Hände in einem Wasser-
zuber; andere Toilettenkünste kannte er gar nicht. Ich
habe ihn einmal sehr lachen sehen, als er bei einem
jungen, vornehmen Officier einen Toilettekasten, der verschiedene Zahnbürsten, Salben und Pomaden enthielt,
sah. „Iß Du nur grobes Brot, dann werden Deine
Zähne ebenso gut und rein sein, wie die meinigen es
sind, ohne daß Du solche Bürsten gebrauchst", sagte er
mit höhnischem Spotte, und quälte nun diesen jungen,

eleganten Officier, der aus sehr vornehmer Familie war,
tagtäglich so sehr durch Hohn und Spott aller Art und
ertheilte ihm so unangenehme Aufträge, bis dieser sich
endlich alle Mühe gab, zum General Korsakow ver=
setzt zu werden. Suworow lachte sehr, als er dies
erfuhr, und hatte wieder seinen Willen erreicht. Seine
Hemden waren stets von grober Soldatenleinewand, und
mit Ausnahme einer einzigen Feldmarschalls = Uniform,
besaß er nur Kleidungsstücke vom gröbsten Tuch. In
Italien trugen zwei Maulesel sein sämmtliches Feldgepäck
und auch die hatten an dieser Bürde nicht allzu schwer
zu tragen. Welch unendlicher Unterschied war hierin
wie in Allem, zwischen Suworow und einigen Öster=
reichischen Generalen. Kannte ich doch einen der Letz=
ren, der sogar seinen eigenen Nachtstuhl im Felde bei
sich führte und allein zwanzig Packpferde für sein Ge=
päck gebrauchte. Der alte Suworow hatte übrigens
die Eigenthümlichkeit, alle seine natürlichen Bedürfnisse
stets im Freien zu verrichten. Er nahm dabei weder
auf das Wetter, noch auf die Gegenwart von müßigen
Zuschauern Rücksicht und betrug sich hierbei mit der
größten Zwanglosigkeit. Eine fernere Eigenthümlichkeit
war, daß er es liebte, viel im bloßen Hemde umher=
zulaufen. Ich habe sogar einmal gesehen, daß er in
dieser mehr als einfachen Toilette ein Bataillon, was
eben vorbei marschirte, inspicirte. Die Soldaten ergötzte

dies sehr, sie lachten viel und brachten ihrem alten tüch=
tigen Feldmarschall ein begeistertes Lebehoch nach dem
anderen.

Obgleich der Feldmarschall häufig sich in bitteren
Spott über den Mißbrauch, der bei Vertheilung der
Orden in Rußland getrieben wurde, ergoß, so hatte er
mitunter ein wahrhaft kindliches Wohlgefallen an seinen
eigenen Orden. Er putzte sie eigenhändig, ließ sie in
der Sonne blitzen und heftete alle Kreuze und Sterne
auf einen groben grauen Kommißmantel, den er dann
mit sichtbarer Freude trug. Ebenso freute er sich sehr,
wenn er Großkreuze erhielt, die reich mit Brillanten be=
setzt waren, wie er überhaupt Edelsteine gern hatte und
sich in Mailand viele kaufte. Solche Launen hielten
aber immer nur kurze Zeit bei ihm an; dann kümmerte
er sich wochenlang gar nicht um alle seine Orden und
trug nur sein einfaches Georgskreuz, was er sich schon
als Unterofficier durch seine große persönliche Tapferkeit
verdient hatte.

Wie überall, so zeigten sich auch hierin die großen
Gegensätze, die in seinem Charakter lagen.

In kurzen Umrissen ist dies das Bild, wie sich mir
der Feldmarschall Suworow während des Jahres, in
dem ich fast täglich in seiner Nähe war, darstellte.

Als ich Ende März 1799 bei dem Feldmarschall in
Wien anlangte, war er in der schlechtesten Laune.

Zwar hatte man ihn äußerlich auf jegliche Weise am hohen Kaiserhofe geehrt und selbst den Rang eines K. K. Feldmarschalls verliehen; aber trotzdem war schon damals ein tiefer Riß zwischen vielen der einflußreichsten dortigen Persönlichkeiten und ihm entstanden. Daß dieser sich nicht vermindern, sondern eher noch vergrößern würde, war leicht vorauszusehen, und diese Uneinigkeit erfüllte mich oft mit bangen Sorgen über den glücklichen Ausgang des Feldzuges.

Es war aber auch damals in Wien Vieles, was einen energischen und kühnen Mann, wie Suworow, zur Verzweiflung bringen konnte. Diese Langsamkeit, diese Pedanterie, diese gänzliche Unfähigkeit des Hof=Kriegsraths, irgend einen kühnen, energischen Entschluß zu fassen, hatten stets auf dem Erzherzog Carl wie ein drückender Alp gelastet, und hemmten auch jetzt die kühnen Entschlüsse Suworow's auf jegliche Weise. Der allmächtige Minister, Baron Thugut, ein Mensch von ebenso niedriger Geburt als Gesinnung, der zum großen Unglück Österreichs sich die Leitung der Staatsgeschäfte angeeignet hatte, war schon in den ersten Tagen mit Suworow in eine heftige Feindschaft gerathen. Äußerlich war der schlaue Feldmarschall zwar sehr höflich gegen den Österreichischen Premier=Minister, da der Kaiser Paul ihm dies streng anempfohlen hatte; konnte er aber unter seinen Adjutanten sich frei aussprechen, so

gab es keine Schlechtigkeit, der er ihn nicht für fähig
hielt und kein Schimpfwort, womit er ihn nicht beehrte.

Aber auch sonst stellte sich zwischen den Österreichischen und Russischen Officieren keine gute Waffenbrüderschaft heraus, was ich schmerzlich empfand. Der Russe
wird niemals den Deutschen lieben, sondern stets hochmüthig auf ihn herabblicken; diese Wahrnehmung drang
sich mir sowohl jetzt, als auch später 1814 in Paris,
wo ich viel mit Russischen, wie Deutschen Officieren verkehrte, auf. Ebenso wenig, wie Engländer und Franzosen zu einander passen, so auch Russen und Deutsche,
während hingegen Russen und Franzosen häufig sehr
schnell die besten Freunde werden. So waren auch jetzt
die Russischen Officiere gegen mich, den Franzosen, ungleich artiger, als gegen einige Deutsche Officiere, die
von Österreich in das Russische Hauptquartier commandirt wurden.

Da die Russische Armee jetzt ihren Marsch durch die
Österreichischen Provinzen nahm, so fehlte es nicht an
täglichen Reibereien und Verdrießlichkeiten. So gutmüthig und leicht zu befriedigen der gemeine Russische Soldat ist, und unter so strenger Disciplin er steht, so hat
er doch, wie fast alle Slaven, eine große Neigung zum
Stehlen. So stahlen denn auch die Russischen Soldaten in den reichen Dörfern Ober-Österreichs wie die
Raben und zwar oft gänzlich unnütze Sachen, die sie

gar nicht gebrauchen konnten. Von den Ruſſiſchen Of=
ficieren, beſonders denen aus vornehmen Familien, be=
trugen ſich leider manche ſehr inſolent, ſowohl gegen
ihre Quartiergeber, wie auch gegen die Öſterreichiſchen
Behörden und wollten nach gewohnter heimiſcher Sitte
Alles durch Schläge erzwingen. Die Öſterreicher dulde=
ten mit Recht ſolche Behandlung nicht und ſo fehlte es
denn auch hierin nicht an Mißhelligkeiten. Auf der an=
deren Seite waren aber auch die Öſterreichiſchen niede=
ren Behörden von entſetzlicher Langſamkeit und Schwer=
fälligkeit, ja ſelbſt häufig von abſichtlich böſem Willen
und leiſteten der Ruſſiſchen Armee lange nicht die Hülfe,
welche der Kaiſer von Öſterreich dieſer zugeſtanden haben
wollte. Beſonders an den dringend erforderlichen Vor=
ſpannfuhren ermangelte es ſtets, und das Ruſſiſche Heer
konnte deshalb nur äußerſt langſam vorrücken.

Dabei kämpften die Öſterreicher jetzt ſchon in Italien
gegen die verhaßten Republikaner und brachten letzteren
wiederholt empfindliche Niederlagen bei, was meine Sehn=
ſucht, möglichſt bald am Kampfe ſelbſt wieder theilneh=
men zu können, noch mehr ſteigerte.

Der ungeduldige Charakter Suworow's ertrug die
bisherige Langſamkeit unſeres Marſches nicht lange, und
mit ſeiner gewohnten Energie brachte er bald eine Än=
derung hierin hervor. So langſam wir durch Öſterreich
marſchirt waren, ſo ſchnell ging es nun durch die Kärnth=

nerischen .Alpen vorwärts und Mitte April schon rückten
wir in Verona ein.

Die Aufopferungsfähigkeit und Tüchtigkeit des Russischen Soldaten, der Unglaubliches leistet, wenn er mit
persönlicher Ergebenheit an einem tüchtigen Führer hängt,
lernte ich jetzt bei diesem forcirten Marsche in hohem
Grade schätzen. Es war in vieler Hinsicht ein treffliches Heer, was der Kaiser Paul jetzt unter den Befehl
seines berühmten Feldherrn gestellt und man konnte Tüchtiges damit leisten. Größere Heere hat Rußland in den
späteren Kriegen wohl noch in das Feld geschickt, bessere
aber schwerlich. Die meisten Regimenter hatten schon in
den Türkischen und Polnischen Kriegen gefochten und
zählten viele kampfgewohnte Männer in ihren Reihen.
Die Soldaten waren durch diese bereits bestandenen
Kämpfe gewandter und beweglicher geworden, als dies
sonst in den Russischen Heeren der Fall zu sein pflegt,
und die bereits gewonnenen Erfahrungen machten sie
zu ebenbürtigen Gegnern der kampfgeübten Französischen
Truppen. Namentlich die Infanterie war gut, von ungleich geringerem Werthe aber die Cavallerie und Artillerie, obgleich beide letztere Waffengattungen treffliche
Pferde besaßen. Den Reitern fehlte aber der kühne ritterliche Muth, wie solcher so häufig in der Österreichischen Cavallerie angetroffen wird, den Artilleristen die
Gewandtheit und die tüchtig ausgebildeten Officiere der

Französischen Artillerie. Der Feldmarschall Suworow
bevorzugte auch bei jeder Gelegenheit die Infanterie und
gab derselben einen ungleich höheren Rang, wie der Cavallerie und Artillerie, der er bei allen seinen Schlachten nur eine untergeordnete Bedeutung beimaß.

Vortrefflich war die Subordination der Russischen
Soldaten und ihr williger Gehorsam gegen alle Befehle.
Sie kritisirten nicht, sie raisonnirten nicht, sondern sie
gehorchten und vollzogen entweder die ihnen gewordenen
Befehle, oder fanden bei deren Ausführung in schwei-
gendem Gehorsam den Tod. So sollte es aber bei allen Heeren sein, denn nächst der Tapferkeit ist unbedingter, schweigsamer Gehorsam die Pflicht des Soldaten.
Ohne diese Subordination seiner Truppen hätte der Feldmarschall Suworow niemals seinen berühmten Alpenübergang vollbringen können. Dem Russischen Soldaten, der aus dem weiten Flachlande kommt, sind hohe
Berge ein Gegenstand des Entsetzens, und die Truppen
schauderten förmlich, als sie erfuhren, daß sie über diese
mit ewigem Schnee bedeckten, eisfunkelnden Gletscher,
die hoch in den Himmel hineinragten, hinweg klettern
sollten. Doch der Feldmarschall befahl es und der Soldat gehorchte ohne Murren.

Ungemein erhebend war die wahre Frömmigkeit, die
bei allen Russischen Soldaten herrschte. Das Gebet hatte
hier noch seine vollen Rechte und einer falschen Civili-

sation war es noch nicht gelungen, die festen Wurzeln der Religiosität aus der Brust dieser wackeren Menschen zu reißen, wie dies leider in Frankreich nur zu häufig schon geschehen. Obgleich ich selbst dem römisch-katholischen Glauben mit voller Inbrunst anhänge, so wohnte ich im Russischen Heere doch stets dem griechisch-katholischen Gottesdienste der Soldaten mit wahrer Erhebung bei.

Lange nicht von gleichem Werthe, wie die gemeinen Soldaten, waren im Allgemeinen die Officiere des Russischen Heeres, obgleich es freilich auch manche sehr tüchtige, ehrenwerthe Männer, wahre Ritter ohne Furcht und Tadel, unter ihnen gab. Die Officiere niedrigerer Herkunft waren häufig roh in ihren Sitten, brutal in ihrem Benehmen und unwissend in ihren Köpfen und zeichneten sich durch nichts, als höchstens durch einige unvortheilhafte Eigenschaften aus. Unter denen der höheren Aristokratie gab es manche moralisch sehr verderbte Menschen. Sie waren hochmüthig, eitel, allen möglichen sinnlichen Lüsten im hohen Grade ergeben, treulos in ihren Versprechungen, wankelmüthig in ihren Gesinnungen und irreligiös in ihren Ansichten. Geschmeidige Formen und artige Manieren hatten sie freilich, aber dafür eine desto verfaultere Seele, und je weiter entfernt man sich von diesen Herren hielt, desto besser that man daran. Alle Untugenden unseres Französischen Hofadels, dessen unbedingte Nachahmer sie auch waren, hatten diese

Herren angenommen, deſſen guten Eigenſchaften aber da=
bei unberückſichtigt gelaſſen. Suworow verachtete ſolche
Giftpilze der Ariſtokratie tief und behandelte ſie ſcho=
nungslos, während ſie ſich wieder durch grimmigen Haß
gegen den allmächtigen Feldmarſchall zu rächen ſuchten.
Leider erreichten ihre heimlichen Intriguen bisweilen ih=
ren Zweck und manches Gute ward dadurch gehemmt.
Es gab in der Ruſſiſchen Armee einige Dutzende Offi=
ciere, deren Verluſt in der erſten Schlacht ein entſchie=
dener Gewinn für das Ganze geweſen wäre. Doch wo
findet man ſo räudige Schaafe nicht, überall iſt ja Un=
kraut zwiſchen den Weizen geſäet!

Am 27. April kam es endlich zu einem ernſthaften
Kampf gegen die Republikaner, nachdem ſchon mehrere
kleine Gefechte zwiſchen den Vorpoſten ſtatt gefunden hat=
ten. Der General Moreau befehligte die Feinde und
die Anſtalten, die er getroffen hatte, um uns den Über=
gang über die Abda zu verwehren, waren meiſterhaft.
Mir pochte das Herz vor Freude, jetzt endlich nach einer
langen unthätigen Pauſe von zwei Jahren wieder mit
den ſo bitter gehaßten Feinden zuſammenzutreffen. Bei
einem alten Italieniſchen Dorfgeiſtlichen, der nothbürf=
tig Franzöſiſch verſtand, hatte ich in der letzten Nacht
noch gebeichtet und wohnte dann voll tiefer Andacht dem
Morgengottesdienſte des zum Kampfe gerüſteten Ruſſi=
ſchen Heeres bei. Ich hatte den Feldmarſchall dringend

gebeten, an der Spitze der ersten Sturmcolonne mit fech=
ten zu dürfen, und er hatte mit wohlwollendem Lächeln
meinen Wunsch gewährt. Ich erhielt ein Commando
von 24 Russischen Sappeurs, die mit ihren Äxten dazu
bestimmt waren, einen Weg in die Französischen Bat=
terien, die uns vom anderen Ufer der Abba drohend
entgegenstarrten, zu bahnen. Es war dies ein ehren=
volles Commando für mich, und ich fühlte mich hochbe=
glückt, daß der Feldmarschall mich dazu ausersehen hatte.

Die Anrede, die der alte Feldmarschall an die Ba=
taillone, welche zum Erstürmen der Abbalinie bestimmt
waren, richtete, lautete folgendermaßen, denn ich habe
sie mir, als zu charakteristisch sowohl für den Feldherrn,
wie für sein Heer, am folgenden Tage aufgeschrieben:
„Soldaten! Sieg, Ruhm und Sicherheit unserer Armee
hängen von diesem Unternehmen ab. Ein Säumen würde
nur dazu dienen, des Feindes Kräfte zu vermehren; Schnel=
ligkeit und plötzlicher Überfall werden denselben in Unord=
nung bringen und zu Boden schlagen. Der Fluß hier
vor uns wird nicht schmäler, das Ufer nicht niedriger
werden; der Gott der Russen ist stark, mit seiner Hülfe
kommen wir als Helden hinüber, mit ihm siegen wir —
Hurrah!" „Hurrah — Hurrah!" erscholl es begeistert
aus der Brust der Tausende von Soldaten, welche die
Sturmcolonnen bildeten. Wir stürmten vorwärts und
kümmerten uns nicht um die feindlichen Kanonensalven,

welche viele von uns zerschmetterten. Ich und meine
muthigen Sappeurs waren unter den Ersten in der Abba,
deren Wasser uns bis über den Gürtel reichte, unverzagt folgten uns die Russischen Bataillone nach, so daß
das Flußbett ganz mit Soldaten angefüllt war. Ein
wüthender Kampf, Mann gegen Mann begann am anderen Ufer, denn die Franzosen vertheidigten sich mit ihrer altgewohnten Tapferkeit. Geschossen wurde in diesem
Handgemenge fast gar nicht, nur das Bajonnett des Soldaten, der Säbel des Officiers, fanden vollauf ihre blutige
Arbeit. Immer gewaltiger drängten die Schaaren der Russen nach, zumal unser alter Suworow selbst, der mit
seinem Pferde durch die Abba geschwommen war, persönlich im dicksten Kampfgewühl erschien, und seine Gegenwart die Soldaten noch mehr begeisterte. Von meinen 24 Sappeurs waren 11 gefallen oder schwer verwundet, als wir in die erste eroberte Batterie eindran-
gen; ich selbst hatte wunderbarer Weise keine Verletzung
davongetragen. Nach hartem Verlust zog sich General
Moreau endlich in guter Ordnung zurück und da wir
nur geringe Cavallerie bei uns hatten, konnten wir seinen
Rückzug nicht weiter stören. Am Abend sagte Suworow
zu mir: „zufrieden." Ein solches Wort aus dem Munde
dieses Mannes mußte mich mit gerechter Freude erfüllen.

Fünftes Capitel.

Siegreicher Feldzug in Ober-Italien. Einnahme von Mailand und Turin. Schlacht an der Trebbia. Meuchelmordsversuche von demokratischen Italienern. Strenge und Milde des Feldmarschalls Suworow. Zunehmende Spannung mit dem Hofkriegsrath in Wien. Schlacht bei Novi. Wunderbare Todesahnung eines Kosacken-Officiers. Furchtbare Schwierigkeiten bei der Ersteigung des St. Gotthardts. Das Hospiz und die Mönche. Gefechte mit den Franzosen. Aufenthalt in Glarus. Kühner Seitenmarsch über die unwirthbarsten Gebirge Graubündens. Standhaftigkeit der Russischen Truppen. Große Verluste derselben.

———

Der Erstürmung der Befestigungen an der Abda folgte bald unser Triumphzug in das von den Franzosen geräumte Mailand, bei welcher Gelegenheit der Feldmarschall das bereits erwähnte frugale Gastmahl gab. Ein so energischer Charakter, wie Suworow, that aber nichts halb, und so befahl er die kräftige Verfolgung der sich langsam zurückziehenden Franzosen. Man wollte ihm Vorstellungen hiegegen machen und sprach ein Langes und Breites von der großen Ermüdung der Truppen und ihrer nothwendigen Schonung. „Vorwärts"! lautete die einzige Erwiederung, die der Feldmarschall hierauf gab und vorwärts ging es wieder, und wir hatten bald die Ehre, auch in Turin als Sieger einzuziehen.

Suworow war zu sehr Russe, als daß er einen besonderen Haß gegen die republikanischen Franzosen hegen sollte, und so behandelte er denn die von uns gefangenen feindlichen Officiere mit großer Höflichkeit, ja selbst sogar Auszeichnung. Er lud die Stabs-Officiere unter denselben und besonders den General Serrurier wiederholt zu Tische und lachte und plauderte mit ihnen auf die unbefangenste Weise. Mir war es unmöglich, mit diesen Herren, so brave Soldaten sie auch sein mochten, auf gleiche Weise zu verkehren und die Bilder meiner unter dem Beile der Guillotine gefallenen Familie traten mir dann noch immer vor die Seele. So erfüllte ich denn meine dienstlichen Pflichten gegen diese gefangenen Republikaner und sorgte für ihre humane Behandlung, sprach aber niemals ein weiteres Wort mit ihnen und ignorirte es auch gänzlich, wenn ich frühere Bekannte darunter fand. Speisten welche von ihnen am Tische des Feldmarschalls, so blieb ich fort, was dieser zwar bemerkte, aber stillschweigend duldete.

Ich habe während dieses Feldzuges unter Suworow kein Tagebuch geführt, wie es sonst meine Gewohnheit war, theils weil es mir an Zeit dazu fehlte, theils aber auch, um den Feldmarschall nicht mißtrauisch zu machen. Einzelne Gefechte und Märsche, an denen ich theilnahm, sind mir seitdem wieder aus dem Gedächtniß entfallen, mehr wie dies z. B. bei den Kämpfen in der Vendée der Fall war. Die Eindrücke des Krieges waren damals für mich noch frischer und blieben daher auch länger in der Erinnerung haften.

Leider trat nach der Einnahme von Turin, wo wir von der Partei der Legitimen mit unendlichem Jubel empfangen wurden, der Zwiespalt zwischen Suworow und dem Österreichischen Cabinet immer schärfer hervor. Die Österreichischen Truppen, die unter seinem Befehle standen, freuten sich zwar über diese energische Art der Kriegführung, die ihnen theilweise ganz ungewohnt war, und faßten immer größere Begeisterung für den kleinen, wunderlichen und doch so großen und kräftigen Feldherrn; desto mehr kamen aber die alten Perrücken des Hofkriegs= raths in Wien mit ihm in Widerspruch. Diese Herren voller Vorurtheile wollten sich mit solchen kühnen Ope= rationen gar nicht befreunden. Wo sie konnten, tadel= ten und mäkelten sie, verlangten die vorherige Einsen= dung der Kriegspläne, um sie nach weitläuftiger Be= rathung am grünen Tische um Wochen verspätet zurück=

zusenden; sie waren mit keiner Unternehmung, und mochte solche auch noch so sehr vom Erfolge begünstigt sein, zu= frieden. Eine ungemein kleinliche Eifersucht herrschte in dieser Hinsicht bei vielen einflußreichen Herren in Wien, und namentlich der Graf Lehrbach, der gänzlich unfä= hige Präsident des Hofkriegsraths, that sich besonders hierin hervor. Suworow schäumte oft vor Zorn und ließ seinen gerechten Unmuth in den heftigsten Worten sich austoben. Wenn nur ein Zehntel der Verwünschun= gen, die der grimmige Feldmarschall oft auf die Häup= ter von Thugut, Lehrbach und auch den Fürsten Die= trichstein schleuderte, diese Herren wirklich getroffen hätte, sie wären viele tausend Klafter tief in die Erde gesunken.

Oft rächte der alte Suworow sich gegen seine Wie= ner Quälgeister mit ihren pedantischen Forderungen auf die boshaft witzigste Weise. So ließ er einmal einen schönen Schlachtenplan zeichnen und von einem gewand= ten Generalstabs = Officier einen sehr detaillirten Opera= tions = Entwurf ausarbeiten. Alles war, wie bei einem Friedensmanöver, ganz genau hierin vorgeschrieben und selbst die Stellen und Stunden, wo heimliche Überfälle mit überraschender Schnelligkeit und Kühnheit statt fin= den sollten, verzeichnet. Gewiß an 10 Bogen war dies in seiner Art vortrefflich ausgearbeitete Opus, was sich für ein Friedensmanöver sehr geeignet hätte, stark, und die Vorlesung desselben gewährte uns viel Unterhaltung. Suworow ließ den Plan nun sauber abschreiben, in Sammet einbinden und sandte ihn nach Wien an den Hofkriegsrath, von einem ungemein unterthänigen Schreiben begleitet. Er melbete, daß er den Plan für eine zu liefernde Schlacht hiermit vorzulegen sich erlaube und bat um die Prüfung und in geeignetem Fall, Genehmigung desselben; damit aber ja das Ganze auch so, wie es auf dem Plan verzeichnet sei, in guter Ordnung vor sich gehe, möge man eine Abschrift davon auch dem Französischen Obergeneral Moreau vorher zu senden die Gefälligkeit haben, damit der wisse, wonach er sich zu richten habe.

Ein anderes Mal ließ Suworow eine „Tabelle der kommenden Thaten" für den nächsten Monat anfertigen, auf der auch mehrere heimliche Überfälle und kühne Überraschungen des Feindes verzeichnet standen und sandte solche dem Hofkriegsrath zur Genehmigung ein, damit sie alsdann gedruckt und im Armeecorps vertheilt werden könne. Der Hofkriegsrath und besonders Graf Lehrbach verziehen Suworow diesen boshaften Spott niemals wieder. Es war ein Glück, daß der Österreichische Feldzeugmeister Melas, der unter dem Feldmarschall befehligte, einen sehr braven, ehrenwerthen Charakter zeigte und sich niemals zu den kleinlichen Intriguen, die man ihm zumuthete, gebrauchen ließ; sonst wären die

Reibereien noch ungleich größer gewesen. Leider folgten nicht alle Österreichischen Generale solch ehrenwerthem Beispiel. — Auch die politischen Pläne des Petersburger und Wiener Hofes fingen jetzt an, weiter auseinanderzugehen. Da Suworow sowohl Österreichischer, wie auch Russischer Feldmarschall war, so konnte er die Wahrheit der Bibelstelle: „Niemand kann zween Herren dienen", in genügender Weise an sich selbst erproben. Der Kaiser Paul wollte das von uns eroberte Sardinien in echt ritterlicher Weise dem schändlich daraus vertriebenen, legitimen Könige wieder zurückerstatten, der gemeine Baron Thugut es aber für Österreich behalten und so konnte es denn an Zank und Haber nicht fehlen.

Es war kläglich, daß unser sonst so schöner und ruhmwürdiger Feldzug durch diese widerlichen Zwistigkeiten auf so bittere Weise vergällt wurde. Die einzelnen Truppentheile, die wenig davon erfuhren, litten zwar nicht darunter, wir Adjutanten im Hauptquartier aber desto mehr. In dieser Zeit faßte ich den festen Entschluß, fortan, wenn es mir irgend möglich wäre, nur in der Linie Dienst zu thun, niemals aber wieder Adjutant in einem Hauptquartier zu werden. Man sieht in letzterer Stellung zu viel hinter die Coulissen und das ist niemals gut, raubt die Illusion und trübt die Kampfesfreudigkeit. — Der Feldmarschall Suworow war über diese ewigen Hemmnisse und Verzögerungen des Hofkriegsraths in Wien und diese Zänkereien und Zwistigkeiten der Diplomaten so wüthend, daß er wiederholt seinen Abschied fordern wollte, ja selbst einmal schon ein Abschiedsgesuch an seinen Kaiser absandte. Es war dies übrigens nur Schein, denn Suworow war viel zu ehrgeizig, als daß er den Oberbefehl über ein gutes, ihm treu ergebenes Heer inmitten eines siegreichen Feldzuges hätte niederlegen sollen. Ich glaube in der That, er hätte es nicht überlebt, sondern wäre an gebrochenem Herzen sogleich gestorben, wenn man den Schein für die Wahrheit gehalten und sein Abschiedsgesuch angenommen hätte, so groß war sein Ehrgeiz. Für die Russische Armee wäre seine Abberufung ein unendliches Unglück gewesen und zwei verlorene Schlachten hätten ihr nicht einen solchen Nachtheil gebracht. Die Russischen Soldaten und die meisten Officiere fühlten sich sehr unbehaglich in Italien und nur ein so energischer und dabei von ihnen so hoch verehrter Oberbefehlshaber, wie ihr alter Feldmarschall, konnte ihnen den freudigen Kriegsmuth, immer von Neuem wieder mit ungeschwächter Energie die Feinde anzugreifen, einflößen. Weder die Sitten des Volkes, unter dem sie sich befanden, noch die leichten Speisen, die vielen Früchte, der Genuß des Weins, statt des altgewohnten Schnappses und eben so wenig das heiße Klima sagten den Russischen Soldaten zu. In ihren melancholischen Abendgesängen, die sie, um die lo-

dernden Wachtfeuer sißend, so häufig anstimmten, feier=
ten sie die Vorzüge ihrer nordischen Heimath und trauer=
ten, daß des Czaars Befehl sie so weit von derselben ab
und in dies heiße, ungesunde Land mit seinen schlechten
Menschen und unkräftigen Speisen geführt habe. Nur
ein Feuergeist wie Suworow konnte diese tiefe Melan=
cholie der Soldaten, die Hunderte von ihnen in die La=
zarethe und dann fast immer auch in die weit geöffneten
Gräber brachte, verbannen und nimmermehr hätte ein
anderer General ein Russisches Heer zur Übersteigung
der Alpen bewogen.

Die von unseren ruhmreichen Waffen besiegte demo=
kratische Partei in Ober=Italien suchte sich auf vielfache
Weise gegen unsere tapferen Soldaten zu rächen. Nach
der feigen Italienischen Sitte fielen häufig Meuchelmorde
gegen einzelne Russische Officiere und Soldaten vor, ja
selbst den heimtückischen Gebrauch des Giftes verschmähte
die demokratische Partei nicht. In Alessandria sollte so=
gar der Feldmarschall Suworow durch eine mit Gift
versetzte Portion Eis ermordet werden und nur der Zu=
fall oder eigentlich wohl eine innere unbestimmte Ahnung,
die ihn den Genuß des Eises verschmähen ließ, rettete
sein Leben. Die Thäter entflohen und auch der Feldmar=
schall drang nicht auf eine weitere genaue Untersuchung.

Gegen die des Meuchelmordes der Soldaten über=
führten Italiener wurde aber mit Recht sehr strenge ver=

9*

fahren; sie verfielen dem Kriegsgericht und wurden ohne Gnade erschoffen, so bald ihre Schuld erwiesen war. Ich befehligte in Mailand selbst einmal die Execution gegen sieben Italiener, die überführt waren, zwei Ruffische Officiere sammt ihren Bedienten heimtückisch erdolcht zu haben. Die sieben Kerle, rechte Galgengesichter, wurden in einer Reihe an den Handgelenken zusammengekettet und vier Ruffische Schützen mußten ihre Gewehre auf Kopf und Brust jedes einzelnen Miffethäters richten. Ich winkte mit dem Säbel, die Salve krachte und die sieben Mörder lagen todt in ihrem Blute.

In Mailand, deffen Bevölkerung überhaupt viel demokratisches Gesindel unter sich zählte, wurde ich selbst in später Nachtstunde, als mich ein dienstlicher Gang in eine entlegene Straße führte, von drei Kerlen mit ihren Dolchen angefallen. Glücklicher Weise hatte ich noch Zeit genug, um zurückzuspringen und mein Schwert zur Vertheidigung zu ziehen. Ich stellte mich mit dem Rücken an eine Wand und ließ meine Klinge so schnell um mich herumschwirren, daß die Mörder sich mir nicht zu nähern wagten. Plötzlich warf einer der Kerle mit einem sehr geschickten Handgriff seinen Dolch gegen mich und traf so gut, daß die Spitze mir gerade auf die Brust fuhr. Ich hatte aber zufällig eine dicke Brieftasche mit Rapporten und Listen in die Brusttasche meines Rockes gesteckt, und diese hielt die Spitze des Dol=

ches auf, so daß er, ohne mich zu verwunden, im Rock=
futter stecken blieb. Bevor der Kerl, der den Wurf ge=
than hatte, wieder zurückspringen konnte, hieb ich ihn
mit der Klinge über den Kopf. Zwar war der Hieb
gegen meinen Willen flach gefallen, hatte aber solche
Kraft gehabt, daß der davon Getroffene betäubt zu Bo=
den stürzte. Die anderen beiden Mordgesellen entflohen
nun mit gewöhnlicher Italienischer Feigheit und ließen
ihren Gefährten in Stich. Eine Patrouille, die ich
schnell herbeirief, trug den noch immer Bewußtlosen auf
die nächste Wache, wo er untersucht wurde. Mehrere
geheime Zeichen und Papiere, die man bei ihm fand,
zeigten, daß er als Mitglied höherer Grade irgend ei=
ner geheimen politischen Gesellschaft, welche demokratische
Zwecke verfolgte, angehörte. Der Kerl, der von gebil=
deterem Stande zu sein schien, verweigerte trotzig jede
weitere Auskunft und wurde 24 Stunden darauf kriegs=
rechtlich verurtheilt und auch sogleich erschossen.

Die heimlichen Meuchelmorde hatten übrigens so zu=
genommen, daß Suworow ein unbedingtes Verbot
gegen das Dolchtragen erließ. Zahlreiche Patrouillen
durchzogen die Straßen; jeder Italiener, der einen wei=
ten Mantel trug, wurde angehalten und untersucht, und
fand man einen Dolch bei ihm, erhielt er eine strenge
Strafe. Etwas fruchtete diese Strenge wohl, ganz
wurde jedoch das Meuchelmorden nicht ausgerottet, und

mehrere hundert Ruſſiſche und Öſterreichiſche Soldaten und Officiere fanden auf ſolche ſchändliche Weiſe ihren Tod.

Von Sardinien aus hatten wir unſeren Siegesmarſch noch weiter fortgeſetzt und die flüchtigen Schaaren der geſchlagenen Republikaner bis in den Col di Tenda ver= folgt. Unſere leichten Truppen, und beſonders die un= ermüdlichen, waghalſigen Koſacken, drangen noch weiter vor und ſtreiften ſelbſt bis in die Dauphiné, dieſer Grenzprovinz des alten Frankreichs, hinein. Mein Herz ſchlug voll der freudigſten Hoffnungen, denn jetzt war — wie ſeit Jahren nicht mehr, unſeren ſiegreichen Waffen die Gelegenheit geboten, die Revolution in Frankreich zu unterdrücken, nach Paris zu marſchiren und den le= gitimen König wieder auf den geheiligten Thron ſeiner Väter zu ſetzen. Die Franzöſiſche Republik war im Sommer des denkwürdigen Jahres 1799 ungemein ge= ſchwächt. Ihr beſter General Bonaparte ſtand mit trefflichen Soldaten in Ägypten, und die Engliſchen Flot= ten bewachten ihn, und verhinderten die Rückkunft des dorthin gezogenen Heeres. Die übrigen republikaniſchen Truppen waren ſchlecht gekleidet und bewaffnet, ſeit lan= gen Monaten nicht mehr beſoldet worden, und des Krie= ges ziemlich überdrüſſig. Dazu hatte das in Paris jetzt herrſchende Directorium weder Kraft noch Anſehen, ward vom Volke weder geliebt, oder, was in den meiſten Fällen ungleich wichtiger iſt, gefürchtet, beſaß weder

fähige Köpfe in seinen Mitgliedern, noch Geld in seinen
Cassen und stand daher auf sehr schwachen Füßen. Hät=
ten jetzt die Freunde des legitimen Princips nur Ein=
heit und Energie besessen, unzweifelhaft wäre die Bän=
digung der Revolution gelungen. Suworow mit den
Österreichern und Russen von Süden her in Frankreich
einmarschirt, wozu wir uns den Weg schon gebahnt
hatten, der Erzherzog Carl vom Rhein her, die Eng=
länder von Holland (wenn doch die Preußen nichts
thun wollten), dann die treuen Bewohner der Vendée
und Bretagne abermals unter die Waffen gerufen, und
in wenigen Monaten hätte die weiße Fahne der Bour=
bons wieder auf dem Königsschloß der Tuilerien ihren
rechtmäßigen Platz eingenommen. Solche Gedanken wir=
belten mir damals stets im Kopfe herum, und erfüllten
mein ganzes Wesen mit der freudigsten Spannkraft. —
Und doch sollte es wieder nicht sein, funfzehn Jahre des
blutigsten, schwersten Kampfes sollten noch toben, bis
das geschah, was man im Juni 1799 mit verhältniß=
mäßig so geringen Opfern hätte erreichen können. Gar
unerforschlich sind oft des Herrn Wege!

Die Intriguen des elenden Barons Thugut, der
nie einen großartigen Gedanken fassen konnte, und die
Dummheit mancher einflußreichen Persönlichkeiten in Wien
verdarben aber im entscheidenden Augenblick Alles wieder.
Die Österreichischen Generale erhielten von Wien aus

Befehle, Suworow's Energie nicht zu unterstützen, sondern wo möglich zu lähmen, und so ungern manche von ihnen dies auch thaten, es blieb ihnen natürlich nichts Anderes übrig, als zu gehorchen. So mußte der General Krah mit seinem Corps denn Mantua belagern, was ganz unnütz war, und Uneinigkeit und Confusion herrschte wieder überall. Es war zum Verzweifeln, daß alle unsere kühnen Operationspläne wirklich oft durch so erbärmliche Dinge vereitelt wurden. Suworow tobte und wüthete, und es war in manchen Stunden wirklich peinlich, sich ihm zu nähern, in so gereizter Stimmung befand er sich. Doch was half es, er allein mit dem schon sehr geschwächten Russischen Heere, das hier unter seinem Befehle stand, konnte den Weitermarsch nach Frankreich nicht wagen.

Es war nahe daran, daß der Französische General Macdonald, ein sehr tüchtiger Heerführer, Mantua entsetzt, das Österreichische Heer unter Krah geschlagen und uns dann abgeschnitten hätte. Mit dem Grimm, aber auch mit der Schnelligkeit eines Löwen, brach der alte Suworow wieder hervor, als ihm die Nachricht von dem Seitenmarsch Macdonald's gebracht wurde. Nichts konnte ihm schnell genug gehen, unaufhörlich trieb er zur Eile und seiner rücksichtslosen Energie gelang es, die Russische Armee zu einem der schnellsten Gewaltmärsche, denen ich jemals beigewohnt habe, zu bewegen.

Zu Dutzenden stürzten die erschöpften Soldaten dabei
todt aus den Gliedern; es half nichts, fort und fort
mußte es gehen. Auf seinem kleinen zottigen, aber aus=
dauernden Kosackengaul sitzend, war Suworow stets
bei den marschirenden Truppen. Bald scherzte er und
machte rohe Witze, die von den Soldaten beifällig be=
lacht wurden, dann redete er zu ihrer Ehre als Russen,
hieb auch, wenn Unordnungen entstanden, sogleich mit
seinem Kosackenkantschuh drein, dabei halb im Scherz,
halb im Ernst die größten Drohungen ausrufend, und
alles dies half. So kamen wir denn gerade noch zur
rechten Zeit an den Ufern des Tidone an. Am 17. Juni
hatte der General Macdonald hier nicht unbedeutende
Vortheile über die Österreicher davon getragen, und nur
unsere rechtzeitige Ankunft konnte die Entsetzung von
Mantua verhindern. Am anderen Morgen kam es so=
gleich von unserer Seite zum Angriff, denn langes un=
nützes Zaudern lag nicht in dem Charakter Suwo=
row's. Wir siegten und trieben die Feinde vom lin=
ken Ufer des Tidone auf das rechte zurück. Der Gene=
ral Macdonald, einer der feurigsten und tüchtigsten
Heerführer der Republik, und dabei auch ein persönlich
ungemein ehrenwerther Mann, war aber nicht geneigt,
die gewonnenen Vortheile so leicht wieder aufzugeben.
Er zog noch eiligst einzelne detachirte Truppen an sich,
und lieferte nun am 19. Juni die unter dem Namen

„Schlacht an der Trebbia" allgemein bekannte, blutige
Schlacht. Es war ein hartnäckiges Kämpfen und Rin=
gen und das Blut floß in Strömen. Unsere Russen
waren von der Italienischen Hitze erschöpft und von den
schlechten Nahrungsmitteln entkräftet, und wollten an=
fänglich nicht recht mit dem Ungestüm, den sie an der
Abba gezeigt hatten, vorwärts stürmen. Unläugbar ist
im Einzelkampf der Französische Soldat dem Russischen
sehr überlegen, denn er ist gewandter, körperlich behen=
der, und mehr dazu geübt, jeden günstigen Vortheil auf
sehr geschickte Weise zu benutzen, ja vielleicht auch per=
sönlich muthiger und besonders ehrgeiziger. Auch die
Französischen Hauptleute und Bataillons = Commandeure
führen ihre Leute in der Regel mit größerer Umsicht
an, als die Russischen, und wissen jeden ihnen günstigen
Moment im Gefecht auf der Stelle mit Kühnheit und
Geschicklichkeit zu benutzen, während die Russen nur das
zu thun pflegen, was ihnen gerade befohlen wird. So
wehrten sich denn auch jetzt die Franzosen an der Trebbia
mit der größten Hartnäckigkeit und es war ein Kämpfen
und Ringen hin und her. Unsere Bataillone wurden
wiederholt zurückgedrängt, und hohe Haufen von Leichen
bedeckten an einzelnen Stellen das Schlachtfeld, ohne
daß wir uns des mindesten Erfolges rühmen konnten.
Aber Suworow wollte siegen und so siegte er auch.
Wo das Kampfgewühl am Stärksten war, dahin sprengte

er auf seinem Kosackengaul und trieb mit begeisternden
Worten seine Bataillone in das Feuer. „Heut ist ein
Ehrentag für Rußland, Fluch und Schande dem, der
nicht sein Äußerstes dafür wagt!" rief er den Kanonie=
ren einer Batterie zu, die dem feindlichen Feuer so aus=
gesetzt war, daß sie schon über die Hälfte ihrer Mann=
schaft eingebüßt hatte.

Einem schon sehr zusammengeschmolzenen Bataillon,
das in etwas unordentlicher Haltung zurückwich, don=
nerte er mit einer Stimme, die durch das Kanonenge=
brüll der Schlacht drang, zu: „Steht!" und fest stand
das Bataillon. „Vorwärts Front gegen den Feind ge=
macht!" befahl wieder der Feldmarschall, und nun rief
er den Trommlern zu: „Schlagt den Sturmmarsch, mit
dem Ihr Ismail so ruhmreich stürmen halft." In ein
lautes Hurrah brachen die Soldaten aus, stürmten mit
frischem Muthe wieder vorwärts und gerade dies Ba=
taillon, obgleich freilich über die Hälfte zusammenge=
schmolzen, war unter den ersten, die die feindlichen Li=
nien zum Weichen brachten.

Anderen Soldaten rief Suworow seinen Lieblings=
spruch „die Kugel ist feige und unsicher, das Bajonnett
aber muthig und sicher" zu, und begeisterte sie dadurch
zum Sturm mit dem Bajonnett. Tirailliren ließ er gar
nicht, denn er wußte, daß die Ausbildung und Gewandt=
heit der Russischen Soldaten dazu nicht ausreichend war,

sondern sogleich in geschlossenen Colonnen mit dem Bajonnette darauf losstürmen; freilich kostete diese Gefechts-
weise uns sehr große Opfer, doch darauf kam es Suworow gar nicht an, wenn er nur den beabsichtigten
Zweck erreichen konnte. „Man muß entweder mit den
Franzosen gar keinen Krieg führen oder gleich recht tüchtig, denn das Halbe ist hierbei nur schädlich", sprach er
wiederholt, wenn er die vorsichtige und zögernde Art,
wie der Hof-Kriegsrath in Wien den Krieg geführt
haben wollte, bitter tadelte.

An dieser Schlacht an der Trebbia nahmen aber die
Österreichischen Truppen unter Melas, unter dem wieder die Feldmarschall-Lieutenants Ott und Fröhlich
commandirten, den rühmlichsten Antheil, und wetteiferten mit den Russen an Tapferkeit.

Mir war gleich anfänglich mein Pferd unter dem
Leibe erschossen worden, gerade in dem Augenblick, da
ich dem Feldmarschall eine Meldung machte. Ich war
damals noch ein gewandter Voltigeur, und so glückte es
mir, aus dem Sattel auf die Erde zu springen, bevor
noch das Thier zusammenbrach. Ruhig, als sei nichts
vorgefallen, beendete ich meinen Rapport, und mit gleicher Ruhe, ohne nur eine Miene dabei zu verziehen,
hörte der Feldmarschall solchen an. Als ich fertig war,
rief er einen Kosacken, der ein gutes Beutepferd von Nea-
politanischer Race an der Hand hielt, herbei und sagte zu

mir: „Schnell in den Sattel, Hauptmann, und bringen
Sie die Ordre dahin." Ich sprengte fort, und die Sache
war abgemacht. Am anderen Tage wollte ich das Pferd
an den Feldmarschall zurückgeben, der es, wie ich ge=
hört, dem Kosacken theuer bezahlt hatte. Suworow
lachte mich aber aus, und sagte: „Was fällt Ihnen
ein, ein Pferd, was man in der Schlacht reitet, gehört
einem auch als Eigenthum", und wollte nun von wei=
terem Dank nichts wissen. Leider verunglückte mir spä=
ter das sehr werthvolle Pferd bei unserem Übergang
über die Alpen, bei welcher Gelegenheit die Russische
Armee überhaupt ihre meisten Reit= und Zugpferde
einbüßte.

Wie Suworow es gewollt, so waren am Abend
die Republikaner auch gänzlich geschlagen. Wir hatten
zwar ungeheure Verluste erlitten, und es gab einzelne
Russische Bataillone, die kaum noch an 200 Mann in
den Gliedern zählten; aber vollständiger Sieg belohnte
auch unsere Anstrengungen.

Vergnügt ritt der unermüdliche Feldmarschall noch
in später Abendstunde zu den ermüdet auf der blutigen
Wahlstatt liegenden Truppen, und spendete ihnen in sei=
ner kurzen und eigenthümlichen, aber tief in die Herzen
dringenden Sprachweise, Lobsprüche über den errungenen
Sieg. „Einen Sieg erfochten zu haben, ist noch nicht
genug, man muß solchen auch zu benutzen wissen und

ben einmal geschlagenen Feind gehörig verfolgen", sprach
der alte rastlose Krieger, der trotz seines hohen Al=
ters körperliche Ermüdung gar nicht zu kennen schien.
Der Österreichische Feldzeugmeister Melas wollte an=
fänglich von einer alsbaldigen Verfolgung nichts wissen
und schützte die in der That auch große Ermüdung sei=
ner meisten Truppen vor. Suworow war aber nicht
der Mann, sich mit dergleichen Entschuldigungen abfer=
tigen zu lassen. „Ach was, Ermüdung!" sagte er zu
dem Österreichischen Obersten, der ihm diese Meldung
machte, „Soldaten, die gesiegt haben, sind niemals
müde, und gegen müde Beine helfen kräftige Befehle.
Also nur vorwärts! Einige leichte Truppen von Ihrem
Heere werden schon bereit sein", und dabei spendete er
sowohl diesem Obersten, wie auch allen übrigen Öster=
reichischen Officieren und Soldaten sehr freigebig die
verdienten Lobsprüche über ihr muthiges Benehmen in
der Schlacht. Einen Österreichischen Husaren = Rittmeister,
der sich durch eine kühne Waffenthat besonders ausge=
zeichnet hatte, umarmte er und küßte ihn im Beisein
der ganzen Generalität.

Der republikanische General Macdonald machte
zwar mit seinem geschlagenen Heere einen meisterhaften
Rückzug, hatte aber einen Suworow hinter sich, der
ihn mit großer Energie verfolgte. Mich hatte zu mei=
ner großen Freude der Feldmarschall der Avantgarde zu=

getheilt, und ich befand mich bei einem Pulk Donischer
Kosacken. Die rastlose Thätigkeit, die unermüdliche Ausdauer von Pferden wie Menschen und die behende Schlauheit, mit der sie den kleinen Krieg zu führen wissen, lernte
ich jetzt bei diesen Söhnen der Steppe schätzen. Zu geschlossenen Attaquen taugen diese Kosacken selten, in das
Batteriefeuer wollen sie nicht, und mit zwei tüchtig bedienten Kanonen kann man Tausende von ihnen in an-
gemessener Entfernung halten, für den kleinen Krieg sind
sie aber für das Russische Heer von unschätzbarem Werth.
Man hat mir von competenter Seite kürzlich gesagt, die
Kosacken des Dons seien jetzt lange nicht mehr von gleich
großer Brauchbarkeit für den kleinen Krieg, wie früher,
und die neue Organisation, die der Kaiser Nicolaus
ihnen gegeben, hätte ihren Werth sehr verringert. Es
sollte mir dies leid thun, denn gerade ihrer Eigenthümlichkeit und der vielen patriarchalischen Sitten wegen,
die man bei ihnen früher in so ungeschwächter Kraft
traf, waren mir die Kosacken stets die liebste Truppe des
ganzen Russischen Heeres. Gerade von conservativer Seite
her sollte man bringend darauf wachen, alle Eigenthümlichkeiten und Volkssitten der einzelnen Stämme und
Stände möglichst zu erhalten, statt solche dem allgemeinen Nivellirungsprincip, wie dies die fluchwürdige Französische Revolution erzeugte, aufzuopfern. — Unserer
rastlosen Verfolgung gelang es, den sich zurückziehen-

ben Republikanern noch mannigfachen Schaden zuzu=
fügen und ihnen sowohl Kanonen und Armeefuhrwerke,
als auch viele Gefangene abzunehmen. Bei Piacenza
kam es wieder zu einem recht heftigen Gefecht zwi=
schen unserer Avant = und der republikanischen Arriere=
garde, in der wir vollständige Sieger blieben und einige
Tausend Gefangene, unter denen mehrere Generale wa=
ren, machten. Ich hatte bei dieser Gelegenheit das Glück,
den republikanischen General Rusca gefangen zu neh=
men. Einem Französischen Voltigeur=Capitain, der von
einem halben Dutzend Kosacken umringt, mit der äußer=
sten Entschlossenheit und Geschicklichkeit kämpfte und un=
ter keiner Bedingung Pardon annehmen wollte, rief ich
in Französischer Sprache zu, sich zu ergeben. „Ah, der
Herr ist ein Franzose, das ist eine andere Sache", sprach
er bei dem Klange meiner Stimme, parirte sehr geschickt
noch den nach ihm gerichteten Lanzenstoß eines Kosacken
und überreichte mir dann mit wahrhaft zierlicher Verbeu=
gung seinen Degen. Ich erkannte den Herrn jetzt wie=
der, er hatte als junger Cadet beim Regiment Flandern
in jener bekannten Banketnacht im Herbst 1789, im
Schlosse zu Versailles neben mir gesessen. Meinem Grund=
satz gemäß, gefangene Republikaner zwar human zu be=
handeln und jegliche Pflicht der Ritterlichkeit streng ge=
gen sie zu erfüllen, sonst aber jede nähere Berührung
mit ihnen zu vermeiden und frühere Bekanntschaften gänz=

lich zu ignoriren, gab ich mich diesem gefangenen Vol=
tigeur=Capitain jetzt nicht zu erkennen, wie er denn mich
auch nicht wieder zu erkennen schien. Im Jahre 1814
traf ich ihn als Obersten der Garde wieder in Paris.

Einer der merkwürdigsten Fälle von ganz bestimmter
Todesahnung kam am Abend dieses Treffens bei Pia=
cenza vor. Jeder alte Soldat, der viel im Kriege ge=
wesen ist, wird dergleichen Fälle von einer ganz bestimm=
ten Todesahnung wiederholt erlebt haben und mögen
auch unverständige Freigeister, die nichts weiter glauben,
als was sie sehen, noch so viel darüber spotten, es ist
nun einmal sicher, daß solche Ahnungen vorkommen. Al=
len Menschen verleiht Gott der Herr nicht dies sehr aus=
geprägte Ahnungsvermögen, einzelnen giebt er es aber
in auffallend hohem Grade.

So befehligte den Kosackenpulk, bei welchem ich mich
augenblicklich befand, ein junger Officier, zu dem ich mich
gleich in der ersten Stunde unseres Zusammentreffens
ungemein hingezogen fühlte. Der Sohn eines reichen
und mächtigen Attamans am Don, bekleidete mein Freund
trotz seines noch sehr jugendlichen Alters, denn er mochte
kaum 22 Jahre zählen, jetzt schon eine verhältnißmäßig
hohe Stelle, die er aber durch großen persönlichen Muth,
unbedingte Autorität über seine Kosacken und sonstige mi=
litairische Fähigkeiten trefflich ausfüllte. Er war ein ech=
ter Sohn der freien Natur, offenherzig, ohne Lug und

Trug, voll wahrer Religiosität und vielen poetischen An-
lagen, dabei auch stets heiterer Laune und daher bei Allen, die ihn näher kannten, im ganzen Heere beliebt.
Gern und viel plauderte er mir von dem schönen freien
Leben der Kosacken am Don vor, machte mir reizende
Schilderungen von den schnellen Ritten auf feurigen Ros-
sen durch die endlosen Steppen, den ergiebigen Jagden
und den frohen Festen und lud mich dringend ein, ihn
nach glücklich beendetem Kriege in seiner heimathlichen
Staniza zu besuchen.

Auch auf dieser energischen Verfolgung der geschlagenen Republikaner, wo wir stets bei einander waren,
zeichnete sich der junge Officier, sowohl durch unaufhör-
liche Thätigkeit und Kühnheit, wie sprudelnde Heiterkeit
aus. Suworow hatte ihn gelobt, zum Orden vorge-
schlagen und durch einen Adjutanten an den alten Atta-
man schreiben lassen, wie sehr er mit seinem Sohne zufrieden sei; Grund genug daher für Letzteren, sich der
frohsten Laune hinzugeben. Am Abend vor dem Treffen
bei Piacenza war der junge Officier auf eine Stunde
am Bivouakfeuer, was wir uns in einem Olivenhain
angezündet hatten, eingeschlafen, als er plötzlich im
Schlafe laut auffuhr und mit der Hand an sein Herz
griff. Ich glaubte anfänglich, eine giftige Schlange habe
ihn gebissen und wollte Hülfe bringen, allein er ergriff
meine Hand und sprach mit geisterhaft bleichem Gesicht:

„Es ist keine Schlange, die mich gebissen, sondern ich
fühle nur, wie morgen Abend um diese Zeit eine Kugel
mir gerade hier" — und dabei zeigte er mit dem Fin=
ger auf eine Stelle seiner Uniform — „durch das Herz
fahren wird. Ein Pole, der eine blaue Jacke mit gel=
bem Kragen trägt, wird mich erschießen."

Solche ganz bestimmte Todesahnung, die sogar die
Uniform des Thäters beschreiben konnte, war mir noch
niemals vorgekommen, und erstaunt bat ich meinen Freund
um nähere Erklärung. „In unserer Familie ist die Gabe
des zweiten Gesichts, welches uns bisweilen, aber nur
sehr selten, zukünftige Dinge vorher erkennen läßt, hei=
misch, und so habe ich auch jetzt meinen Tod sicher vor=
ausgesehen. Es wird so kommen, wie ich Dir sage —
Adieu, in diesem Leben sehen wir uns nicht wieder", ant=
wortete er sichtbar verstört, schwang sich auf sein Roß
und jagte zu den äußersten Vedetten der Kosacken hin.
Dienstliche Pflichten hielten mich den nächsten Tag von
dem Kosackenpulk entfernt, am Abend darauf erfuhr ich
den Tod des jungen Officiers, der von einem Soldaten
der Polnischen Legion in Französischen Diensten erschos=
sen war, die Kugel hatte ihn gerade auf demselben Fleck,
den er mir mit dem Finger bezeichnete, getroffen und
lautlos war er vom Pferde gesunken. Die Leiche wurde
später auf ausdrücklichen Wunsch des Attamans zu Schiff
von Livorno nach Odessa und so weiter an die Ufer des

Dons transportirt. — Im Jahr 1812 traf ich übrigens in Spanien einen eisgrauen Soldaten, der in einem Regiment der Hochschotten diente, an, dem ebenfalls auf wirklich unheimliche Weise die Gabe der Voraussagung von Unglücksfällen zu Gebote stand. Der alte Mac= Gregor, ein ungemein närrischer Mann, konnte aber nur traurige Ereignisse voraussagen und gab sich auch nur höchst ungern, und nur auf dringendes Verlangen seiner Vorgesetzten, mit derartigen Prophezeihungen ab.

Wir hatten jetzt das Heer des Generals Macdo= nald so geschlagen, daß dieser froh sein mußte, seine zersprengten Truppen hinter den Mauern von Genua zu sammeln. Freilich war das Heer, was Suworow befehligte, auch schon sehr arg zusammengeschmolzen und viele Tausende von Russen hatten bereits ihr Grab auf Italienischem Boden gefunden. Was kümmerte dies aber unseren energischen Heerführer? So lange er nur noch an 25,000 Mann tüchtige Russen in das Feuer bringen konnte, schlug er stets mit seiner altgewohnten Kraft dar= auf los, „daß Gott erbarm — sprecht in einem Kriege nicht von Menschenverlust, denn ohne Opfer geht es nun einmal nicht ab, und das große Rußland hat noch immer tapfere Söhne genug, die auf ihres Herrn und Kaisers (bei diesem Worte verbeugte er sich tief) Ruf gern für die Ehre der Russischen Fahne sterben", sagte er einmal zu einem hohen Österreichischen General, der über die großen Verluste der letzten Schlachten sprach. Ein anderes Mal meinte er: „Was ist es denn, sterben müssen wir Alle doch, und es stirbt sich besser auf freiem Feld an einer Kugel, als im engen Bett an einer schmutzigen Krankheit."

Der Österreichische General K r a y hatte nun endlich Mantua erobert und stieß jetzt mit 25,000 Mann zu dem Heere S u w o r o w's, der unweit Novi stand. Am 16. August kam es hier zu einer ungemein blutigen Schlacht, in der wir nach harten Kämpfen endlich einen vollständigen Sieg gewannen und die Republikaner gänzlich schlugen. Ich selbst kam an diesem Tage nicht recht in das Feuer, sondern war als Adjutant vielfach beschäftigt, entfernten Truppen, namentlich Österreichern, Befehle zu überbringen. So sehr ich dies auch bedauerte, denn mich schmerzte es stets, wenn ich mich nicht persönlich mit den verhaßten Feinden umherschlagen konnte, so durfte ich mich doch dieser Verwendung nicht entziehen, und ritt an diesem Tage drei Pferde müde. Der alte S u w o r o w verstand es, seine Adjutanten in Bewegung zu setzen. So wie er seine kurzen und klaren Befehle gegeben hatte, mußte man gleich in schnellstem Galopp davon sprengen, mochte das Terrain auch noch so ungünstig sein.

„Was ist das, reiten Sie denn eine Schnecke, so ein Faultier von Adjutanten kann ich nicht gebrauchen.

— Gehen Sie zu Hause und ziehen einen alten Wei=
berrock an", solche und noch oft viel gröbere Worte schrie
er rücksichtslos jedem Abjutanten und Generalstabs=Of=
ficier zu, mochte deſſen Rang auch noch ſo vornehm ſein,
der ihm nicht ſchnell genug davon jagte. Es mußte Al=
les von ſeiner ganzen Umgebung ſehr ſchnell gethan wer=
den, und jegliche Schlaffheit fand ihren ſtrengſten Tad=
ler. Obgleich im Allgemeinen der Feldmarſchall Su=
worow die Öſterreichiſchen Officiere ungleich artiger und
rückſichtsvoller, als ſeine Ruſſiſchen behandelte, ſo hörte
ich doch einmal, daß er einem ſehr dicken Öſterreichiſchen
Oberſten, der ungemein langſam mit einer Meldung auf
ihn zugetrottet kam, ganz laut zurief: „Daß Gott er=
barm, wer einen ſo dicken Fettbauch hat und ſo ſchlecht
reitet, wie Sie, der ſollte auch lieber eine Capuziner=
Kutte ſtatt einer Oberſten=Uniform anziehen."

Von den Öſterreichiſchen Truppen liebte er die Un=
gariſchen-Huſaren und Grenadiere, und dann die Thyro=
ler Scharfſchützen am meiſten, und plauderte häufig
ganz unbefangen mit den gemeinen Soldaten dieſer Waf=
fengattungen. Einmal traf ich ſogar den Feldmarſchall,
als er ſich mit Ungariſchen Soldaten um einen Keſſel,
in dem dieſe Fleiſch mit Zwiebeln und türkiſchem Pfef=
fer geſchmort hatten, lagerte, und vergnüglich mitſpeiſte.
Ein alter Ungar hatte ihm dazu Meſſer und Holzlöffel
geliehen, während eine Feldflaſche mit Branntwein im

Kreise herumging, aus welcher Jeder, so wie die Reihe an ihn kam, einen tüchtigen Zug that. Dem Feldmar= schall schmeckte diese Mahlzeit vortrefflich, er schmunzelte behaglich, lobte die Kochkunst der Ungarn, und trank mit den Grenadieren auf gute Kameradschaft. Als er satt war, bedankte er sich für die genossene Gastfreund= schaft und lud seine Wirthe am Abend zu sich in sein Hauptquartier ein. Hier gab er ein nach seiner Art glänzendes Abendessen, an dem diese gemeinen Ungarn, wie auch viele eigens dazu eingeladene vornehme Rus= sische und Österreichische Stabsofficiere theilnahmen. Ab= sichtlich hatte er Söhne der höchsten Aristokratie hierzu eingeladen und manche von diesen Herren machten sehr verwunderte Gesichter, als sie plötzlich mit einem Dutzend gemeiner Ungarischer Grenadiere zusammen an einer Tafel essen mußten. Doch was kümmerte den alten, wunderlichen Suworow solch Mißfallen vornehmer junger Aristokraten — besonders wenn diese sich noch keinen berühmten militairischen Namen erworben hatten? Er lachte sie laut aus und trieb seine Possen fort und fort, bis er dann plötzlich wieder der energische, kühne und dabei geniale Oberfeldherr ward, der seine Truppen von Sieg zu Sieg zu führen verstand.

Trotz der vielen Siege, welche die vereinte Öster= reichisch=Russische Armee während des Feldzuges von 1799 in Italien erfocht, ward unseres alten Feldmar=

schalls Stimmung immer gereizter, und es kostete wirk=
lich nicht geringe Überwindung, täglich mit ihm ver=
kehren zu müssen. Die sich stets vermehrende Spaltung
zwischen den Kabinetten in Wien und Petersburg, die
ihn mitten in seinem Siegesfluge hemmte, war der be=
greifliche Grund seiner Mißstimmung. Der Plan eines
Einmarsches in das südliche Frankreich war unter diesen
Umständen schon längst aufgegeben, und wie sehr meine
anfänglich so frohen Hoffnungen dadurch heruntergedrückt
wurden, bedarf kaum noch der Erwähnung. Meine
düstere Ahnung sagte mir immer mehr, daß auch dieser
anfänglich so glänzend begonnene Feldzug schließlich ohne
besondere Resultate bleiben werde, und leider bestätigte
sich dies nur zu sehr.

Es kam jetzt der Befehl, Suworow solle mit sei=
nen Russischen Truppen, die ungefähr noch 20,000 Mann
stark sein mochten — fast eben so Viele hatten ihr Grab
schon gefunden, Italien verlassen, um sich mit dem in
der Schweiz unter Korsakow stehenden Russischen Heere
zu vereinigen. Es war ein harter, sehr harter Befehl
für unsern alten Feldmarschall und sein siegreiches Heer,
Italien, dies Land ihres Ruhmes, verlassen zu müssen;
doch „Gehorsam ist des Soldaten erste Pflicht" und so
zogen wir ab. Wer die eigentlichen Urheber dieser Ordre
zum Abmarsch, die sich der legitimen Sache so unend=
lich verderblich erwies, gewesen sind, dürfte nicht schwer

zu ermitteln sein, doch will ich lieber den Schleier der Vergessenheit über diese so wenig erfreuliche Sache ruhen lassen. Geschehene Dinge sind doch einmal nicht mehr rückgängig zu machen. Es mag auch Gottes Wille ge= wesen sein, daß. Europa noch 15 Jahre länger von den blutigsten Kriegen heimgesucht werden sollte.

Wir rüsteten uns nun zu dem berühmten Übergang über den damals noch fast ungebahnten St. Gotthardt; in der That wohl einer der großartigsten und schwierig= sten Märsche, den je eine Armee gemacht hat. Nur ein Feldherr wie Suworow konnte den Plan zu einem solchen Marsch faßen, und er allein sein Heer zur Aus= führung desselben zwingen.

Schrecken und Zagen ergriff diese armen Russischen Soldaten, als sie, die Söhne der weiten Ebene, zuerst die Gletscher sahen und erfuhren, daß ihr Weg darüber hinweg führen solle. Ungleich lieber wären sie in das tobendste Batterie = Feuer gestürmt, als daß sie in dies Labyrinth von Felskuppen und Eisbergen, was in sei= ner ganzen großartigen Wildniß vor uns lag, hinein= drangen. Doch der Feldmarschall Suworow befahl, und blindlings gehorchte der Soldat, und wenn er auch wußte, daß es sein sicherer Untergang war; so wollte es die gute Disciplin des Russischen Heeres.

Am 15. September trafen wir in Lugano ein, um uns zum Marsch über die Alpen vorzubereiten. Alles

nur irgend entbehrliche Gepäck wurde verbrannt, um die
Armee so leicht beweglich wie nur möglich zu machen,
und mit schonungsloser, aber dringend gebotener Strenge
überwachte der Feldmarschall die unbedingte Ausführung
dieses Gebotes. Kein Officier, und selbst nicht der höchste
General, durfte mehr als so viel Gepäck, daß zwei
Maulthiere es bequem tragen konnten, bei sich führen.
Ich habe selbst im Auftrag des Feldmarschalls durch
Kosacken die Koffer und Kisten, welche einige höhere
Stabsofficiere und Armeebeamten doch noch mitzuführen
versuchen wollten, ohne Weiteres verbrennen lassen.
Auch die Tornister der Soldaten wurden streng unter=
sucht, und außer einem Hembe, einem Paar Schuhen und
einer Hose, Alles fortgeworfen, oder verschenkt und ver=
kauft. Alles Silbergeld mußte in Gold umgesetzt wer=
den, und es wurden zuletzt für einen Ducaten 15 bis
18 Gulden geboten, so selten war Gold zu bekommen.
Die Krämer, Juden und Wucherer in Lugano, Bellin=
zona und anderen Orten am Fuß des Gebirges ver=
dienten in diesen Tagen ungeheure Summen. Einer
dieser Kerle hatte gemeinen Russischen Soldaten Rechen=
pfennige von Messing statt der Ducaten gegeben. Der
Feldmarschall erfuhr es, ließ das Haus des Betrügers
ausplündern und anzünden, und steckte ihn selbst unter
die Mauleseltreiber mit dem Befehl, den Kantschuh bei
der geringsten Faulheit und Widersetzlichkeit nicht zu

schonen. Auch sonst zwang die unbedingte Nothwendig=
keit uns zu manchen Härten. Alle Zug= und Saum=
thiere der ganzen Umgegend mußten gewaltsam requirirt
und ebenso auch Lebensmittel, wo man solche finden
konnte, genommen werden. Jeder Soldat erhielt Brod
und Branntwein auf vier Tage zum Tragen, und es
stand die allerstrengste Strafe darauf, von diesen Vor=
räthen das Geringste zu genießen, bevor der Befehl dazu
gegeben war. Die unbedingte Nothwendigkeit zwang
hiezu, denn hatte das Heer nicht für unvorhergesehene
Fälle auf einige Tage Lebensmittel in Vorrath, so hätte
es mitten auf den Hochalpen leicht verhungern können.
Wiederholt hat der Feldmarschall Kosacken und auch an=
dere Soldaten, die beim Stehlen von Lebensmitteln
ihrer Kameraden getroffen wurden, ohne Weiteres er=
schießen lassen.

Von Bellinzona bis auf die Höhe des St. Gott=
hard's gebrauchten wir drei Tage, voll der größten An=
strengungen und Entbehrungen. Viele Soldaten und
noch mehr Pferde und Maulesel gingen dabei schon zu
Grunde, und es kostete unsägliche Mühe, wenigstens ei=
nige leichte Feldbatterien mit der nöthigen Munition auf
diese Höhen zu bringen. Die Geschützröhre lagen in
hohlen Baumstämmen, und 60—80 Soldaten spannten
sich an langen Seilen vor solche Schleife, um ein Rohr
auf eine steile Anhöhe hinaufzuziehen. Manchmal riß

10*

ein solches Tau, das schwere Rohr rollte mit entsetzlicher
Geschwindigkeit wieder zurück, verwundete und tödtete
die Soldaten, die es traf, oder schleuderte solche mit
zerschmetterten Gliedern in die Abgründe. Gewiß jede
Russische Kanone, die auf diese Weise über die Alpen
gebracht wurde, hat viele Opfer von Menschen wie Thie=
ren gekostet, und doch gebrauchten wir diese Geschütze
und die Munitionskarren ganz nothwendig, denn wir
mußten nicht allein die Gletscher erklimmen, sondern
auch den Feinden wiederholt die blutigsten Gefechte da=
bei liefern. Gefangene wurden bei diesen Gefechten
während des Marsches durch die Alpen nur sehr selten
von beiden Seiten gemacht, sondern in erbitterter Wuth
Alles getödtet und die Leichen in die Abgründe geschleu=
dert. Die Adler und Geier und andere Raubthiere der
Alpen müssen reiche Beute in diesem Herbst gefunden
haben!

Am 24. September langten wir bei dem berühmten
St. Gotthardt's Hospiz an. Mitten zwischen diesen
mit Eis und Schnee bedeckten Felsgipfeln lag auf un=
wirthbarer Höhe diese bescheidene Wohnung der from=
men Mönche, deren ganzes Leben hier nur eine fortge=
setzte Reihe der aufopferndsten Thaten ist. Ermüdet,
verfroren und halb verhungert waren die Reihen der
vordersten Soldaten, bei denen sich auch der Feldmar=
schall befand, als wir bei dem Hospiz anlangten. Neue

Stärke verlieh der Anblick desselben unseren ermübeten und erstarrten Gliedern. In vollem Ornate empfing uns der Prior des Klosters mit seinen Mönchen an der Thüre; ein so freundlicher Anblick, daß ich ihn niemals wieder vergessen habe.

Ein hoher siebzigjähriger Greis, mit grauem Haar und einem langen silberfarbenen, bis auf die Brust her= abhängenden Bart geschmückt, feurig glänzenden Augen und schöner, Ehrfurcht gebietender Stirn war es, ein würdiger Repräsentant unserer erhabenen katholischen Kirche. Mit freundlichen Worten empfing er uns, spen= dete den Segen der Religion und lud dann den alten Feldmarschall ein, einige einfache Erquickungen, so gut das arme Kloster solche liefern konnte, im Speisesaal einzunehmen. Zwar war unser greiser Feldmarschall, der den ganzen Tag unaufhörlich in Bewegung gewesen war, und sich bald vorn an der Spitze, bald hinten am Ende unseres Zuges befunden hatte, um die Säu= migen und Schwachen mit kräftigen Worten vorwärts zu treiben, ungemein ermübet, und sehnte sich nach Speise und Ruhe. Seine Frömmigkeit bezwang aber die Be= gierden des Körpers, wie dies stets bei ihm der Fall war.

„Nein, ehrwürdiger Vater", rief er aus, dabei von seinem kleinen Kosacken=Rößlein springend, „ich und meine Kameraden hier, die wir für die von den Repu= blikanern so schänblich entweihten Altäre gekämpft haben

und ferner kämpfen werden, sind wohl hungrig und
müde, doch bevor wir unsere Leiber stärken, wollen wir
erst unsere Seelen erquicken; laßt uns also zuerst einen
Lobgesang anstimmen und Gottes Gnade, die uns bis
hieher auf diese eisigen Höhen geführt hat, preisen."

Voller Andacht sanken wir Alle auf unsere Kniee,
und der Prior sang einen Lobgesang, in den wir, so
gut es gehen wollte, mit einstimmten, und sprach dann
den Segen des Himmels über uns aus. Ein feierlicher
Augenblick, der auch in das verstockteste Gemüth fromme
Gefühle bringen mußte!

Neu gestärkt erhoben wir uns dann, und traten in
den Speisesaal des Klosters, wo eine einfache Mahlzeit
von Erbsen, Kartoffeln und Stockfisch unserer harrte.
Mit dem besten Appetit von der Welt verzehrten wir
diese kräftigen Speisen, wobei Suworow sich mit den
Mönchen auf das Freundlichste unterhielt und den ehr=
würdigen Prior wiederholt umarmte und küßte. In
solchen Stunden zeigte er nichts von den Narrheiten und
Grimassen, die er sonst oft auf so auffallende Weise zur
Schau zu tragen liebte.

Auf mächtigen Feuern hingen unterdeß in der ge=
räumigen Klosterküche große Kessel, in denen für die
Truppen, die allmählich in immer größeren Colonnen
anlangten, warme Erbsensuppe gekocht wurde. Jeder
Soldat erhielt seinen Feldkessel damit angefüllt, dazu

etwas Branntwein und ein Stück Brod. Es war ein
bewegtes Schauspiel, wie nach und nach mehrere Tau=
send Russische Soldaten hier mitten zwischen diesen ewi=
gen Eisfeldern von den unermüdlich thätigen Mönchen
gespeist wurden. Alle Lebensmittel bezahlte Suworow
dem Kloster nach dessen Forderung mit Bons, und gab
außerdem noch die Summe von 1000 Ducaten, die un=
ser Kriegszahlmeister sogleich baar aufzählen mußte, zur
beliebigen Verwendung. Leider mußten wir aber einige
Hundert Kranke, Verwundete oder total Erschöpfte, die
sich nur mühsam noch bis hieher fortgeschleppt hatten,
der Sorgfalt der Mönche zurücklassen.

Neu gekräftigt und mit frischem Muthe erfüllt, ver=
ließen wir das Hospiz nach einigen Stunden der Rast
und zogen neuen Gefahren und Strapazen entgegen.
Beim Abschiede küßte Suworow den ehrwürdigen Prior
auf das Herzlichste und rief aus: „Ihr seid wahrhafte
Kloster=Helden, die zur Rettung der leidenden Mensch=
heit ihr Leben nicht schonen. Über das Erdenleben er=
haben ist Eure Seele, wie Euer Wohnort dem Himmel
nahe; der Allmächtige erhalte Euch!"

Beim Herunterklimmen vom St. Gotthardt hatten
wir sogleich ein heftiges Gefecht mit den Republikanern,
die uns die Straße verlegen wollten, und die wir aus
Urseren vertreiben mußten. Der Angriff unserer Trup=
pen, die erbittert waren, selbst hier in so grausiger Na=

tur kämpfen zu müſſen, geſchah mit ſolcher Wuth, daß
die Franzoſen nicht Stand hielten und zurückwichen. Es
kamen furchtbare Scenen des Kampfes, der oft auf en=
gen Pfaden unmittelbar an unergründlichen Abgründen
ſtatt fand, hier vor. Wer verwundet wurde, war auch
in der Regel verloren, denn ein einziger Schritt ſeines
ſchwankenden Fußes konnte ihn in den Abgrund ſtürzen.
Oft packten Verwundete in letzter Kraft der Verzweif=
lung ihre Beſieger und ſtürzten ſich mit ihnen zuſammen
in den Abgrund, um ſo vereint den Tod zu finden, wie
ich dies wiederholt mit eigenen Augen geſehen habe.

Vielfach kämpften unſere Soldaten auch mit großen
Felsſtücken, die ſie mit vereinten Kräften losriſſen und
auf die tiefer ſtehenden Feinde, die ihnen das Hinab=
klettern verwehren wollten, herunterrollen ließen, um
ſie zu zerſchmettern.

Wir hatten uns endlich, obgleich mit nicht geringen
Opfern, den Weg gebahnt, als wir die Schreckenskunde
erhielten, daß das Heer unter Korſakow in einer zwei=
tägigen, furchtbaren Schlacht bei Zürich von dem Re=
publikaniſchen General Maſſena endlich beſiegt worden
ſei. Gerade auf die Vereinigung mit dieſem Heere war
aber der ganze Plan des Feldmarſchalls begründet ge=
weſen. Wir hatten uns von Glarus aus, wo wir am
26. September einrückten, mit dem Öſterreichiſchen Ge=
neral v. Lünken vereinigen und nun gegen Zürich mar=

schiren wollen, und dies war durch diese Niederlage
vereitelt. Unsere Lage war sehr gefährlich, gänzlicher
Untergang drohte uns und sehr viele andere Oberan=
führer wären verzweifelt. Doch wir hatten einen Su=
worow an der Spitze und der wußte nicht, was Ver=
zweiflung und Furcht war, und zeigte, je mehr die Ver=
hältnisse uns drängten, desto großartiger die Genialität
seines Geistes, wie die Unbezwingbarkeit seines Muthes.

„Jetzt gilt's", rief er, als seine Adjutanten ihm
meldeten, daß der Österreichische General, wegen der
Niederlage von Zürich, Glarus geräumt habe und alle
Thäler von den Franzosen besetzt seien, „das alte Ruß=
land muß sich nun allein helfen. Siegen wir, bringt
uns dies unsterblichen Ruhm, fallen wir, keine Schande;
aber ergeben dürfen wir uns nicht." Mit der größten
Schnelligkeit verbreiteten sich diese Worte des Feldmar=
schalls in den furchtbar zusammengeschmolzenen Reihen
seiner treuen Soldaten. „Nichts von Ergeben, lieber
sterben!" riefen die Soldaten aus, und die Grenadiere
vom Förster'schen Regiment, welches sich schon an der
Trebbia so sehr ausgezeichnet hatte, sandten eigens eine
Deputation zum Feldmarschall, um ihm zu versichern,
daß sie bis zum letzten Mann kämpfen wollten. Su=
worow küßte den Sprecher dieser Deputation öffentlich
und sprach: „Sage Deinen Kameraden, daß so lange
ein Suworow lebt, von Ergebung Russischer Soldaten

gar keine Rede sein kann." — Die wenigen Österreichi=
schen Truppen, welche wir hier in der Schweiz noch
fanden, kämpften wie immer mit unerschütterlicher Tapfer=
keit. Auf Befehl Suworow's drängte der Österreichische
Feldmarschall = Lieutenant Rosenberg die Französischen
Truppen aus dem Muttenthal zurück und verfolgte solche
bis Schwyz. Unsere sehr hart mitgenommenen und stark
decimirten Soldaten erholten sich unterdeß einigermaßen
in Glarus und der Umgegend, die wir besetzt hatten,
und flickten besonders ihre Schuhe und Kleider wieder,
die theilweise nur noch in Fetzen umherhingen. Leider
fehlte es uns nur sehr an Munition und diese war hier
mitten in der Schweiz selbst bei der allergrößten An=
strengung nicht wiederherzustellen. Es gab Compagnien,
in denen der Mann nicht mehr wie vier bis fünf brauch=
bare Patronen noch besaß, und auch die wenigen Kano=
nen, die wir wirklich über den St. Gotthardt mit her=
übergeschleppt hatten, — fast die Hälfte war verloren
gegangen, oder man hatte sie absichtlich vernichten müs=
sen, da die wenigen halb erschöpften Zugthiere sie nicht
fortschleppen konnten, hatten auch nur noch sehr unzu=
reichende Kartuschen. Es war eigentlich des Feldmar=
schalls Plan gewesen, durch das Muttenthal vorwärts
zu stürmen, den General Massena, koste es was es
wolle, zurückzudrängen, und sich jenseits desselben bei
Wallenstädt mit den dort stehenden Österreichischen Trup=

pen wieder zu vereinigen. Der Mangel an Munition
hinderte ihn aber an der Ausführung dieser Idee, denn
ohne Patronen und Kanonen wäre es geradezu Wahn=
witz gewesen, einen General wie M a ſſ e n a anzugreifen.
Wie ein grimmiger Löwe, der im Käfig steckt, und nicht
durchbrechen kann, tobte der alte Feldmarschall, und
wenn er auch nach wie vor der Tapferkeit der einzelnen
Österreichischen Truppen die verdiente Gerechtigkeit an=
gedeihen ließ, so war seine Wuth gegen die Leiter des
Ganzen in Wien doch eine grenzenlose. Einen Brief des
Hof=Kriegsraths verwandte er öffentlich zu dem schmutzig=
sten Gebrauch, zu dem man nur Papier verwenden kann,
und schwur, er wolle niemals seine Hunde in Rußland
anders, als mit den Namen einiger Österreichischen Mi=
nister nennen. Auch über den Russischen General K o r =
ſ a k o w, der freilich durch den schnellen Abmarsch des
Erzherzogs C a r l aus der Schweiz nach Mannheim in
eine sehr gefährdete Stellung gekommen war, schalt er
nicht wenig, daß er sich hätte schlagen lassen und so un=
vorsichtig gewesen sei. Bei dieser Gelegenheit kam fol=
gende, seinen ganzen inneren Stolz so recht charakteri=
sirende Äußerung aus seinem Munde: „Ich selbst kann
wohl das Äußerste wagen und den Feind unter allen
Umständen angreifen, denn ich bin S u w o r o w und
verstehe zu siegen. Wer aber nicht die Kraft und das
Talent wie ich besitzt und nur ein mittelmäßiger General

ist, der muß mich auch nicht nachahmen wollen, sondern
vor allen Dingen vorsichtig sein. Kühnheit ist gut, aber
Klugheit ist unter manchen Verhältnissen doch noch besser;
dies hätte auch Korsakow bedenken sollen."

Übrigens war der Feldmarschall jetzt stets in so gereizter Stimmung und besonders auch gegen seine Adjutanten so heftig, daß es wirklich Selbstüberwindung
kostete, mit ihm zu verkehren. Er sagte einem — oft
ohne die geringste Ursache — die allergrößten Grobhei-
ten und die empfindlichsten Bosheiten, und selbst die ältesten Generale empfanden großes Unbehagen, wenn der
Dienst sie zwang, sich dem alten, grimmigen Mann zu
nähern. Nur gegen die gefangenen Franzosen war er,
wie immer, sehr freundlich und erlaubte ihnen in der
Regel gegen das Versprechen, ein Jahr lang nicht wieder zu dienen, nach Hause zurückzukehren. Der Feldmarschall hatte jetzt selbst schon die Hoffnung, noch ferner entscheidende Erfolge gegen die Feinde erreichen zu
können, aufgegeben und sagte einst zu mir: „Es thut
mir leid, Marquis — aber das Beste wäre, wenn unser Kaiser seine Russen wieder nach Rußland zurückriefe,
denn um den Herren in Wien die Kastanien aus dem
Feuer zu holen, dafür sind wir doch zu gut."

In dem Inneren der Schweiz konnten wir nicht länger stehen bleiben, die Feinde ohne Pulver zu schlagen,
vermochte selbst ein Suworow nicht; es galt also, ei-

nen baldigen Entschluß zu faſſen. Ganz ſeinem energi=
ſchen Charakter angemeſſen, wählte der alte Feldmarſchall
einen Weg, den Niemand für möglich gehalten hätte;
er führte ſein tapferes und gehorſames Heer mitten durch
die Graubündner Gebirge, über Matt, Elm und Wih=
ler, ließ uns den Flimſerpaß überklettern und brachte
uns zwiſchen Jlanz und Chur glücklich in die Ebene.

„Beſſer, unſere Gebeine bleichen dort oben im ewi=
gen Schnee, als wir marſchiren als Gefangene in Frank=
reich ein“, antwortete er einigen Generalen, die ihm Vor=
ſtellungen über die Gefährlichkeit, ja ſelbſt Unmöglichkeit ·
dieſes Marſches machen wollten. In ſolchen Augen=
blicken war der alte Feldmarſchall nicht der wunderliche,
mürriſche Greis, den man floh, ſondern der bewunderns=
würdige Held, dem die unbedingteſte Verehrung gezollt
werden mußte.

Die Wege, die wir einſchlugen, waren häufig nur
enge Saumpfade, auf denen kaum bisher das ſichere
Saumpferd geführt war, und doch ſollten an 15,000
Ruſſen, denn ſo viel mochte unſer Heer von den 40,000
Mann, die den Italieniſchen Boden betreten hatten, noch
zählen, ihren Marſch hierüber nehmen. Doch es mußte
ſein und ſo ging es auch. Der Ruſſiſche Soldat hat
ein bezeichnendes Sprüchwort: „Die Bien bie muß!“ und
demgemäß folgt er dem „Muß“ unbedingt. Hätte Su=
worow ſeine Bataillone in das Meer geführt, ſich ſelbſt

an die Spitze gestellt und Marsch befohlen, ich bin fest
überzeugt, weit über die Hälfte aller Soldaten wäre
willig ihm gefolgt und ruhig ertrunken, und so folgten
seine getreuen Schaaren ihm auch jetzt wieder über die
unwegsamsten Graubündnerischen Alpen. Gemsenjäger,
die reich bezahlt wurden, waren die Führer der Avant=
garde, bei der sich einige hundert Sappeurs und Frei=
willige befanden, um mit Äxten und Gräbern die aller=
schlechtesten Stellen der Wege einigermaßen zu ebnen.
Ich befand mich bei dieser Avantgarde, und es war oft
ein beschwerlicher und gefährlicher Posten, wie denn auch
über ein Drittheil der wackeren Soldaten derselben das
Leben einbüßte. Auch ich stürzte in eine Schlucht und
wurde nur mit großer Anstrengung an einem Strick wie=
der herausgezogen. Den kleinen Finger der linken Hand
hatte ich mir bei diesem Fall so arg beschädigt, daß ich
solchen in Lindau später abnehmen lassen mußte und so
ein lebenslängliches Andenken an diesen Alpenübergang
behielt. Wie immer, war S u w o r o w auch jetzt wie=
der unermüdlich thätig, scherzte und lachte mit den Sol=
daten, oder trieb auch, wenn dies nicht mehr helfen
wollte, die Müden mit strengen Worten zur äußersten
Aufbietung ihrer Kräfte an. Die wenigen Pferde, die
das Heer noch gehabt hatte, verlor es bis auf einzelne
Kosackengaule und in der Schweiz gekaufte Maulthiere
gänzlich, und auch unsere geringe Munition mußte auf

den Rücken von Mauleseln transportirt werden. — Endlich kamen wir aus dem Hochgebirge heraus und in die Gegend von Chur, wo wir wieder einigermaßen gebahnte Wege fanden. Zwei Ochsen, die ein Bauer trieb, fielen den halbverhungerten Soldaten zuerst in die Hände. Im Augenblick wurden sie getödtet, das Fleisch in kleine Stücke zerrissen, diese an schnell angezündeten Feuern auf der Spitze der Bajonnette oder Säbel gebraten und dann mit der Gier des größten Hungers verschlungen. Auch der Feldmarschall selbst verzehrte sein Stücklein Fleisch mit dem größten Behagen. Wir waren kaum mit diesem, uns so köstlich schmeckenden Mahl fertig, als ein altes Hirtenpaar, Mann und Frau, dem die Ochsen gehört hatten, weinend vor Suworow erschienen und den Raub bejammerten.

„Nein, nein, rief der Feldmarschall, wir sind keine Räuber, sondern nur arme, fast verhungerte Soldaten, die seit 14 Tagen nicht mehr gesättigt waren. Da hast Du 100 Dukaten für Deine beiden Ochsen, aber nenne die Russen keine Räuber. Gott wird unser Aller Richter sein, seine grenzenlose Güte schenkt uns Gnade." Damit umarmte der Feldmarschall den ebenso erstaunten, wie erfreuten Bauer.

. Als wir erst hinter Chur in die Ebene kamen, hörten unsere unerhörten Strapazen allmählich auf. Wir marschirten nun zuerst nach Lindau, und nahmen dann

Erholungsquartiere in den reichen Gegenden zwischen
Iller und Lech. Unser Heer war der größten Ruhe bedürftig, denn es litt an Allem Mangel und war für
den Augenblick kaum noch kampftüchtig. Wohl an **28,000**
Mann so brave und tüchtige Soldaten, wie nur je der
Russischen Fahne folgten, hatten während dieses Feldzuges in Italien und der Schweiz den Heldentod gefunden. Unsterblichen Ruhm hatte sich Suworow und
sein treues und muthiges Heer erkämpft, der legitimen
Sache dieser Feldzug aber wieder keinen bleibenden Nutzen
verschafft. Es war dies ein trauriges, unbeschreiblich
bitteres Gefühl nicht allein für mich, sondern für alle
wahren Anhänger des Princips der Legitimität.

Sechstes Capitel.

Rückmarsch des Russischen Heeres. Austritt aus dem-
selben. Gerührter Abschied von dem Feldmarschall
Suworow. Seine richtige Beurtheilung der Zu-
kunft. Gescheiterte Aussicht auf eine abermalige
Erhebung der Vendée. Eintritt als Ordonnanz-
Officier bei dem Österreichischen General Baron
Melas in Italien. Verderbliche Täuschung des
Hofkriegsraths in Wien und des Baron Melas.
Schlechte Aufstellung des Österreichischen Heeres.
Übergang Bonaparte's über die Alpen. Gefechte
bei Piacenza und Montebello. Entscheidungsschlacht
bei Marengo. Schwere Verwundung in derselben.
Herstellung in Botzen. Kämpfe an der Etsch und
dem Mincio. Friede von Lüneville.

Wie ich es längst befürchtet hatte, so geschah es jetzt;
der erzürnte Suworow verweigerte ganz entschieden,
je wieder Befehle von Wien aus anzunehmen und der
Kaiser Paul rief bald darauf sein ganzes Heer nach
Rußland zurück und gab den Kampf gegen die Franzö-

fifche Republik auf. Ich will hier keine politischen Be=
trachtungen niederschreiben, sondern ganz einfach meine
Erfahrungen mittheilen und somit auch die Gründe, die
den Kaiser von Rußland zu diesem Schritte bewogen ha=
ben, unerörtert lassen. Daß Rußland von seinen Bun=
desgenossen, sowohl England wie Österreich, vielfach treu=
los behandelt und in Stich gelassen war, konnte nicht
geläugnet werden.

Ich begleitete den Feldmarschall Suworow bis
Prag, denn ich hegte noch die leise Hoffnung, der Kai=
ser Paul möge sich am Ende doch noch zur Fortsetzung
des Kampfes bewegen lassen. Als das Heer aber sich
wirklich von Prag aus zum Rückmarsch nach Polen an=
schickte, bat ich um meine Entlassung aus dem Russi=
schen Dienst, die mir auch alsbald mit einem für mich
höchst ehrenvollen Abschied, dem ein Ordenskreuz beige=
fügt war, bewilligt wurde. Man hatte mir das Aner=
bieten gemacht, definitiv in Russische Dienste einzutreten,
doch schlug ich dies aus. Ich wollte gegen die Revolu=
tion fechten, so lange mir dies möglich war, aber kein
Friedensofficier in irgend einer Russischen Garnison sein.
Außer im Kriege und dann unter Suworow's Befehl,
möchte ich nimmermehr Officier in der Russischen Armee,
wenigstens wie solche auch noch 1814 war, sein. Die
Behandlung, die man nur zu häufig dem Subaltern=
Officier angedeihen läßt, würde mein Ehrgefühl stark be=

leibigen und auch das rohe, brutale Benehmen mancher
Officiere mich hindern, in der guten Kameradschaft, wie
solche in jedem tüchtigen Officiercorps dringend erforder=
lich ist, mit ihnen zu leben. Um im Gardecorps mit
Annehmlichkeit zu dienen, bedarf es aber bedeutender pe=
cuniärer Mittel und auch selbst dann würde mir das
frivol=üppige Benehmen und der hochmüthige Stolz man=
cher Officiere desselben nicht sonderlich behagen.

Der Abschied von dem Feldmarschall Suworow
war für mich wehmüthig. Gar oft hatte er mich zwar
auf das Empfindlichste verletzt und mir Sachen gesagt,
die mir die Röthe des Zorns und der Beschämung zu=
gleich in das Gesicht jagten und mein Blut in Wallung
brachten, und doch ehrte und achtete ich diesen alten
wunderlichen und dabei doch wieder so großartigen Mann
in hohem Grade.

Der Feldmarschall frug um meine weiteren Pläne
und ich sagte ihm, daß ich mich bemühen würde, wieder
als Officier, und ginge dies nicht, sogar als Gemeiner
in die Österreichische Armee einzutreten, um fort und
fort gegen das Princip der Revolution in Frankreich zu
kämpfen. Da legte er mir seine beiden mageren Hände
auf die Schultern, sah mich mit seinen blitzenden Au=
gen eine Weile an, und sprach dann mit ungemeiner
Herzlichkeit in seiner Stimme, wie ich solche nur äußerst
selten von ihm bisher gehört hatte: „Junger Freund,

Sie thun Recht, denn Gottesfurcht ist aller Weisheit Anfang. Helfen wird es Ihnen aber nicht, denn diese Coalition, wie sie jetzt beschaffen ist, besiegt Frankreich nun und nimmermehr. Will man mit den Franzosen Krieg führen, so muß dies mit voller Energie und Aufbietung aller irgend verfügbaren Mittel geschehen, sonst bringt solcher Krieg denen, die ihn führen, nur Schaden, großen Schaden, aber keine Vortheile. Diese Thugut's und Cobenzl's und wie diese Herren in Wien weiter heißen, haben aber keinen Funken von Energie, sondern nur nichtsnutzige Intriguen in ihren leeren Köpfen, und so brav die Österreichischen Truppen sich auch im Einzelnen schlagen, im Ganzen wird die Französische Republik doch siegen. Ich fürchte, Sie werden noch manche Jahre vergebens kämpfen müssen, bis Sie Ihren legitimen Herrn wieder in Paris einziehen sehen. Denken Sie nur an den alten Suworow, der dies nicht mehr erleben wird." Dabei umarmte er mich herzlich und küßte mich nach seiner Gewohnheit. Gerührt schied ich von ihm. Wie tausendfach sind mir diese wahrhaft prophetischen Worte des großen Feldherrn in späteren Jahren noch in das Gedächtniß zurückgerufen worden!

Wellington, der Erzherzog Carl und Suworow waren unbedingt die drei größten Feldherren, unter denen ich zu dienen die Ehre hatte. Ehre sei dem Andenken dieser drei Männer.

Der Abschied von manchen Kameraden des Russischen Heeres war mir ebenfalls schmerzlich. Ich hatte viele wahrhaft ritterliche Officiere unter denselben gefunden, an die ein zehnmonatliches Feldleben mit allen seinen Freuden und Leiden mich festgekettet. Viele davon ruh= ten damals schon in Italien und der Schweiz. Man= chen konnte ich aber noch recht herzlich die Hand drücken, und Einzelnen bin ich noch später während meines viel= bewegten Lebens wieder begegnet. Es war uns dann stets eine Freude, uns wiederzusehen und in die Erinne= rung die glorreichen Thaten dieses ewig denkwürdigen Feldzuges des Russischen Heeres in Italien und der Schweiz zurückzurufen. Jetzt, wo ich diese Zeilen schreibe (Frühling 1841), dürften nur wenige dieser alten Ve= teranen noch am Leben sein.

Meinem Herrn und Könige Ludwig XVIII., der damals in Warschau residirte, hatte ich meinen Entschluß, wo möglich wieder als Officier in Österreichische Dienste einzutreten, gemeldet und um seine Genehmigung gebe= ten. In einem sehr huldvollen Handschreiben ertheilte mein edler Monarch mir solche gnädigst. Ende Januar verließ ich Prag und fuhr auf den damals sehr schlech= ten Postwagen nach Donaueschingen, wo der Erzherzog Carl sein Hauptquartier hatte. Diesen hochherzigen Feld= herrn, der mir früher schon wiederholt Beweise seiner huldvollen Gewogenheit gegeben hatte, wollte ich um

die Erlaubniß, im Österreichischen Heere fernerhin käm=
pfen zu dürfen, ersuchen. Leider legte bald nach meiner
Ankunft der Erzherzog den Oberbefehl über das Heer
in Deutschland nieder, was ein größerer Verlust, als
der einer verlorenen Schlacht, für ganz Österreich war.
Es ward zwar öffentlich der geschwächte Gesundheitszu=
stand des Erzherzogs als Grund dieses Abganges ange=
geben, doch war es allgemein bekannt, daß Zerwürfnisse
mit Thugut und den anderen damals in Wien sehr
mächtigen Herren, solchen allein herbeigeführt hatten.
Mehr als die ärgsten Jacobiner hat die Unfähigkeit und
Ränkelust dieser damaligen Leiter der Geschäfte in Wien
dem monarchischen Princip in Europa geschadet. Ich
gestehe offen, daß ich bei der Nachricht von dem Rück=
tritt des Erzherzogs Carl sehr die Absicht hegte, von
meinem Plan, in Österreichische Dienste zu treten, abzu=
stehen. Ich wußte nur nicht, wo ich sonst Gelegenheit
finden sollte, gegen das revolutionäre Princip in Frank=
reich zu fechten. Es waren zwar von den Engländern
Emigrantencorps errichtet worden, die größtentheils zu
Feindseligkeiten gegen Neapel verwandt wurden, und man
hatte mir hier eine Compagnie angeboten. Meine bei
der Landung von Quiberon und später auf der Insel
Dieu gemachten Erfahrungen flößten mir aber eine große
Abneigung sowohl gegen diese Corps, in denen die ge=
meine Mannschaft größtentheils aus undisciplinirtem, zu=

sammengelaufenem Gesindel bestand, als auch gegen den Englischen Dienst überhaupt, ein. Es gab keine mir bekannte Armee, in der ich persönlich so gern diente, als in der des Kaisers von Österreich und kein Subaltern-Officiercorps sagte mir so zu, als das Österreichische.

Die Österreichische Armee in Italien befehligte damals der Baron Melas, ein zwar sehr tüchtiger, leider aber nur zu bejahrter Mann, mit dem ich während meiner Dienstleistungen beim Feldmarschall Suworow längere Zeit in tägliche Berührung gekommen war. Ich schrieb an diesen Ehrenmann, theilte ihm meinen Wunsch mit und bat um seine Verwendung und Erlaubniß, die er mir auch sehr huldvoll gewährte. Durch seine Vermittelung erhielt ich Ende März 1800 vom Hofkriegsrath in Wien die Genehmigung, vorläufig als Volontair-Officier im Hauptquartier von Melas den Krieg in Italien mitmachen zu dürfen. So lange ich im Dienst war, erhielt ich alle Gebühren eines Hauptmanns zweiter Classe, hatte aber weiter kein Anrecht auf Versorgung. Meinen sehr bescheidenen Ansprüchen genügte dies, ich wollte ja nur kämpfen, nicht avanciren oder gar Geld verdienen, und so begab ich mich denn durch Vorarlberg und Thyrol über Botzen in das Österreichische Hauptquartier in Italien. Ich ward bei dieser Reise schon zur Bedeckung eines Pulvertransports verwendet, was mir den Vortheil freier Fortschaffung und Verpfle-

gung brachte; bei meiner sehr geschwächten Casse nicht
ohne Wichtigkeit für mich. So trug ich denn abermals
das Officierportepée des Kaisers von Österreich, um sol=
ches, während der nächsten neun Jahre nicht wieder ab=
zulegen. Verweigerte mir ein hartes Schicksal die Gunst,
gerade während meiner kräftigsten Lebenszeit die Uni=
form eines Französischen Officiers tragen zu dürfen, dann
war mir die eines Österreichischen die liebste.

Bevor ich übrigens mich entschloß, wieder in das
Österreichische Heer einzutreten, hatte ich sorgfältige Er=
kundigungen eingezogen, ob der neuerdings wieder in der
Vendée und Bretagne entflammte Aufstand gegen die re=
publikanische Gewaltherrschaft wohl einige Hoffnung zu
günstigem Erfolge haben könnte. Wäre dies der Fall
gewesen, so hätte ich natürlich keinen Augenblick gezö=
gert, mich in diese Gegenden zu begeben, um hier auf
dem altbekannten Terrain den rechtmäßigen Kampf für
meinen Königlichen Herrn fortzusetzen. Im Herbst 1799
waren vielfach wieder einzelne Kämpfe zwischen den Re=
publikanern und den alten tapferen Royalisten dieser
treuen Gegenden vorgefallen, und es konnte fast den An=
schein haben, als ob der Krieg hier eine Bedeutung er=
langen würde. Zwei alte, bewährte Männer aus der
Vendée und Bretagne, auf deren Zuverlässigkeit wie rich=
tiges Urtheil ich mich unbedingt verlassen konnte, rie=
then mir aber entschieden ab, zu kommen, da der Kampf

keine Aussicht auf ein glückliches Gelingen haben könne
und werde. Der Kern der Bevölkerung dort sei entwe=
der gefallen oder des Kampfes, der bisher unerhörte
Opfer gefordert hatte, müde und sehne sich wenigstens
für die nächsten Jahre nach Ruhe. Hatte man 1793 bis
1795 keine dauernden Erfolge erzwingen können, so war
dies leider 1799 — 1800 noch weniger möglich. Als
Bandenführer der Chouans wieder ein Räuberleben zu
führen, ohne das Gefühl zu haben, der Sache meines
Königs einen Nutzen dadurch zu gewähren, fühlte ich
keine Neigung. Es lief bei der Chouanerie zu Vieles
mit dazwischen, was meinem militairischen Gefühle wi=
derstrebte, und man mußte manches dulden, was man
gern verhindert hätte, wenn dies möglich gewesen wäre.

Der Ausgang dieser letzten Anfänge zu neuen Käm=
pfen in der Vendée und Bretagne bewies die vollkom=
mene Nichtigkeit des Urtheils meiner Freunde. Es kam
nichts Wesentliches dabei mehr heraus, und zumal seit
Napoleon das unfähige Directorium abgesetzt und sich
zum ersten Consul der Republik gemacht hatte, unterwar=
fen sich fast alle Häuptlinge der Vendée im Gefühl ihrer
Ohnmacht. Daß in Napoleon der gefährlichste Feind
der Wiederherstellung der Legitimität in Frankreich er=
kannt werden mußte, ward allen Einsichtsvollen allmäh=
lich immer klarer. Es gab zwar noch immer Menschen,
die in dem Wahn beharrten, dieser ausgezeichnete Feld=

herr zermalme die Demokratie in Frankreich nur, um
alsdann das Land gereinigt den Bourbons zurückgeben
zu können; allein solch' schöner, aber leider nur zu trü=
gerischer Wahn mußte immer mehr schwinden. Ich habe
ihn niemals getheilt, sondern im Gegentheil von dem
Augenblick an, wo Bonaparte die öffentliche Aufmerk=
samkeit auf sich zu lenken begann, diesen Mann als den
gefährlichsten Usurpator bitter gehaßt. Seinen glänzen=
den militairischen Fähigkeiten lasse ich stets die vollste
Gerechtigkeit wiederfahren und bedaure aufrichtig, daß
mir das Schicksal nicht vergönnte, unter einem so groß=
artigen Feldherrn fechten zu dürfen; sonst ist es meine
Pflicht als strenger Legitimist, ihn zu hassen. Daß so
viele Deutsche, ja selbst Europäische Fürsten schwach ge=
nug waren, dem Usurpator Bonaparte großartige
Huldigungen darzubringen, hat dem Princip der Legiti=
mität in Europa Wunden geschlagen, von denen es sich
— wie ich nur zu sehr fürchte — niemals wieder ganz
erholen wird.

Ein Mann wie Bonaparte war der Legitimität un=
gleich gefährlicher, als Danton, Robespierre und die
übrigen Blutmenschen. Einzig und allein die Erinnerung an
den Bonapartismus und die vielen Soldaten des Bona=
parte'schen Heeres haben 1830 die schmachvolle Juli=
Revolution herbeigeführt; der elende Lafayette mit sei=
ner liberalen Pariser Bourgeoisie wäre wahrlich nicht im

Stande gewesen, die Macht des legitimen Königsthums zu erschüttern.

Der Baron Melas, bei dem ich mich in den ersten Tagen des Mai's 1800 meldete, empfing mich mit der unbefangenen Höflichkeit, welche die Österreichische Aristokratie so sehr auszeichnet. Auch meine neuen Kameraden, unter denen die meisten mir schon von früheren Feldzügen her persönlich bekannt waren, nahmen mich auf das Herzlichste auf, und das wohlthuende Gefühl, wieder dem ritterlichen Österreichischen Officiercorps anzugehören, erfreute mich auf's Neue. So angenehm auch in dieser Hinsicht meine persönlichen Verhältnisse waren, so konnte ich doch nicht ohne gerechte Besorgnisse auf den Ausgang des Krieges blicken. Unser Befehlshaber, Baron Melas, so sehr ich ihn als Mensch und Soldat achtete, war als Feldherr einem Bonaparte doch lange nicht gewachsen. Die Gebrechen des hohen Alters stellten sich schon bei ihm ein; er war ängstlich, oft ungemein mißtrauisch, dann aber wieder zu sorglos und leichtgläubig, und schwankte daher zwischen den verschiedensten Plänen hin und her. Dazu kam, daß er den unheilvollen Wiener Einflüssen nur zu viel Beachtung schenkte, ja als abhängiger Österreichischer Feldherr auch wohl schenken mußte. Was der Hofkriegsrath in Wien auf viele hundert Stunden Entfernung vorschrieb, das galt dem Baron Melas als etwas Unverletzliches, was

11*

er ſtreng befolgte, wenn ihm auch ſeine eigene Vernunft
bei nur einigem Nachdenken das Unrichtige dieſer An=
ordnungen ſagen mußte. In den höheren Stellen des
Heeres befanden ſich einige gänzlich unfähige Officiere,
die mehr ihrer Geburt oder Protection, wie ihren Ver=
dienſten dieſe wichtigen Poſten verdankten, und leider
gab der alte Feldzeugmeiſter oft ihren unheilvollen Rath=
ſchlägen Gehör. Auch ſein Anſehen bei mehreren Be=
fehlshabern der einzelnen Corps war nicht groß genug,
und manche dieſer Herren horchten mehr nach Wien hin,
als auf die Befehle ihres Oberfeldherrn. Es fehlte die
kräftige Energie Suworow's, der ſeine Untergenerale
dahin gebracht hatte, ſeinen Befehlen für den Augenblick
zu gehorchen, mochten ſie ihn auch noch ſo ſehr haſſen.

Auf ſolche Weiſe konnte man wohl noch einen Geg=
ner, wie den unfähigen republikaniſchen General Schee=
rer, beſiegen, nun und nimmermehr aber einen Bona=
parte. Das Heer in Italien ſchien dies ſelbſt zu füh=
len, denn es war zwar muthig, wie Öſterreichiſche Truppen
ſtets geweſen ſind, und auch ſicherlich für alle Zeiten
bleiben werden; aber nicht von dem Vertrauen auf Er=
langung des Sieges begeiſtert, was den Sieg ſelbſt
ſtets zu ſichern pflegt.

Unſer Operationsplan, der, wie man mir ſagte,
von Wien aus vorgeſchrieben ſein ſollte, war der un=
günſtigſte, der nur erfunden werden konnte. Wir hat=

ten uns aufgestellt, als sollten wir gegen einen Feind
fechten, der einen methodischen, vielleicht von irgend ei=
nem Wiener Hoffriegsrath an seinem grünen Tische aus=
gearbeiteten Plan langsam ausführte, aber nicht gegen
einen Bonaparte, den Feldherrn der größten Genia=
lität und kühnsten Energie. Unser Heer stand in Sar=
dinien unnütz zersplittert, theils mit der Belagerung von
Genua, welches Massena mit gewohnter Energie ver=
theidigte, theils mit den Angriffen auf die befestigte
Brücke über den Var beschäftigt. Daß uns der Feind
von der Seite, auf der wir es am Wenigsten erwarten
konnten, nämlich von den Alpen her, angreifen würde,
wollte dem Wiener Hoffriegsrathe gar nicht einleuchten.
Zwar ward immer mehr bekannt, daß Bonaparte bei
Dijon ein bedeutendes Corps sammle, allein der Hof=
friegsrath beharrte nun einmal in dem Wahn, es sei
dort nur ein Rekruten=Depot, was uns nicht im Min=
desten gefährlich sein würde. Bonaparte war schlau
genug, diesen Wahn auf alle Weise zu bestärken. Er
ließ heimlich spöttische Bemerkungen über dies Corps in
Dijon in Deutsche und Italienische Zeitungen einrücken,
ja selbst Carricaturen darüber zeichnen und verbreiten.
Als eine Sammlung tölpelhafter Rekruten, welche die
ersten Handgriffe mit dem Gewehr noch nicht kannten,
oder krüppelhafter Invaliden mit Stelzfüßen und Krücken,
wurde dies Dijoner Corps hierin dargestellt. Ich ent=

sinne mich noch, daß der Befehlshaber desselben als ein
alter Invalide ohne Beine, der auf einem Rollstuhl
mühselig von einem halbverhungerten Esel fortgeschleppt
wurde, auf einem Blatte dieser Carricaturen sehr gelungen abgebildet war. Die gänzliche Erschöpfung Frankreichs sowohl an gesunden und tüchtigen Soldaten, wie
an brauchbaren Reit- und Zugpferden, sollte dadurch
dargestellt werden. Solche absichtlich verbreitete Carricaturen circulirten vielfach im Österreichischen Heer und
wurden stark belacht. Dies hätte nun weiter nichts geschadet; leider glaubte aber ein großer Theil der Officiere auch an die Wahrheit derselben und in gewissen
Kreisen war es förmlich Mode geworden, über dies sogenannte Dijoner Lager zu spotten und es auf alle
Weise herabzusetzen. Wie bald sollte dies bestraft werden!

Als in der zweiten Hälfte des Mai's von allen Seiten die Nachrichten sich mehrten, daß die Franzosen die
Alpen überschreiten würden, wurde der Feldzeugmeister
Melas, trotz der täglich von Wien aus eintreffenden
Versicherungen vom Gegentheil, doch bedenklich. Er sandte
mehrere Officiere, unter denen auch ich mich befand,
nach den verschiedenen Alpenpässen aus, um genaue Recognoscirungen anzustellen; eine Maßregel, die er nur
schon vor Wochen hätte ausführen sollen. Was sowohl
ich, wie auch meine anderen Kameraden sahen und schleu-
nigst meldeten, mußte den Baron Melas die Gefähr-

lichkeit seiner Stellung immer klarer erkennen lassen. Er
sträubte sich dennoch auch jetzt noch lange, solche in ih=
rem ganzen Umfange zu erkennen. Wir melbeten zwar
übereinstimmend, daß über die verschiebenen Pässe, wie
den St. Gotthard, den großen Bernhard und den Mont
Cenis zahlreiche Französische Truppen marschirten, aber
mit einer mir unbegreiflichen Hartnäckigkeit bestand man
im Österreichischen Hauptquartier noch immer darauf,
daß bies nur einzelne Streifcorps ohne Geschütz und
Heeresgeräth wären. Man glaubte irrthümlicher Weise,
biese Corps hätten nur ben Zweck, die Österreichische
Hauptmacht von der Belagerung von Genua und ber
Überschreitung der Var=Brücke abzuhalten und konnte
sich nicht entschließen, anzunehmen, baß Bonaparte
gerade von den Alpen her ben Hauptschlag führen werde.
Ich wagte mich bis in bie mir so wohlbekannten Thä=
ler bes St. Gotthard's, und Alles, was ich hier sah
und hörte, überzeugte mich immer mehr, baß Bona=
parte ein sehr starkes Heer über die Alpen marschiren
lasse. Ich melbete täglich meine Wahrnehmungen in
unser Hauptquartier, allein man hielt solche für über=
trieben und schenkte ihnen nicht große Beachtung.

Bei biesen Recognoscirungen sah ich viele Gräber
meiner früheren Russischen Kameraden und gar traurige
Erinnerungen wurden baburch wieder bei mir erweckt.
Die Anhänger Bonaparte's haben biesen Alpenüber=

gang als das kühnste Wagniß gepriesen, und auf alle
mögliche Weise zu verherrlichen gesucht, und hiebei sehr
häufig die Grenzen der Wahrheit weit überschritten. In
rein strategischer Hinsicht ist dieser Plan auch ein Mei=
sterstück und eines Feldherrn, wie Bonaparte, wür=
dig, wie auch alle dazu getroffenen Vorbereitungen un=
übertrefflich waren. In Allem waren die Anstalten
ebenso trefflich erdacht, wie sorgfältig ausgeführt, und
auch hierin zeigte Napoleon seine glänzenden Talente
und die unerhörte Arbeitskraft, die ihn zum ersten Sol=
daten vieler Jahrhunderte erhoben. Was aber die
Schwierigkeiten, welche die einzelnen Colonnen zu be=
stehen hatten, anbelangt, so waren diese zwar groß,
aber nicht übermäßig, und sind von vielen Französischen
Schriftstellern weit überschätzt worden. Der Marsch Su=
worow's über den St. Gotthard, und gar über den
Flimser in Graubünden, war für das Heer selbst un=
gleich beschwerlicher und gefährlicher und erforderte bei
seiner Ausführung eine weit größere Energie. Bona=
parte hatte sich Monate lang vorher zu diesem Alpen=
übergang rüsten können, Suworow mußte ihn, von
der Nothwendigkeit gedrängt, auf der Stelle unter=
nehmen. Ersterem standen die reichen Hülfsmittel des
ganzen mittäglichen Frankreichs, die Arsenale von Lyon,
Dijon, Grenoble, ja selbst Straßburg zur freien Ver=
fügung, Letzterer hatte gar keine Hülfsquellen, sondern

mußte ohne Weiteres fortmarschiren. Die Franzosen konnten den Übergang mit aller Gemächlichkeit ausführren und kein Feind beunruhigte sie dabei; wir hingegen mußten uns fast unaufhörlich, oft auf den gefährlichsten Stellen, schlagen, und muthige und geschickte Feinde zuvor vertreiben, bis wir die Pässe überschreiten konnten. Die Französischen Truppen kamen zudem aus einem bequemen Lager und waren wohlausgeruht und gerüstet, die Russen hingegen aus einem sehr angestrengten blutigen Feldzuge, in dem die Hälfte des Heeres schon gefallen war. Vergleicht man diese beiderseitigen Verhältnisse, so wird man, was die Energie in der Ausführung dieser Alpenübergänge anbelangt, unbedingt Suworow und seinen Russen den Vorzug einräumen müssen.

Die Französischen Truppen, von kühnen Generalen geführt, ergossen sich gleich reißenden Bergströmen schon aus den verschiedenen Alpenpässen in die Ebene, als man im Österreichischen Hauptquartier endlich einzusehen anfing, daß man sich einer gewaltigen Täuschung hingegeben und die Gefahr weit unterschätzt hätte.

Die klugen Herren in Wien freilich, die Alles besser wissen wollten, meldeten noch immer an Melas, er möge sich nicht irreführen lassen, es sei dies Alles nur eine Scheindemonstration. An demselben Tage, wo der General Bonaparte unter dem Jubel des bethörten Volkes in Mailand seinen Einzug hielt, kam noch eine

Depesche des überklugen Hoftriegsraths in unser Haupt=
quartier, mit der bestimmten Nachricht, man habe durch
sichere Kundschafter in Erfahrung gebracht, Bonaparte
weile noch in Grenoble und werde von der Provence
aus den Hauptangriff gegen unser Heer beginnen. Ein
alter Österreichischer Oberst, der sein ganzes Leben lang
fast nur von diesem Hoftriegsrath zu verschiedenen Ar=
beiten benutzt worden war, schenkte dieser Depesche auch
jetzt noch den vollsten Glauben. Er setzte mir sehr weit=
läuftig auseinander, der Hoftriegsrath könne niemals
irren, und die Franzosen hätten in Mailand nur eine
schlau ausgedachte Maskerade getrieben und einen ver=
kleideten Bonaparte statt des echten, der noch in
Frankreich weile, einziehen lassen.

Leider sollten wir bald durch eine Reihe der trefflichst
angelegten und pünktlichst ausgeführten Manöver zu un=
serem größten Schaden erfahren, daß wir den wirklich
echten Bonaparte uns gegenüberstehen hatten. Zwar
war unterdeß Genua nach einer sehr hartnäckigen Bela=
gerung, bei der beide Theile mit großer Tapferkeit ge=
fochten hatten, durch Capitulation in unsere Hände ge=
fallen, was als ein großer Vortheil angesehen werden
mußte. Wir hatten dadurch die Truppen des Feldmar=
schall=Lieutenants Ott, die vor Genua gestanden, wieder
zur freien Disposition, und so hätte es trotz der schäd=
lichen Zersplitterung seiner einzelnen Corps, dem Baron

Melas doch noch gelingen können, einige **60,000** Mann zu vereinigen. Jetzt flogen die Abjutanten unaufhörlich nach allen Seiten umher, um die einzelnen kleinen Corps zusammenzubringen; allein es war theilweise zu spät damit. Große Schnelligkeit lag überhaupt nicht in dem Wesen der damaligen Österreichischen Heeresorganisation, und ein Bonaparte war schneller und energischer als ein Melas, selbst nachdem Letzterer seine bisherigen Fehler vollständig erkannt hatte. Wir hatten jetzt zwei Sammelplätze für unsere verschiedenen Truppen, nämlich Alessandria für alle Corps, welche bisher im oberen Piemont standen, Piacenza für alle anderen. Auf den Besitz des letzten Ortes kam sehr viel an, das erkannte jetzt sowohl der Österreichische wie Französische Generalstab, und Jeder bestrebte sich, dem Anderen darin zuvorzukommen. Vorläufig hatten wir zwar noch eine schwache Besatzung daselbst, aber diese war nicht stark genug, dem Französischen Corps, welches unter dem bekannten General Murat dahin eilte, auf die Länge Widerstand zu bieten.

Ich befand mich gerade mit Aufträgen bei dem Cavallerie = Corps des Feldmarschall = Lieutenants Oreilly, als ich am 7. Juni in diesem Feldzuge zuerst Gelegenheit hatte, mit den verhaßten Feinden in das Gefecht zu kommen. Ich freute mich ungemein hierauf, denn ich hatte es schon bedauert, daß ich noch immer mit

Depeschen hin = und herjagen mußte, während unsere einzelnen Corps schon wiederholt sich tüchtig herumschlugen.

Wie es immer der Fall sein wird, wenn sie nur eine einigermaßen gute Anführung hat, so schlug sich die Österreichische Reiterei an diesem Tage wieder vortrefflich und zeigte sich der Französischen überlegen. Es war mir bei Piacenza ein wohlbekanntes Terrain, denn noch im vorigen Jahre hatte ich als Russischer Officier hier tüchtig gefochten. Da ich den Ausgang des Kampfes abwarten sollte, um dann erst wieder dem Baron Me= las Depeschen zu überbringen und nicht gern ein bloßer Zuschauer bleiben wollte, so bat ich den Feldmarschall= Lieutenant Oreilly, mich einem einhauenden Regimente anschließen zu dürfen.

„Sind Sie denn gar so begierig nach Franzosen= blut?“ frug mich der Feldmarschall=Lieutenant bei die= ser Bitte.

„Die Republikaner dort haben mir Eltern und Ge= schwister ermordet und mein ganzes Erbenglück für im= mer vernichtet, und ich habe darum ein Gelübde gethan, jedwede Gelegenheit, wo ich gegen sie kämpfen kann, zu benutzen“, antwortete ich.

„Dann begreife ich Ihren Haß, und so hauen Sie denn nur immer mit drein und schonen Ihre Klinge nicht“, lautete seine Antwort. Das that ich denn auch nach besten Kräften und es war mir eine wahre Freude,

an der Seite Österreichischer Reiter meine schwere Pal=
laschklinge auf diese Republikaner darniedersausen zu las=
sen. Die Russische Armee ist gewiß trefflich und ihre
Infanterie bewährt in allen Verhältnissen die musterhaf=
teste Standhaftigkeit; eine recht kühne Attaque habe ich
aber Russische Reiterei niemals ausführen sehen. Das
verstanden die Ungarischen Husaren und einige altbe=
währte andere Reiter=Regimenter des Kaisers von Öster=
reich und dann auch mehrere Cavallerie=Regimenter der
Englisch=Deutschen Legion in den Spanischen Feldzügen
am Besten, wie ich auch 1792 einmal ein Preußisches
Husaren=Regiment vortrefflich attaquiren sah. Mir
altem Greis pocht jetzt noch das Herz in rascheren Schlä=
gen, wenn ich mir die Erinnerung an diese schönen Reiter=
Attaquen, an denen ich wiederholt theilnehmen konnte,
so recht in das Gedächtniß zurückrufe.

Piacenza konnten wir mit unserer Cavallerie nun
zwar gegen das weit überlegene Corps Murat's nicht
halten, sonst aber schlugen wir die Feinde zurück, bahn=
ten uns einen Weg und retteten einen großen Artillerie=
Park, der nahe daran war, in feindliche Gewalt zu ge=
rathen. So konnte der Feldmarschall=Lieutenant Oreilly
mit dem, was er an diesem Tage geleistet hatte, schon
zufrieden sein.

Die meisterhaften strategischen Operationen des Ge=
nerals Bonaparte waren inzwischen leider von einem

sehr günstigen Erfolge gekrönt worden; er hatte sich der
ganzen Po = Linie bemächtigt, und uns in immer engerem
Kreise von allen Seiten eingeschlossen.

Ein sehr energischer Feldherr wie Suworow hätte
wahrscheinlich jetzt den Plan gefaßt, über Tortona und
Novi ins Trebbia = Thal einzubringen, bei Parma den
Übergang über den Po zu forciren und so Mantua zu
erreichen. Die besseren Köpfe in unserem Hauptquartier
wünschten dies dringend, und unser guter Baron Me =
las hatte auch schon einmal den Entschluß hiezu gefaßt.
Leider ließ sein Schwanken und Zaudern solchen nicht
zur Ausführung kommen, und es war sichtbar, daß jetzt,
wo die Schwierigkeiten sich täglich, ja stündlich häuften,
der Obergeneral den Kopf immer mehr verlor.

Am 9. Juni kam es abermals bei Montebello zu
einem sehr heftigen Gefecht, in dem unsere Truppen nach
einer hartnäckigen und blutigen Gegenwehr, die fast den
ganzen Tag anhielt, endlich doch zurückgedrängt wurden.
Ich selbst hatte keine Gelegenheit, an diesem Kampfe
theilzunehmen, weiß aber, daß der Eindruck von dem
ungünstigen Ausgang desselben im Allgemeinen auf un =
sere Truppen ein sehr niederschlagender war. Trotz mei =
ner gedrückten Stimmung konnte ich mich nicht enthal =
ten, jenen alten Obersten, der früher behauptete, es sei
nur ein verkleideter Bonaparte in Mailand eingezogen,
zu fragen, ob er nun glaube, daß es der echte gewesen

sei. „Der Schlauterl ist doch halt a Pfiffikus; wer hät's glauben sollen, daß er sogar schlauer als unser Hofkriegsrath in Wien sein würde", antwortete dieser etwas beschämt. Der brave, aber geistig sehr beschränkte Mann starb bald darauf bei Marengo den Heldentod.

Das Netz war jetzt immer enger und kunstreicher um uns zusammengezogen und die Entscheidungsschlacht mußte bald folgen, dies fühlten wir Alle. Freudig und begeistert war zwar die Stimmung unserer Truppen nicht, aber doch ruhig und pflichtbewußt, und Alle waren entschlossen, tapfer zu kämpfen, um, wenn der Sieg nicht errungen werden konnte, doch den altbewährten Waffenruhm, dies köstlichste Kleinod jedes Heeres, zu bewahren. Wie bei jeglicher Gelegenheit, hat die Österreichische Armee dies auch wieder in der berühmten Schlacht bei Marengo vollständig gethan.

Baron Melas, kein großer Stratege, aber ein braver Soldat, entschloß sich endlich, die entscheidende Schlacht zu liefern. Die unheilvollen Zersplitterungen des Heeres und die oft wirklich unentschuldbare Langsamkeit in der Herbeiziehung desselben, hatten unser Hauptcorps so geschwächt, daß Melas höchstens 38,000 Mann unter den Waffen am Schlachttage vereinigen konnte. Es waren aber lauter Kerntruppen, bewährt und tüchtig, und besonders zeigte sich unsere zahlreiche Cavallerie vortrefflich und der republikanischen an Ausbildung weit überlegen. Die Artillerie war zahlreich und schoß sicher, konnte aber in der Schnelligkeit ihrer Bewegungen und in der geschickten Benutzung des Terrains, der Französischen nicht gleich gestellt werden.

Mit einem solchen Heere läßt sich bei energischer Leitung ein Schlag wagen und wir brauchten deshalb noch nicht die Hoffnung auf den Sieg aufzugeben, wenngleich wir schon viele Vortheile verloren hatten. Der Entschluß, eine Hauptschlacht zu wagen, um uns den Weg nach Mantua zu bahnen, erregte im ganzen Heer allgemeine Freude. — Ich selbst war vor Kampfeslust und Erwartung ungemein aufgeregt, wozu der Gedanke, daß ich jetzt zum ersten Mal gegen den berühmten und von mir so bitter gehaßten Bonaparte kämpfen sollte, viel beitrug.

Wäre der Baron Melas schneller gewesen, so hätten wir schon am 13., statt wie jetzt am 14. Juni die Schlacht liefern können, und ich glaube, der Vortheil davon wäre für uns nicht gering gewesen. Diese entsetzliche Langsamkeit in allen Bewegungen, der Fluch des Österreichischen Heeres jener Zeit, raubte uns aber auch hier wieder einen kostbaren Tag.

Die Nacht vom 13. auf den 14. Juni brachte ich größtentheils im Sattel zu, um den verschiedenen Corps Befehle zu überbringen. Die Stimmung der Mannschaft war gut, wenn auch nicht enthusiastisch. Alle sahen ein, daß eine Entscheidungsschlacht unumgänglich nothwendig

sei und wollten sich lieber muthig schlagen, als unrühm=
lich die Waffen strecken.

„Sagen Sie nur Seiner Excellenz, auf uns könne
er sicher zählen", riefen mir noch die Grenadiere eines
früheren Wallonischen Grenadier = Bataillons nach, denen
ich einen Befehl überbracht hatte.

Der Feldmarschall = Lieutenant O reilly ging noch
bei Tagesgrauen über die eine Brücke der Bormida, und
die Truppen seiner Division eröffneten zuerst den wirkli=
chen Kampf, nachdem die Vorposten schon die ganze Nacht
hindurch mit einander herumgeplänkelt hatten. So vie=
len Schlachten ich in meinem Leben beiwohnte, so mach=
ten doch die ersten Kanonenschüsse, die ich bei dem Be=
ginn eines Kampfes hörte, stets einen ungemein ernsten
Eindruck auf mich. Vergönnte es mir die Zeit, so pflegte
ich dann stets ein stilles Gebet für mich an den Lenker
aller Heerschaaren zu richten, und seiner Gnade die un=
sterblichen Seelen aller derjenigen, welche bald aus dem
Leben scheiden mußten, anzuempfehlen.

Dies that ich denn auch heute, als ich an der Bor=
mida = Brücke hielt, und der erste Österreichische Kano=
nenschuß, der die Schlacht von Marengo eröffnete, an
mein Ohr dröhnte. In wirklich prächtiger Haltung, fest
und sicher, stürmten unsere braven Truppen vorwärts
gegen das von den Franzosen stark besetzte Dorf Ma=
rengo. Eine Französische Division, die sich widersetzen

wollte, wurde geworfen und floh in wilder Unordnung, wie sich denn überhaupt ein Theil des feindlichen Heeres an diesem Tage nur mittelmäßig schlug. Es waren unter den Truppen, die Bonaparte über die Alpen geführt hatte, manche neu formirte Bataillone, die heute zum ersten Mal in das Feuer kamen, und man konnte diesen ihre Unerfahrenheit sehr deutlich anmerken. Freilich war ein anderer Theil des Französischen Heeres desto besser, und es gab alte Bataillone, die für sich allein größeren Widerstand leisteten, als drei neue.

Den Truppen Oreilly's folgten die Corps der Generale Habbik und Kaim und so wurden unsere Streitkräfte, die wir jenseits der Bormida hatten, immer beträchtlicher. Ein tiefer Bach, die „Fontanone", dessen Ufer die Franzosen mit ihrer altgeübten Geschicklichkeit besetzt hatten, hemmte bald unser Eindringen in Marengo. Aber nicht lange währte es, so hatte der Muth unserer über alles Lob tapferen Soldaten sowohl dies Hinderniß des Bodens, wie auch die Gegenwehr der Feinde besiegt.

Bis an die Brust stiegen unsere Soldaten in das Wasser des Grabens, und drangen so jenseits desselben vor. Ein heißer Kampf entspann sich hier und der Donner der Österreichischen und Französischen Geschütze übertäubte fast das Geknatter der Flintenschüsse, mit denen sich die Streitenden aus großer Nähe begrüßten. Die republikanischen Generale Victor und Lannes, die

hier uns gegenüber standen, wußten, daß von der Be=
hauptung des Dorfes Marengo das Schicksal der gan=
zen Schlacht abhinge, und boten deßhalb Alles auf, sich
darin festzusetzen. Leider ward in diesem Augenblick der
tapfere Feldmarschall = Lieutenant Haddik schwer ver=
wundet, so daß er aus dem Gefecht gebracht werden
mußte. Ich befand mich gerade in seiner unmittelbaren
Nähe, als er die tödtliche Wunde empfing, und stürzte
fast in demselben Augenblick ebenfalls zu Boden, da mein
Pferd erschossen war. Bald stand ich jedoch wieder auf
den Beinen und konnte ein Französisches Beutepferd
besteigen.

Leider vermochten die Truppen Haddik's die Fon=
tanone nicht zu behaupten und wurden durch das zu
starke feindliche Flintenfeuer, was besonders viele Offi=
ciere tödtete oder verwundete, zurückgedrängt. Der Ba=
ron Melas, der jetzt, wo er in der Schlacht war,
große Energie und seltene Kaltblütigkeit entwickelte und
stets den Überblick über das Ganze behielt, ließ den Ge=
neral Kaim vorrücken, während unsere Cavallerie den
linken feindlichen Flügel umgehen mußte. Alle unsere
Bewegungen griffen jetzt vortrefflich in einander, und
wenn auch langsam, so rückten wir doch sicher vorwärts.
Gegen 10 Uhr Morgens schien es, als sei der Sieg
uns gesichert, denn die tapferen Grenadiere des Gene=
rals Lattermann hatten endlich auf einer Blockbrücke

die Fontanone überschritten, die Feinde durch einen un=
widerstehlichen Angriff zurückgedrängt und sich sogar schon
des Dorfes Marengo bemächtigt. Es war ein furcht=
barer Kampf, der hier von beiden Seiten auf sehr engem
Raume geführt wurde; das Geschützfeuer betäubte förm=
lich die Ohren, der dicke Pulverdampf ließ die Gegend
kaum auf einige Schritte Entfernung erkennen, und die
hohen Haufen der Leichen und Verwundeten versperrten
dem Pferde förmlich den Weg. Wir Ordonnanz=Offi=
ciere hatten hier eine schwierige Arbeit, und dazu war
das Beutepferd, welches ich ritt, schon so abgetrieben,
daß ich es nur durch die heftigsten Spornstöße noch im
Trabe erhalten konnte. Ich sprang endlich ab, denn ich
kam zu Fuß schneller fort, bis es mir wieder gelang,
ein lediges Ungarisches Husarenroß, das noch rüstig war,
zu besteigen.

Bisher war Bonaparte noch nicht auf dem Schlacht=
felde erschienen, da er unseren Angriff hier nicht vermu=
thet hatte; jetzt aber stürmte er gleich einem Adler mit
neuen Truppen heran. Der ganze Kampf erhielt sogleich
einen anderen Charakter, als dieser Feldherr kam. Die
Feinde waren bisher mehr defensiv geblieben und hatten
nur hie und da versucht, unseren Angriffen durch eigene
zuvorzukommen; jetzt aber änderte sich dies plötzlich.
Mit schneller Energie stürmten starke republikanische Co=
lonnen keilförmig vorwärts, und die Franzosen ergriffen

überall die Offensive. Es kam gleich ein ganz anderes Leben in die uns gegenüberstehenden Truppen, und es hätte des Rufes „vive le général Bonaparte!" der mitunter durch den Schlachtlärm zu uns drang, nicht bedurft, um zu zeigen, daß der erste Feldherr seiner Zeit persönlich erschienen sei.

Aber fest und unerschütterlich waren auch unsere Trup=pen und das Erscheinen von Bonaparte mit seinen neuen Verstärkungen lähmte nicht im Mindesten ihren Muth. Baron Melas erkannte mit richtigem Blick, daß auch wir uns nicht auf die Defensive beschränken müßten, und so brachen wir denn unverzagt aus dem eroberten Dorfe Marengo hervor. Der Feldzeugmeister, der noch genug Ordonnanz = Officiere hatte, gab mir die Erlaubniß, mich einem Reiter = Regiment anschließen zu dürfen, das zum Einhauen kam. Meine Stelle nahm ein junger Rittmeister ein, dem die rechte Hand ver=wundet war, so daß er den Säbel nicht mehr führen und somit zum persönlichen Einhauen nicht gebraucht werden konnte. Er wollte aber gern noch Dienste leisten, und bat, für die fernere Zeit als Ordonnanz = Officier verwandt zu werden, wozu er sich auch gut eignete, da er noch ein schnelles und ausgeruhtes Pferd besaß.

Mit dem schönen Dragoner = Regiment „Fürst Lob=kowitz" machte ich die erste] Attaque, und hatte zu dem Zweck einen derben Dragoner = Gaul, dessen Reiter schon

erschossen war, bestiegen. Wir versuchten auf das Ba=
taillon der Consular=Garde, was allein in der Ebene
aufmarschirt stand, einzuhauen. An der unerschütterlichen
Festigkeit dieser Truppe, welche mit unübertrefflicher Ruhe
ihr Feuer abgab, scheiterten aber unsere Bemühungen.
Wir verloren viele Leute und Pferde, konnten aber dieß
felsenfeste Quarree nicht zersprengen. Andere Reiter=
Schwadronen hatten hier ebenso wenig Erfolg. Desto
besser gelang uns aber ein Gefecht, was wir mit Fran=
zösischer Cavallerie (reitende Grenadiere mit hohen Bären=
mützen) hatten. Es kam zu lebhaftem Kampfe und die
Feinde wurden nach hartnäckiger Gegenwehr zurückge=
drängt. Schon schien der Sieg uns vollständig gelun=
gen zu sein, denn die gesammte Französische Armee be=
fand sich in vollem Rückzug, den selbst die Gegenwart
Bonaparte's nicht aufzuhalten vermochte. Eine große
Freude nicht allein für mich, sondern für unser ganzes
Heer, auch den General Bonaparte gleich am ersten
Tage, wo er sich uns gegenüberzustellen wagte, geschla=
gen zu haben. Mit jubelndem Zurufe drangen wir vor
und zermalmten die sich noch widersetzenden Feinde, wie
denn die republikanische Division Chamberlac voll=
ständig von uns vernichtet wurde. Auch die Consular=
Garde stand jetzt nicht mehr fest, sondern trat ruhig
und gutgeschlossen den Rückzug an. Der Sieg schien
dem Baron Melas jetzt schon so sicher zu sein, daß

er einen Adjutanten mit dieser frohen Botschaft nach
Wien sandte. Leider übertrug er dann auch dem Chef
seines Stabes, dem General Zach, den Oberbefehl, um
selbst nach Alessandria zu reiten. Er fühlte sich körper=
lich zu angegriffen, um noch länger zu Pferde zu blei=
ben. Der schon schwache Greis hatte bis dahin das
Mögliche gethan, um seine Hinfälligkeit zu besiegen —
jetzt, wo er glaubte, daß der Erfolg des Tages voll=
ständig gesichert sei, forderte die Natur gebieterisch ihr
Recht.

Wir glaubten jetzt, gegen 3 Uhr Nachmittags, im
ganzen Österreichischen Heer, daß der Sieg uns gesichert
sei und hielten die vielen Opfer, die solcher gekostet, für
nicht verloren. Der General v. Zach, ein persönlich
tapferer, aber nicht sehr umsichtiger Führer, wollte eben
unser Heer für den beabsichtigten Marsch nach Piacenza
aufstellen, als plötzlich der Rückzug der geschlagenen
Feinde aufhörte. Der republikanische General Desaix,
ein tüchtiger Soldat, war mit einem frischen Corps so
eben auf dem Schlachtfelde erschienen und ein neuer
Kampf begann jetzt. Unsere braven Truppen, die fast
Alle schon vom frühen Morgen an im heftigsten Kampfe
gestanden und mehr oder minder bedeutende Verluste er=
litten hatten, sahen sich ganz unerwartet von einem völ=
lig ungeschwächten Feinde mit dem größten Nachdruck
angegriffen. Ein plötzlicher Kartätschenhagel aus einer

Batterie von 18 Geschützen, die der republikanische Ge=
neral Marmont sehr geschickt aufgestellt hatte, empfing
die Spitze unserer Colonne. Bestürzt machte sie Halt
und einige Verwirrung kam in die vordersten Reihen.
Zahlreiche republikanische Schaaren stürzten plötzlich hinter
einem kleinen Hügel, der sie bisher unseren Blicken ver=
borgen hatte, im Sturmschritt auf uns zu. Die Grena=
diere des Generals Lattermann empfingen diesen neuen
Feind mit altbewährter Kaltblütigkeit und gaben in größ=
ter Nähe eine sichere Salve ab, die den Weitermarsch
der Republikaner hemmte. Starke feindliche Cavallerie=
massen stürmten nun in vollem Galopp gegen diese Gre=
nadiere vor. Die wenige Österreichische Reiterei, die sich
gerade hier auf diesem Platze befand, ging der Franzö=
sischen muthvoll entgegen und suchte sie aufzuhalten.
Wüthend über meine gescheiterte Hoffnung des sicheren
Sieges, schloß ich mich unseren Dragonern an, und
hieb mit auf die Republikaner ein. Das gemeine Thier,
was ich ritt, war plump und schwer zu lenken, so daß
ich fühlte, im Einzelkampf gegen einen gewandten Feind
unterliegen zu müssen; allein meine Kampfbegierde war
zu groß, als daß mich dies abgehalten hätte. Ein re=
publikanischer Stabsofficier auf hohem Rosse, der in der
ersten Reihe seiner Dragoner kämpfte, schien mir ein
würdiger Gegenstand meines Angriffes zu sein, und ich
drängte mein plumpes Pferd an ihn heran. Mein Feind

sah diese Absicht und kam mir im Angriff zuvor, so daß
er meine linke Seite gewann. Wie fast alle Französische
Officiere, wußte auch dieser seine Klinge sehr gewandt
zu führen und ich erhielt von ihm einen Hieb über den
Kopf, daß ich sogleich zurück in den Sattel sank und
das aus der Stirnwunde herausstürzende Blut mir die
Augen blendete. Sicher wäre ich verloren gewesen,
wenn nicht zwei muthige Dragoner, die meine Verwun=
dung gesehen, meinen Feind sogleich angegriffen und ihm
das Pferd getödtet hätten, so daß er für den ferneren
Kampf unfähig ward. Ein leicht verwundeter Artillerist
kletterte zu mir in den Sattel, umfaßte mich mit einem
Arm, denn ich schwankte schon vor Schwäche hin und
her, und jagte dann aus dem Getümmel fort, um so
mich und sich zu retten. Was in den nächsten Tagen
mit mir vorging, weiß ich nicht, da ich das Bewußtsein
verloren hatte. Als ich wieder zu mir kam, fand ich
mich in einer kleinen reinlichen Zelle auf einer Stroh=
matte liegen, und neben meinem Lager saß der alte
Mönch, dem ich am Abend vor der Schlacht gebeichtet
hatte. Mein Kopf war dick verbunden, und ich fühlte
einen dumpfen Schmerz und erst nach und nach kehrte
das klare Bewußtsein bei mir zurück. Acht Tage waren
seit meiner Verwundung vergangen, und so lange hatte
ich theils bewußtlos, theils in wirren Fieberträumen
redend, verbracht. Meine Kopfwunde war nicht so gefähr=

lich, da der dicke Filz des Hutes, den ich trug, die
Kraft des Hiebes geschwächt hatte, und nur der Um=
stand, daß theilweise die frühere Narbe, die ich im Herbst
1789 bei der Vertheidigung des Versailler Schlosses er=
hielt, wieder aufgehauen war, erschwerte die Heilung.
Man hatte mich anfänglich in das Lazareth von Alessan=
dria gebracht, wo der fromme Mönch mich zufällig fand,
und nicht eher ruhte, bis er die Erlaubniß erhielt, mich
in seine Zelle aufnehmen zu dürfen. Ein Österreichischer
Militairarzt besuchte mich bisweilen; das meiste bei der
Heilung that aber der Pater, der wie manche Mönche
medicinische Kenntnisse besaß, und sich meiner Pflege mit
der größten Menschenfreundlichkeit annahm.

Nach und nach theilte man mir auch den vollständi=
gen Verlust der anfänglich für uns so siegreichen Schlacht
von Marengo, den Rückzug unseres Heeres und die be=
kannte Convention von Alessandria, die fast ganz Ober=
Italien in die Gewalt der Republikaner brachte, mit.
Mehr wie meine Wunden schmerzte mich diese Kunde,
und es gab wieder eine Zeit, wo ich mich moralisch un=
gemein niedergebeugt fühlte. So war an diesem einzi=
gen Tage die Frucht der beiden blutigen Feldzüge von
1799 und 1800 in Italien wieder gänzlich verloren ge=
gangen, und die Hoffnung, die Bourbons auf dem
Throne Frankreichs zu sehen, lag jetzt ferner denn je.
Wie oft stand in den einsamen Stunden, die ich auf

meinem Lager zubrachte, der kleine greise Suworow
vor meinen Augen, und die prophetischen Abschiedsworte,
die er mir beim Scheiden zurief, wiederholten sich mir
beständig. Hätte dieser große Feldherr mit unumschränk-
ter Macht das vereinigte Österreichisch-Russische Heer
befehligt, und kein Thugut und Hofkriegsrath in Wien
ihn in Allem gelähmt, wir waren unbedingt schon in
Paris; diese Überzeugung fühlte ich immer mehr, je
länger ich Alles erwog. Von unendlicher Wohlthat
war für mich jetzt der fromme Zuspruch des Paters,
mit dem ich manche Stunde vereint betete, und der mein
Gemüth, so oft es sich allzu traurigen Gedanken hingeben wollte, wieder aufrichtete. Welche Segnungen
eine wahre Religiosität zu bringen vermag, das empfand
ich, wie so oft schon in den wechselvollen Lagen meines
bewegten Lebens, auch jetzt wieder recht. Innigen Dank
brachte ich meinem Schöpfer dar, daß seine Gnade mir
ein so gläubiges Gemüth verliehen, und meinen Eltern,
daß sie durch die mir gegebene Erziehung meinen Glauben noch mehr befestigt hatten. Welch unsäglich elender
Mensch wäre ich oft gewesen, wenn mich die Religion
nicht immer wieder gestärkt hätte. Jetzt konnte ich niemals ganz unglücklich werden, denn mein Glaube gab
mir stets eine feste Stütze.

Die in Alessandria anwesenden Österreichischen Officiere besuchten meine Zelle oft und handelten als brave

12*

Kameraden gegen mich. Bald aber sollte dieser Waffen=
platz in Folge der Convention an die Republikaner über=
geben werden, und obgleich ausgemacht war, daß alle
verwundeten Österreichischen Soldaten bis zu ihrer gänz=
lichen Heilung unbelästigt dort bleiben durften, so wollte
ich mit den bitter gehaßten Feinden doch nicht in dem=
selben Orte verweilen. Meine Wunde gestattete zudem
einen langsamen Transport, und so ließ ich mich denn
zuerst nach Peschiera und dann nach Bozen bringen,
wohin mein Freund, der Mönch, sich ebenfalls in ein
dortiges Kloster begeben hatte. In dem Hause einer
wackeren Bürgerfamilie von echt patriarchalischen Sitten
und wahrer Frömmigkeit, fand ich hier eine sehr sorg=
fältige Aufnahme. Meine vollständige Heilung verzögerte
sich lange, und es vergingen mehrere Monate, bis ich
wieder eine schwere und feste Kopfbedeckung tragen durfte.
Eine sehr breite, dicke Narbe, die mit der früheren
Stirnnarbe fast zusammenlief, zog sich jetzt quer über
meine Stirn hin und gab mir ein wildes, nichts weni=
ger wie schönes Ansehen. Allmählich verwuchs dieselbe
zwar mehr, ganz aber niemals, und auf irgend welche
Schönheit durfte ich fortan keinen Anspruch mehr machen.
Auch ein leichtes Zucken im Fuß war mir von meiner
Schußwunde im Vendéekrieg übrig geblieben und so
taugte ich für den Parademarsch nicht sonderlich. Als
ich später definitiv im Österreichischen Heer diente, gab

mir ein General, der unser Bataillon inspicirte und mich
weiter nicht kannte, öffentlich einen sehr scharfen Ver=
weis über mein schlechtes Marschiren und meinte, „ich
müsse wieder Cadet werden, um erst zu lernen, wie man
Tact hielte." Natürlich schwieg ich still, aber ich ent=
sinne mich noch, welche bittere Gefühle dieser Vorwurf
in meiner Brust erregte. Unser Bataillons=Commandeur
war nach beendigtem Paradenmarsch an den General her=
angeritten, und hatte ihm den Grund meines schlechten
Marschirens gesagt. Der General, ein Ehrenmann durch
und durch, kam nun sogleich auf mich zu, reichte mir
die Hand und sagte laut: „Es thut mir in der Seele
leid, vorher diese unbedachtsamen Worte gegen Sie ge=
sprochen zu haben. Ich weiß jetzt den Grund Ihres
Fehlers und achte und ehre Sie nun desto mehr." Solche
Genugthuung konnte mich schon befriedigen, und gern
nahm ich die Einladung, ein Gast des Generals bei sei=
nem Mahl zu sein, an. Mit großer Güte behandelte
derselbe mich stets, und war mir, so lange ich im Öster=
reichischen Heere diente, ein warmer Gönner.

Ich blieb nun den ganzen Herbst des Jahres 1800
in Bozen und stärkte meinen sehr strapazirten Körper
durch den Gebrauch der Traubenkur, die mir gute Dienste
leistete. Besonders der Adjutanten=Dienst beim Feld=
marschall Suworow hatte mich hart mitgenommen,
und ich konnte einige Ruhe gebrauchen. Auch war die

Gegend um Botzen so paradiesisch schön, die Herbstluft so klar und milde, alle Bewohner zeigten sich so wacker und brav und bewiesen mir eine so aufrichtige Theilnahme, und die herrlichen Trauben mundeten so süß, daß ich es mir in dieser Hinsicht gefallen lassen konnte.

Einen eigenthümlichen Vorfall, der leicht meinem ganzen ferneren Leben eine andere Richtung hätte geben können, erlebte ich jetzt in Botzen. Es lebte daselbst ein alter Italienischer Graf ....., der auch im südlichen Tyrol große Güter besaß, und jetzt aus Mailand geflüchtet war. Ich verkehrte gern und viel in seinem Hause, da mir das ganze ritterliche Wesen des Alten und die Anmuth seiner einzigen Tochter, einer verwittweten Gräfin B., sehr zusagten. Der Mann der Letzteren, ein wackerer Officier, war vor einigen Jahren im Kampfe gegen die Revolution auf dem Felde der Ehre geblieben, und seine junge Wittwe schien ihn noch innig zu betrauern, denn ihr Wesen war ernst und der Ausbruck ihrer edlen Gesichtszüge oft voll großer Traurigkeit. Ich hatte viel mit der schönen Frau gesprochen und ein herzlicheres Vernehmen, als es sonst in der großen Welt üblich ist, herrschte zwischen uns, ohne daß jedoch jemals ein Wort in Betreff der Liebe gewechselt war.

Eines Morgens kam mein Gönner, der alte Graf, in sehr feierlicher Stimmung zu mir und bat um eine

ungestörte und unbelauschte Unterredung. Er theilte mir
nun mit, wie besondere Familienverhältnisse es sehr wün=
schenswerth machten, daß seine Tochter wieder einen Edel=
mann aus alter katholischer Familie heirathe und wo
möglich einen männlichen Erben bekomme, da sonst der
größte Theil seines Vermögens nach seinem Tode verlo=
ren gehe. Nun wisse er keinen Mann, den er so gern
sich zum Schwiegersohn wünsche, als gerade mich und
auch seine Tochter sei nicht abgeneigt, mir ihre Hand zu
reichen, da sie mich von ganzem Herzen achte und ehre.
Eben so freimüthig, wie er mir diesen Antrag gemacht
habe, möge auch meine Antwort sein, wie es sich denn
von selbst verstehe, daß die ganze Sache tief verschwie=
gen bleiben müsse.

Diese freimüthigen Worte des Grafen ehrten mich
eben so sehr, wie sie mich überraschten, und ich bat um
eine 24 = stündige Bedenkzeit, bevor ich ihm meine ent=
scheidende Antwort geben würde. Ich will nicht läug=
nen, daß in dem Antrag viel Anziehendes für mich lag.
Die schöne Wittwe war edel und anmuthig, besaß ein
treffliches Herz und wahre Weiblichkeit und ich hätte an
ihrer Seite ein glückliches Leben führen können; dazu
war sie von altem Adel, streng katholisch erzogen und
besaß große Reichthümer. Ich selbst hatte für den Au=
genblick kaum einige Hundert Gulden noch im baaren
Vermögen, und konnte nur meinen Namen und meine

unbefleckte Ehre in die Wagschaale legen. Die Aussich=
ten, ob überhaupt und wann dann, es gelingen würde,
meinen legitimen König auf den Thron seiner Väter zu=
rückzuführen, wurden immer schwankender und die pro=
phetischen Worte des alten Suworow's drängten sich
immer von Neuem mir wieder auf. Meine zehnjährigen
unaufhörlichen Kriegs = und Wanderfahrten hatten mich
schon sehr mitgenommen, und mir oft eine unendliche
Sehnsucht nach Stetigkeit und einem häuslichen Heerd
eingeflößt; meine vielen und zum Theil schweren Wun=
den zeigten ihre bösen Nachwirkungen; und Strapazen
und mehr noch Kummer und Sorgen hatten frühzeitig
mein Haar ergraut und scharfe Falten in das Gesicht ge=
zogen. Dies Alles erwog ich wohl und es war nicht
ohne Einfluß für mich.

Da aber trat der Gedanke an mein freiwilliges Ge=
lübde, das Schwert so lange nicht aus der Hand zu le=
gen, bis die weiße Fahne der Bourbons wieder auf dem
Palaste der Tuilerien wehte, in seiner vollen Kraft wie=
der hervor. War ich erst verheirathet, dann hatte ich
auch andere Pflichten zu erfüllen, als immer nur dort
zu kämpfen, wo ich dem Princip der Legitimität von
Nutzen zu sein hoffen durfte, und ich war nicht mehr
unbedingt freier Herr meines Willens. Tiefe Scham
fühlte ich in meinem Inneren, daß ich auch nur einen
Augenblick in meinem Entschlusse wankend sein konnte,

und unwiderruflich feſt ſtand es wieder bei mir, dem
lockenden Anerbieten zu entſagen und mein ganzes fer=
neres Leben hindurch ein feſter Kämpfer der Legitimität
zu bleiben. Ich theilte am anderen Morgen offenherzig
dem Grafen meinen Entſchluß der Nichtannahme ſeines
Anerbietens, und die Gründe, die mich dazu bewogen
hatten, mit. Der wackere Mann billigte dieſe vollkom=
men, umarmte mich gerührt und ſagte: „Noch mehr be=
daure ich das Schickſal, was mir nicht geſtattet, Sie
meinen Sohn nennen zu dürfen." Auch ſeine ſchöne Toch=
ter ſah ich noch beim Abſchied und durfte einen Kuß der
innigſten Verehrung auf ihre Hand drücken. Sie ſchenkte
mir ein kleines Crucifix von Ebenholz, in dem eine koſt=
bare Reliquie war, was ich lange Zeit an einer dünnen
Kette um den Hals trug. Zwei Jahre darauf iſt ſie un=
vermählt geſtorben.

Gerade als ſolle ich den baldigen Lohn für meine
Entſagung erhalten, ſo fand ich bei der Rückkehr aus
dem Hauſe des Grafen in meiner Wohnung einen Brief
mit der frohen Nachricht, daß die Friedensunterhandlun=
gen aufgehört und die Feindſeligkeiten wieder begonnen
hätten. Welche bangen Sorgen hatten dieſe Friedens=
unterhandlungen zwiſchen Öſterreich und der Republik
Frankreich während des Herbſtes 1800 mir oft bereitet.

So wie ich die Botſchaft fand, daß am Mincio der
Kampf auf's Neue beginnen würde, reiſte ich noch am

selben Abend von Botzen ab, denn jede Stunde, die ich jetzt versäumte, dünkte mir verloren.

Der Feldzeugmeister Graf Bellegarde, der jetzt den Oberbefehl über die am Mincio und der Etsch ste= henden Österreichischen Armee führte, nahm mich mit großer Freundlichkeit auf. Er war ein muthiger und umsichtiger Feldherr und gehörte unbedingt zu den besten Österreichischen Generalen, unter deren Befehlen ich zu stehen die Ehre gehabt habe.

In den ersten Tagen des Decembers 1800 kam ich bei den Truppen an und versah sogleich meinen Dienst als Ordonnanz=Officier im Hauptquartier. Die Witte= rung war sehr rauh und erschwerte für unsere braven Truppen die Strapazen dieses Winterfeldzuges ungemein. Mit großer Ausdauer ertrugen die Soldaten aber alle diese vielen Beschwerden und die musterhafte Disciplin der Österreichischen Armee, welche dieser selbst auch im Unglück eine solche innere Kraft giebt, zeigte sich jetzt wieder recht vortheilhaft. Ich selbst war fast unaufhör= lich im Sattel, um Befehle zwischen den einzelnen Corps hin= und herzubringen, und meine noch nicht ganz voll= ständig wieder geheilte Wunde machte mir bei diesen nächtlichen Ritten im Sturm und Schneegestöber viele Schmerzen und große Belästigungen. Doch an so etwas war ich nach gerade gewöhnt und konnte einen tüchtigen Puff aushalten. Wenn der Mensch will und eine in=

nere moralifche Kraft ihn dabei unterftützt, kann er viel
ertragen. — Kleinen Vorpoftengefechten, die theilweife
auf engen Bergftraßen ftatt fanden, hatte ich fchon mehr=
fach wieder beigewohnt; fo recht in das Feuer kam ich
aber erft am 25. December bei Pozzolo.

Der republikanifche General Brune, der uns gegen=
über ftand, war ein fehr mittelmäßiger Feldherr, hatte
aber tüchtige und energifche Divifionsgenerale. Von ei=
nem ungemein dichten Nebel begünftigt, war am 25. De=
cember der republikanifche General Dupont über den
Mincio gegangen und hatte das Dorf Pozzolo mit echt
Französifchem Ungeftüm angegriffen. Es war von Öfter=
reichifcher Seite ein entfchiedener Fehler, diefen Über=
gang nicht verhindert zu haben, und der hier befehli=
gende General hätte die ftrengfte Strafe dafür verdient.
Wir hatten an den Ungarifchen Hufaren und den Grenz=
Regimentern die beften leichten Truppen von der Welt,
fo fern man fie nur richtig benutzen wollte, und doch ge=
langen den Franzofen häufig dergleichen kühne Unter=
nehmungen, blos weil die Sorglofigkeit, Bequemlichkeit
und ftarre Pedanterie mancher Öfterreichifchen Generale
unbegreiflich war.

Der Graf Bellegarde war wüthend, daß den Fein=
den diefer kühne Übergang über den Mincio geglückt war,
und fandte fogleich bedeutende Verftärkungen ab, fie wie=
der auf das rechte Ufer zurückzuwerfen. Mit altbewähr=

tem Muthe kämpften unsere Soldaten und der Sturm
unserer Grenadiere vertrieb die Feinde wieder aus dem
besetzten Dorfe Pozzolo. Es war ein heißer Kampf und
es gewährte mir eine lebhafte Freude, mich bei den vor=
stürmenden Grenadieren befinden zu dürfen. Ich entsinne
mich noch, daß mir der Wind meine Feldmütze entführte,
und ich mir nun zum Schutz gegen die Kälte aus einem
rothen Tuche eine Art Turban machte und solchen auf=
setzte, so daß ich einen komischen Anblick gewährt haben
mochte. In einem heftigen Gefecht achtet man aber nicht
auf dergleichen Kleinigkeiten. Immer wüthender entspann
sich jetzt hier der Kampf, denn mit großer Schnelligkeit
und Geschicklichkeit warfen die Feinde immer bedeutendere
Truppenmassen über den Mincio. Sechsmal erstürmten
unsere Soldaten Pozzolo und eben so oft vertrieb das
starke feindliche Feuer uns wieder daraus. Schon war
die Sonne längst hinter der hohen Alpenkette untergegan=
gen und der Mond beleuchtete mit seinem bleichen Lichte
das weite Schneefeld, als der wilde Kampf noch immer
forttobte. Gänzliche Ermüdung und großer Mangel an
Munition geboten endlich am späten Abend, als die Mit=
ternachtsstunde nicht mehr fern war, die Beendigung des
Gefechtes, nachdem von jeder Seite über 5000 Todte
und Verwundete mit ihrem Blute den Schnee geröthet
hatten. Die nun folgende Nacht vom 25. bis 26. De=
cember ist mir bis jetzt in der Erinnerung als eine der

unangenehmsten meines Lebens haften geblieben, und das
will viel sagen, denn ich zählte deren gar manche. Die
Wunde an meinem Kopfe war theilweise wieder aufge=
gangen und schmerzte fürchterlich; ich selbst war so steif
im Sattel gefroren, daß ich mich kaum rühren konnte,
und vor Ermüdung schwankte ich hin und her und schlief
immer wieder ein, bis ich mich dann gewaltsam empor=
raffte. Auf einem ermüdeten, steifen Pferde mußte ich
auf theilweise verschneiten, ungebahnten Wegen fast die
ganze Nacht umherreiten, um verschiedenen Truppenthei=
len Befehle zu überbringen, und konnte erst am Mor=
gen auf einige Stunden etwas Ruhe finden. Grenzsol=
daten erquickten mich dann mit einer warmen Weinsuppe,
die neue Wärme in meine fast erstarrten Glieder brachte.

Am 26. December begann der Kampf von Neuem
und die Franzosen setzten unter der Deckung eines furcht=
baren Artilleriefeuers noch an einer zweiten Stelle über
den Mincio. Der Graf Bellegarde wollte nicht mehr
lebhaften Widerstand leisten lassen und so marschirten wir
langsam und in sehr guter Ordnung bis an die Etsch=
linie zurück.

Es kam noch zu wiederholten Gefechten ohne große
Bedeutung, an denen ich jedoch persönlich keinen Antheil
mehr nehmen konnte, da mich der Aufbruch meiner Kopf=
wunde in das Militairlazareth von Verona geführt hatte.
Ich mußte bis Ende Januar krank daniederliegen und

noch eine sehr schmerzhafte Operation aushalten, da sich ein Kopfgeschwür gebildet hatte. Wie gern hätte ich al=les dies und noch viel mehr ertragen, wenn mich nicht die Kunde von dem Friedensschluß zu Lüneville Mitte Februar 1801 getroffen.

Siebentes Capitel.

Feste Anstellung im Österreichischen Heer. Reformen in demselben. Ihre Anhänger und Gegner. Kriegs-erklärung gegen Frankreich. Der Feldzeugmeister Baron Mack. Seine Unentschlossenheit. Unglück-liche Wahl der Aufstellung bei Ulm. Charakteristik des Fürsten Schwarzenberg. Erstes Gefecht bei Wertingen. Gefährliche Sendung mit Depeschen zum Russischen Heer. Fürst Kutusow und dessen Charakteristik. Gehässige Stimmung der Russen gegen die Österreicher. Blutiges Gefecht bei Dür-stein. Rückzug der Armee nach Mähren.

Der Friede von Lüneville war geschlossen, ganz Europa hatte die Waffen gegen das Princip der Revolution nie-dergelegt, und als vollständige Siegerin ging abermals die Republik aus dem gegen sie geführten Kampfe der Coa-lition hervor. Nächst der verderblichen Uneinigkeit zwi-schen den verschiedenen Cabinetten, den elenden Intri-guen mancher einflußreichen Diplomaten, die nur stets an sich, nie aber an das Wohl des Ganzen dachten, so wie der entschiedenen Unfähigkeit vieler Generale, hatte die Französische Republik besonders dem militairischen Genie des Generals Bonaparte dieses glänzende Resultat zu verdanken. Immer mehr schwang sich dieser gewaltige Soldat zu Macht und Ansehen empor, immer mehr verdrängte seine Herrschaft die Hoffnung auf baldige Wiederherstellung des legitimen Königthums in meinem unglücklichen Vaterlande. Ich hätte jetzt, wo Bonaparte anfing, den alten Adel zu begünstigen, sehr leicht straffreie Rückkehr, ja selbst eine Stelle im Heere erlangen können. Ein Vetter und früherer Kamerad von mir bei der Garde du Corps, der jetzt als Oberst im republikanischen Heer diente und persönlich viel bei Bonaparte galt, schrieb mir, daß ich durch seine Vermittelung leicht eine Stelle als Französischer Officier erhalten könne. Ich antwortete ihm, mich nicht durch solche Zumuthungen zu beleidigen, denn außer der Treue, die ich dem Könige Ludwig XVIII. schuldig sei, stände das Schaffot meiner Eltern zwischen mir und der Revolution und ihrem glücklichsten Sohne, Bonaparte.

Sehr viele adelige Emigranten kehrten jetzt nach Frankreich zurück und huldigten der steigenden Macht Bonaparte's, der sie gewöhnlich mit großer Freundlichkeit aufnahm. Ich will mich nicht zum Richter über diese Herren aufwerfen und entscheiden, inwiefern die Gründe, die sie zur Aufgebung ihres Princips vermochten, gerecht-

fertigt waren. Großes Vertrauen auf die Charakter=
festigkeit solcher Männer habe ich nie gehabt, und mit
Freundesdruck vermochte ich ihnen die Hand nimmermehr
zu reichen. Die Rückkehr nach Frankreich war wohl bei
manchen adeligen Emigranten eine Nothwendigkeit, ein
Buhlen um die Gunst Bonaparte's aber unter allen
Umständen eine erbärmliche Schwäche.

Der Friede von Lüneville, der mir auf ungewisse
Zeit jede Gelegenheit raubte, gegen das Princip der
Revolution mit dem Schwerte zu kämpfen, gebot mir
auch, an eine künftige Sicherung meiner Lebensstellung
zu denken. Baares Vermögen hatte ich nicht mehr, son=
dern sogar von einem reichen Österreichischen Kameraden
noch einige hundert Gulden geliehen, und nur das Sil=
bergeschirr unserer Familie, was noch in der Bretagne
an einem sicheren Orte vergraben war, bildete mein ein=
ziges Hab und Gut. Mein rechtmäßiger König und
Herr, Ludwig XVIII., lebte selbst in der Verbannung,
und ich hätte es nicht über das Herz bringen können,
bei seinen ohnehin schon äußerst beschränkten Mitteln als
ein Bittender vor ihm zu erscheinen.

Von allen größeren Armeen, die ich kennen gelernt
hatte, war mir die Österreichische die einzige, in der ich
auch im Frieden als Soldat hätte dienen mögen, da
mir besonders der Geist des Österreichischen Officier=
Corps sehr zusagte. Ich bewarb mich nun um eine be=

finitive Anstellung als Officier, nachdem ich bisher stets
als Volontair = Officier gedient hatte. Die unglücklichen
Erfolge des letzten Krieges, der Verlust mancher Landes=
theile und die Erschöpfung der Staatscassen machten
jetzt, wo der Friede wieder hergestellt war, eine mög=
lichste Beschränkung des Militair=Etats dringend noth=
wendig. Aus den abgetretenen Landestheilen und be=
sonders aus den Belgischen Provinzen waren eine Menge
tüchtiger Officiere, welche ihre Fahne nicht wechseln
mochten, im K. K. Heere geblieben, daher dieses einen
großen Überfluß an Subaltern=Officieren besaß. Unter
solchen Verhältnissen durfte ich auf ein gutes Avance=
ment nicht hoffen, und konnte es überhaupt als eine
Gunst ansehen, eine definitive Anstellung zu erhalten.
Die Gnade des Erzherzogs Carl, an den ich mich ge=
wandt hatte, gewährte mir eine Anstellung als jüngster
Ober=Lieutenant in einem Infanterie=Regiment, denn
um bei der Cavallerie zu dienen, reichten meine Geld=
mittel nicht mehr aus. Eine brillante Lebensstellung für
einen 31-jährigen Mann, der schon acht Campagnen
mitgemacht, drei Orden sich auf dem Schlachtfelde er=
worben, und viele Wunden geholt hatte! Doch sie war
für einen Edelmann passend und für meine bescheidenen
Ansprüche genügend. Die Hoffnung auf einen baldigen,
abermaligen Kampf gegen die Revolution verließ mich
selbst jetzt nach dem Lüneviller Frieden nicht und bewog

mich, dem Waffendienst treu zu bleiben. Wäre bies
nicht der Fall gewesen, so hätte ich wahrscheinlich den
Entschluß gefaßt, in ein Kloster zu treten und mein ferneres Leben als Mönch zu beschließen. Ich fühlte oft
eine tiefe Sehnsucht nach der friedlichen Ruhe eines Klosters und dem Gott wohlgefälligen Leben eines frommen
Mönches. Das Schicksal wollte es anders!

Bevor ich mich zu meinem zukünftigen Regimente,
was in und um Linz garnisonirte, verfügte, unternahm
ich eine Reise nach England, um dort mein Silbergeschirr in Empfang zu nehmen. Die Reise durch Deutschland, die ich theils auf den schlechten Postwagen, theils
auch meiner Gewohnheit nach zu Fuß machte, war langweilig und ermüdend. In Hamburg schiffte ich mich nach
London auf einem Packetschiff ein und ging dann nach
der Insel Guernsey, wohin sichere Schiffer aus der Bretagne mir getreulich die zwei Kisten mit Silbergeschirr,
die mein einziges Vermögen ausmachten, brachten. Die
Freude dieser braven Bretagner, mich nach mehrjähriger
Abwesenheit wieder zu sehen, und die treue Anhänglichkeit, die sie mir, dem Sohn ihres früheren Herrn, auch
jetzt noch bewiesen, rührten mich tief. Obgleich die Schiffer jetzt freie Republikaner waren, sagten sie mir doch
wiederholt, wie ungleich besser der frühere Zustand gewesen sei, als noch die Bourbons das schöne Frankreich
regiert hätten. Viele warme Grüße trug ich den wackeren

Leuten an die theure Heimath auf, der ich vielleicht für immer jetzt entrückt sein sollte, und es ward mir gar weh um das Herz, als ich beim Abschied ihnen die Hände noch einmal recht kräftig drücken konnte.

Die Nothwendigkeit, jetzt das alte Silbergeschirr meiner Familie verkaufen zu müssen, war mir schmerz= lich — und doch mußte es so sein. Es waren einzelne alte kostbare Gefäße von wirklichem Kunstwerth darunter, die gewiß von Liebhabern theuer bezahlt worden wären. Ich wollte aber nicht, daß Sachen mit dem Wappen unserer Familie in den Schacherhandel kommen und von reich gewordenen Emporkömmlingen benutzt werden sollten, und ließ daher fast Alles in meiner Gegenwart einschmel= zen. Einige kostbare Pokale und eine goldene Gnaden= kette, die Franz I. einst einem meiner Ahnherren ver= liehen hatte, deponirte ich in dem Familiengewölbe eines vornehmen Englischen Hauses, von dem ich den zweiten Sohn früher bei der Expedition nach Quiberon kennen gelernt hatte. Die Summe, welche ich jetzt in London erhielt und in sicheren Papieren auf Wien mitnahm, betrug ungefähr 8000 Gulden Münze.

Ich nahm nun den Rückweg wieder über Hamburg und von dort über Magdeburg, Leipzig und Prag nach Linz, wo ich den 4. September 1801 eintraf und mich zum Dienst bei meinem Regimente melbete. Ich kannte das Regiment, welches größtentheils in Deutschland ge=

fochten und die Schlacht bei Hohenlinden mitgemacht
hatte, noch nicht, ward aber von dem Officiercorps sehr
artig empfangen und fühlte mich bald in deſſen Mitte
heimiſch. Das Officiercorps eines Regiments ſoll mög=
lichſt eine Familie bilden, und alle einzelnen Glieder
wahre Kameradſchaft für einander fühlen; und wenn
dies der Fall iſt, kann ein guter echt militairiſcher Geiſt
herrſchen. In dem Regimente, in dem ich jetzt zu die=
nen die Ehre hatte, war dies in hohem Grade der Fall,
wozu beſonders unſer trefflicher Oberſt ſehr viel beitrug.
Wir Officiere in demſelben waren aus faſt allen Län=
dern Europas und an Geburt, Bildung und Vermögen
theilweiſe ſehr von einander verſchieden. Dieſe Verſchie=
denartigkeit aber hinderte unſere gute Kameradſchaft nicht,
ſondern brachte im Gegentheil eine gewiſſe Mannigfal=
tigkeit in ſolche. Wir waren in dem Weſentlichen ein=
ander gleich, daß wir uns Alle mit Leib und Seele als
getreue Officiere des Kaiſers von Öſterreich, unſere
Schärpe als unſeren höchſten Schmuck, und den Platz,
wo unſere Fahne wehte, als unſere Heimath anſahen;
mehr bedurfte es ja nicht. Mein Compagniechef, der
mich ſtets mit großer Freundlichkeit behandelte und mir
bald ein wahrer Freund ward, war ein Graf Salis
aus dem bekannten Grafengeſchlecht der Schweiz, ein
wahrer Edelmann durch und durch; der Unter=Lieute=
nant der Compagnie ein armer Tiſchlerſohn aus Unter=

Österreich, ein braver und intelligenter Mensch, der sich durch eigenes Verdienst später bis zum Stabsofficier emporschwang. Ich habe stets sehr viel von ihm gehal=ten, und er war mir in dem kleinen Compagniedienst, den er als früherer Corporal und Feldwebel sehr genau kannte, ein guter Lehrmeister.

Im Allgemeinen lebte ich sehr eingezogen, da mein durch die harten Schicksalsschläge ernst gewordener Sinn an den lauten Vergnügungen meiner Kameraden keinen Geschmack fand. Ich rauchte, spielte und tanzte gar nicht, trank nur mäßig, kannte gar keine hübschen Mäd=chen, durch welche Linz mit Recht so berühmt war, und paßte daher für manche Kreise wenig. Meine Erholung fand ich in vielen Spaziergängen, zu denen die schöne Gegend hier sehr einlud; sonst zeichnete ich viel, spielte Schach, las geschichtliche Bücher, und hatte außer mit meinen Kameraden, auch näheren Verkehr mit einigen gebildeten und frommen Geistlichen.

Auf diese Weise vergingen die zwei Jahre, die ich in und um Linz mit einigen Unterbrechungen zubrachte, auf ruhige und ganz angenehme Weise. Ich hatte im Sommer 1802 eine achtwöchentliche Badekur in Töplitz gebraucht, die meinen Wunden und besonders auch mei=ner Wunde am Fuß die besten Dienste leistete, wie ich mich überhaupt körperlich sehr wieder erholte. Meinen Dienst trieb ich mit großem Eifer und fand selbst im

Frieden an dem Militairstande viel Gefallen. Ein tüch=
tiger Officier, wenn er wirklich will, hat auch im Frieden
ein großes und segensreiches Feld der belohnendsten Thä=
tigkeit vor sich. Er muß sich nicht damit begnügen,
seine Soldaten auf dem Paradeplatz mechanisch abzurich=
ten und im Dienst streng zu überwachen, sondern soll
ihnen auch ein freundlicher Rathgeber sein und sie in
moralischer Hinsicht zu belehren und bessern suchen. So
kann er Sittlichkeit, wahre Frömmigkeit, Treue und An=
hänglichkeit für den angestammten Monarchen in die un=
tersten Schichten des Volkes, aus denen die Soldaten
meist stammen und in die sie wieder zurückkehren, ver=
breiten helfen, und auch im Frieden die scheußlichen
Lehren der Demokratie nachdrücklich bekämpfen. Wenn
ein Officier diese Pflichten mit einigem Eifer erfüllt,
wird er bald dafür durch ein ungemein befriedigendes
inneres Gefühl reich belohnt werden, und das leere Ge=
schwätz über die Langweiligkeit des Friedensdienstes ver=
stummen müssen.

Während der Zeit, daß ich in Linz garnisonirte,
wurden manche Reformen in der Organisation des Öster=
reichischen Heeres vorbereitet und theilweise auch durch=
geführt; leider aber nicht immer in der Weise, wie es
wünschenswerth gewesen wäre. Zwei Parteien, die des
Neuen und des Alten, standen sich ziemlich schroff hierin
gegenüber. Die Seele der neuen Partei, sowohl durch

seine hohe Stellung, wie durch seine große Begabung und gründliche militairische Kenntnisse, war unbedingt der Erzherzog Carl. Sein Scharfblick hatte längst erkannt, daß der Österreichischen Armee, troß aller ihrer vielfachen Vorzüge, doch manche Gebrechen anklebten, und sie einer bedeutenden Reform bedürfe, wenn sie in einem zukünftigen Kriege den von einem Bonaparte befehligten Französischen Truppen mit Erfolg entgegentreten solle. Sie mußte vor Allem leichter und beweglicher gemacht und von manchem unnüßen Ballast befreit werden. Besonders unsere Infanterie war viel zu langsam und schwerfällig, und unser Exercier-Reglement veraltet und mit manchen Vorschriften versehen, die nicht nur nichts nüßten, sondern sogar noch schadeten. Die Französische Infanterie, obgleich deren Soldaten in vielen Dingen schlechter ausgebildet waren, als die der Österreichischen, marschirte und tiraillirte ungleich schneller als Leßtere. Unser Gepäck war zu schwer, unsere Bewaffnung zu plump, unser Manöver-System zu langsam; kurz es fehlte immer noch Manches. Dem Erzherzog Carl hatte sich nun eine mächtige Partei, besonders von jüngeren Generalen, Stabs- und Subaltern-Officieren angeschlossen, die jedes Wort aus seinem Munde wie einen Orakelspruch verehrten, und ganz in seinem Sinne zu handeln strebten. Gerade das Regiment, bei dem ich zu dienen die Ehre hatte, besaß fast

ausſchließlich Officiere dieſer Richtung und ſo viel es
irgend anging, wurde ganz im Geiſte des Erzherzogs
bei uns gehandelt. Leider war aber eine ſtarke und
mächtige Partei, die im Hoffkriegsrathe ſelbſt ihre Haupt=
ſtüße fand, allen dieſen Reformen entgegen und ſuchte
ſie möglichſt zu hintertreiben. Viele alte und einfluß=
reiche Generale und Stabsofficiere gehörten zu dieſen
Gegnern, und ſo kam gar manches, was der Erzher=
zog dringend wünſchte, entweder gar nicht, oder ſo ver=
kümmert, daß es ſeinen Zweck faſt gänzlich verfehlte,
zur Ausführung. Bequemlichkeit, Vorliebe für das Alt=
hergebrachte, Scheu vor jeder Neuerung, geiſtige Un=
fähigkeit, oder auch Neid auf die glänzenden Verdienſte
des Erzherzogs, und Sucht, ſolche möglichſt zu verrin=
gern, bildeten die verſchiedenen Triebfedern dieſer Geg=
ner. Letztere übele Eigenſchaften bewogen beſonders den
Feldzeugmeiſter, Baron Mack, ein Hauptgegner des
Erzherzogs zu ſein. Der Zufall wollte, daß ich im
Jahre 1805 mehrere Wochen mich in der näheren Um=
gebung Mack's befand und ihn daher genau kennen
lernte. Er war ein Mann von großem Muthe im Ge=
ſicht, aber äußerſt geringer moraliſcher Kraft, wankel=
müthig in ſeinen Entſchlüſſen und ſein Ohr nur zu leicht
verſchiedenen Rathgebern öffnend. Große Kenntniſſe und
lebhafter Geiſt waren ihm nicht abzuſprechen, und manche
ſeiner Pläne waren großartiger und geiſtreicher, als

durchführbar und praktisch angelegt. Stieß er bei der
wirklichen Durchführung deſſen, was er auf dem Papier
ſehr ſchön ausgearbeitet hatte, auf einzelne unvorherge=
ſehene Schwierigkeiten, ſo verlor er gleich die Beſonnen=
heit und gab das Ganze lieber auf, als daß er das
Einzelne beſeitigt hätte, was oft ſehr leicht geweſen
wäre. Eine grenzenloſe perſönliche Eitelkeit, die wirk=
lich oft in kindiſche Schwäche überging, bildete einen
Hauptzug ſeines Charakters. Aus dieſem Grunde konnte
er nicht vertragen, daß irgendwie ein Öſterreichiſcher Be=
fehlshaber ſich beſonderen Kriegsruhm erwarb und war
der Feind jedes hervorragenden, der Freund jedes mittel=
mäßigen Generals. Schmeicheleien liebte er ſehr, und
ſein Geiſt erlahmte ganz, wenn ſein Ohr durch wirklich
oft alberne Lobeserhebungen gekißelt wurde. Sonſt war
er guthmüthig, gefällig, perſönlich rechtſchaffen, ſobald
ſeine Eitelkeit nicht dabei im Spiel war, und beſonders
gegen die Soldaten und armen Subaltern = Officiere ſehr
human und wohlwollend. Seine Beredſamkeit, und er
liebte es ſehr, durch kunſtvolle, lang ausgearbeitete Re=
den zu glänzen, war bombaſtiſch, ohne Saft und Kraft
und wurde von den Truppen entweder gar nicht ver=
ſtanden oder nur verlacht. Für die Rednerbühne einer
modernen conſtitutionellen Kammer, in welcher der größte
Phraſenmacher auch für den tüchtigſten Mann gilt, war
der Baron Mack ſehr geeignet; zum ſelbſtſtändigen Feld=

herrn eines Heeres paßte er aber durchaus nicht. Es
ist nicht allein mir, sondern sehr vielen Österreichischen
Officieren rein unbegreiflich gewesen, wie man gerade
diesen General, der schon in Neapel so schlagende Be=
weise seiner Unfähigkeit im Heerescommando gegeben
hatte, nochmals den Oberbefehl über ein Hauptcorps in
Deutschland verleihen konnte. Doch was war bei manchen
einflußreichen Persönlichkeiten des damaligen Hofkriegs=
rathes in dieser Hinsicht nicht möglich!

Der Wiederbeginn des Krieges zwischen Frankreich
und England erfreute mich ungemein, denn die Hoff=
nung, daß sich bald wieder eine Coalition gegen die Re=
volution bilden und ich somit wieder Gelegenheit zum
Kampfe finden würde, war dadurch um Vieles näher
gerückt. In Englische Dienste jetzt zu gehen, schien mir
in vieler Hinsicht nicht räthlich. Der Krieg war mehr
ein See= als Landkampf und so hätte ich doch nicht
allzugroße Gelegenheit zur persönlichen Thätigkeit ge=
funden. Einen Augenblick dachte ich daran, nach der
Insel Sicilien zu gehen, wo besondere Corps im Eng=
lischen Solde gebildet wurden, gab aber diesen Plan
bei reiferer Überlegung bald wieder auf. Der Dienst
in solchen geworbenen Corps, die vielfach aus Deser=
teuren und Vagabunden aller Länder bestehen, hat stets
viel Unangenehmes. Man kann seinen eigenen Soldaten
nicht recht trauen, muß stets vor Diebereien und De=

13*

fertionen auf feiner Hut fein und hat auch felten viele
Gelegenheit zur perfönlichen Auszeichnung. Ebenfo ent=
halten die Officiercorps häufig nicht immer lauter Män=
ner von untadeligem, ritterlichem Charakter, und eine
wahre Kamerabfchaft kann faft gar nicht ftatt finden. Auf
die Italiener als Soldaten, mit Ausnahme der Savoyar=
den, hielt ich auch nicht viel, und es wollte mir nicht
recht in den Kopf, daß von Sicilien aus die Herrfchaft
eines Bonaparte geftürzt werden könnte. Das Ganze
fchien mir wieder eine der verfehlten Unternehmungen zu
fein, wie folche die Engländer fo viele gemacht haben,
und fo gern ich auch mein Leben für den Sieg des le=
gitimen Princips geopfert hätte, fo wollte ich doch nicht
nußlos meine Haut zu Markte tragen. Der Erfolg be=
wies, wie wenig ich mich geirrt hatte.

Im Jahre 1804 erhielt ich, zwar noch in der Charge
als Ober=Lieutenant, die Führung einer Grenadier=
Compagnie, deren Hauptmann einen einjährigen Urlaub
aus Gefundheitsrückfichten bekommen, und kam nach Wien
in Garnifon. Das glänzende Leben der vergnügungs=
füchtigen Refidenz berührte mich wenig und ich lebte ei=
gentlich noch zurückgezogener, als in Linz, da die enge
Kameradfchaft hier mehr in den Hintergrund trat.

Die Erhebung Bonaparte's auf den Thron Frank=
reichs mußte mich und alle wahren Freunde der Legiti=
mität, gleich viel, welcher Nation fie angehörten, mit

gerechtem Zorn erfüllen. Es war mir unbegreiflich, daß
die Monarchen Europas solche Usurpation dulbeten und
Bonaparte wirklich als Kaiser anerkannten, ja ihm
sogar huldigten. Die strengen Strafen für die Uneinig=
keit und Ungeschicklichkeit, mit der bisher alle Coalitio=
nen den Kampf gegen das revolutionäre Frankreich ge=
führt hatten, sollten sich jetzt immer mehr erfüllen. Welch'
ein Joch der unerhörten Tyrannei vermochte dieser Bo =
naparte dem geknechteten Europa nun durch eine lange
Reihe von Jahren aufzulegen!

Die schändliche Ermordung des jungen ritterlichen Her=
zogs von Enghien, dieses echten Sprößlings des alten
ruhmreichen Hauses Bourbon=Condé, war ein bemerk=
bares Zeichen, welche Thaten Europa von dieser Herr=
schaft Bonaparte's erwarten durfte. Ich kann die tiefe
Entrüstung, die mich bei dieser Trauerkunde ergriff, gar
nicht schildern, die ganze Scheußlichkeit der Revolution
trat auf's Neue mir klar vor die Seele und die alten
traurigen Erinnerungen, die allmählich durch die Zeit
etwas in den Hintergrund getreten waren, drängten
sich mit vermehrter Kraft wieder hervor. Bisher hatte
ich Bonaparte nur als das Haupthinderniß der Rück=
kehr der Bourbons nach Frankreich gehaßt; seit dieser
Mordthat hegte ich aber die wüthendste persönliche Er=
bitterung gegen ihn. Hätte ich diesen Mann im offenen
Kampfe jemals gefangen nehmen können, ohne Weiteres

wäre er eigenhändig von mir zusammengehauen worden,
das stand fest bei mir. Das Gute hatte dieser Mord
aber, daß manche legitimistische Edelleute, die seit 1800
als Officiere in der Französischen Armee dienten, wieder
zur Besinnung kamen und sogleich ihren Abschied for-
derten. Unter dem Befehl des Mörders des Herzogs
von Enghien noch fernerhin zu dienen, verbot ihnen wenigstens ihr Ehrgefühl.

Im Mai des Jahres 1805 wurde ich Capitain = Lieutenant und erhielt eine eigene Compagnie. Ich freute
mich ungemein über dies Avancement, denn die Wirk-
samkeit eines Compagnieführers ist in der Österreichischen
Armee eine sehr ausgedehnte und ersprießliche, wenn anders der Betreffende wirklich Neigung wie Zeit dazu hat,
sie gehörig auszufüllen. Er kann in der That ein wahrer Vater seiner Compagnie sein und Hunderte von braven Soldaten wahrhaft beglücken, ohne der Strenge des
Dienstes selbst nur im Allergeringsten dadurch zu schaden.

Mehr aber noch, wie meine Ernennung zum Compagniechef, erfreuten mich jetzt die immer mehr steigenden Aussichten zu einem baldigen Ausbruch des Krieges
zwischen Österreich und Frankreich. Ich habe mich sonst
selten viel mit dem Lesen der Zeitungen befaßt, jetzt aber
erwartete ich täglich mit der größten Spannung alle
Blätter, welche irgend sichere Nachrichten über die neuesten Vorgänge in der Politik bringen konnten.

Die Coalition zwischen Österreich, Rußland, Eng=
land und noch einigen anderen Staaten zweiten Ranges,
kam endlich zum Abschluß, der Ausbruch des Krieges
mit Frankreich war fast unzweifelhaft. Seit Jahren hatte
ich keinen so frohen Tag mehr gehabt, als den, da ich
die sichere Kunde erhielt, bald wieder gegen Bonaparte
und seine Schaaren kämpfen zu können. Die ungemein
schwächliche Politik, die damals in Berlin herrschte, hatte
Preußen leider davon abgehalten, sich diesem Bunde an=
zuschließen und mit vereinten Kräften gegen den gemein=
samen Feind aller legitimen Regenten Europas zu käm=
pfen. Eine sehr empfindliche, aber vielleicht nicht ganz
unverdiente Strafe sollte der Preußischen Regierung da=
für zu Theil werden, als sie ein Jahr später den Krieg
gegen Bonaparte, den Sieger von Austerlitz, unternahm.

Das Bataillon, bei dem ich eine Compagnie führte,
stand während des Sommers 1805 in dem großen Lager
bei Wels unweit Linz, wo ein bedeutendes Corps des
Österreichischen Heeres vereinigt wurde. Wir waren auf
Kriegsfuß gesetzt, erhielten neue Verstärkungen und exer=
cirten sehr fleißig. Die Stimmung des Heeres war mu=
thig und kräftig, aber gerade nicht begeistert. Der größte
Theil des Österreichischen Kaiserstaates hatte bisher von
•den Franzosen noch nicht die vielen Demüthigungen er=
litten, und so herrschte gegen diese im Allgemeinen lange
nicht der gleiche Haß, wie z. B. beim Ausbruch des Krie=

ges von 1809. Manche Rekruten, die bei den Regimen=
tern eintrafen, wären lieber zu Hause in ihren friedli=
chen Beschäftigungen geblieben und auch von den älteren
Soldaten gab es viele, denen die Beschwerden der frü=
heren Feldzüge auch gerade keine so angenehme Rücker=
innerungen gelassen hatten, daß sie sich nach deren Wie=
derholung sehr sehnten. Eine gleiche Stimmung der Ruhe
herrschte bei vielen älteren Officieren, die für die Lockun=
gen des Ehrgeizes schon abgestorben waren, während
hingegen der jüngere Theil des Officiercorps die Kriegs=
erklärung mit lautem Jubel begrüßte.

Auf unser Corps bei Wels wirkte die Nachricht, daß
nicht der Erzherzog Carl, wie wir anfänglich gehofft,
sondern der Baron Mack den Oberbefehl übernehmen
würde, sehr niederschlagend. Wir beneideten unsere Ka=
meraden in Italien, denen das Glück zu Theil werden
sollte, unter dem Befehl des erlauchten Erzherzogs fech=
ten zu dürfen, um diesen Vorzug nicht wenig und manche
Officiere wandten alle Mittel an, um zu den in Ober=
Italien stehenden Truppentheilen transferirt zu wer=
den; daß der Hauptkampf diesmal in Deutschland statt
finden werde, war leicht vorauszusehen, und um so un=
begreiflicher mußte man es finden, einen Mack, statt
eines Erzherzogs Carl, mit dem Oberbefehl zu betrauen.
Doch was konnte man in dieser Hinsicht von einigen leider
nur zu einflußreichen Persönlichkeiten in Wien nicht alles

erwarten! — Was nun den Zustand der Österreichischen
Armee betraf, so war dieser nicht gleichmäßig, denn manche
Regimenter hatten eine ungleich größere Kriegstüchtigkeit,
als andere. Der Wille des Regiments-Inhabers war
von großem Einfluß bei der Zusammensetzung des Officiercorps, und so zeigte sich hierin ein bemerklicher Unterschied in den einzelnen Regimentern. Manche hatten
sehr viele treffliche Subaltern-Officiere, die sich den Reformen des Erzherzogs Carl mit großem Eifer gewid-
met hatten; von anderen Regimentern, deren Inhaber
eingenommene, pedantische und sehr dem Protectionsun-
fug ergebene Generale waren, konnte man leider nicht
ein Gleiches rühmen und es gab viele Officiere in diesen, die ihre Stellen nicht genügend ausfüllten. Auch
die verschiedenen Nationalitäten, aus denen die einzelnen
Regimenter rekrutirt waren, verliehen solchen einen mehr
oder minder hohen Grad von Kriegstüchtigkeit. Im Allgemeinen durfte man aber annehmen, wie dies stets in
dem Heere des Kaisers von Österreich bisher der Fall
war, daß die Cavallerie sich als die bestausgebildetste und
manövrirfähigste aller Waffengattungen zeigte. Strenge
Disciplin und ein echt monarchischer Sinn herrschten aber
im ganzen Heere, und jedes Regiment kämpfte willig
gegen jeden Feind, den der Wille seines Herrschers ihm bestimmte. In der zweiten Hälfte des August 1805 marschirte
mein Bataillon von Wels aus und verfolgte den Lauf

der Donau stromaufwärts. Wir hatten allgemein ge=
hofft, die schöne und tapfere Bayrische Armee würde sich
uns anschließen, wie sie dies auch gern gethan hätte;
leider war dies aber nicht der Fall und sie mußte ge=
zwungen dem Usurpator Bonaparte folgen. Die ränke=
volle Schlauheit der Diplomaten dieses Mannes hatte
auch diesmal wieder, wie leider so häufig, die Schwäche
der meisten mittleren und kleineren Cabinette besiegt,
und solche dem Princip der Legitimität abtrünnig gemacht.
Für einige elende Fetzen Land, die sie mehr erhielten,
opferten manche dieser Fürsten ohne Weiteres das Prin=
cip der Legitimität und dienten folgsam einem Bona=
parte. In ihrer kurzsichtigen Verblendung dachten sie
nicht daran, welche böse Drachensaat sie dadurch in ih=
rem eigenen Lande ausstreuten, die ihnen später selbst
nur zu übele Früchte tragen sollte. Wenn die verderb=
lichen revolutionären Tendenzen, die der ersten Franzö=
sischen Revolution ihren Ursprung verdanken, in dem
sonst so loyalen Deutschland auch in den letzten Jahren
sich immer tiefer eingefressen haben, so trägt das enge
Bündniß so mancher Fürsten mit Napoleon, dem Sohn
der Revolution, die Hauptschuld davon.

Unser Corps stellte sich nun in und um Ulm auf,
um hier die Franzosen, welche aus ihren verschiedenen
Lagern am Canal aufgebrochen und in Eilmärschen über
den Rhein gegangen waren, zu erwarten. Der Baron

Mack hatte sich eingebildet, Bonaparte werde nach einer gewöhnlichen Schablone, etwa wie ein Officier, der sein Examen für den Generalstab machen muß, seine Manöver ausführen, und so blieben wir denn nutzlos bei Ulm stehen. Es war mit einigen Abänderungen fast wieder die gleiche Täuschung, wie in Italien vor der Schlacht bei Marengo, wo man Bonaparte auch keine kühnen außergewöhnlichen Pläne zutraute, weil man selbst nicht im Stande war, solche zu unternehmen. Die Mittelmäßigkeit, welche sich in unserem Hauptquartier und mehr noch bei den aus Wien gesandten Instructionen nur zu breit machte, traute auch dem Gegner nur Mittelmäßiges zu, und so mußten wir einem Bonaparte gegenüber freilich unterliegen. Dies gänzlich nutzlose, müßige Umherstehen bei Ulm brachte nicht allein mich, sondern auch sehr viele andere Officiere jeden Grades zur Verzweiflung und schien uns mit Recht ein übeles Vorzeichen für den kaum begonnenen Feldzug. Selbst die gemeine Mannschaft hatte genug Einsicht, um zu erkennen, daß vieles wieder verfehlt sei, und die Soldaten äußerten oft unverholen ihren Mißmuth, daß wir nicht vorwärts gegen den Feind marschirten.

„Wir müssen die Franzosen angreifen, statt uns immer von diesen Kerls erst umzingeln und dann angreifen zu lassen", sagte ein alter Grenadier = Corporal meiner Compagnie, der schon alle Italienischen Feldzüge

mitgemacht hatte. Der einfache gesunde Sinn dieses er=
fahrenen Veteranen traf das Richtige besser, wie die
schulmäßigen Combinationen mancher unserer gelehrten
Strategen, die in ihrer Überklugheit den Wald vor lau=
ter Bäumen nicht wachsen sahen. Bonaparte, ein
Meister jeder Täuschung, täuschte uns eben so wieder,
wie er den Baron Melas 1800 in Piemont getäuscht
hatte. Sein Feldzugsplan war meisterhaft angelegt, wurde
mit der ganzen Kraft und Schnelligkeit, welche alle Be=
wegungen der damaligen Französischen Armee so sehr
charakterisirt, auch ausgeführt und mußte daher gelingen.
Wir standen noch ruhig in und um Ulm und schauten
auf die große Straße nach Württemberg hinunter, als
ob dies der einzige Weg sei, auf dem ein Französisches
Hauptcorps daher marschirt kommen konnte, als die
Feinde schon in unserem Rücken waren und uns immer
enger umzingelten. Ebenso, wie vor Marengo, ließ Bo=
naparte uns absichtlich durch falsche Spione täuschen,
und der gute Mack war einfältig genug, dem Geschwätz
dieser abgefeimten Schurken unbedingtes Vertrauen zu
schenken. Wirklich fabelhafte Geschichten von der Leicht=
gläubigkeit auf der einen, albernen Hochmüthigkeit auf
der anderen Seite mancher Österreichischen Generale wur=
den in unseren Lagern erzählt und leider geglaubt. Frei=
lich hatten wir auch wieder ausgezeichnete Generale un=
ter uns, welche mit Recht über das, was geschah, sehr

erzürnt waren. Unter diesen befand sich besonders der
Fürst Schwarzenberg, der 1813—1814 als Ober=
Feldherr der Hauptarmee sich so unsterbliches Verdienst
bei der Besiegung Bonaparte's erwarb. Der Fürst
Schwarzenberg hatte damals noch keine so hervor=
ragende Stellung, daß seine Meinung von entschiedenem
Einfluß sein konnte, und es war dies ein Unglück für
unser Corps, denn man durfte ihn unbedingt zu den
besten Österreichischen Generalen zählen. So genial und
großartig in seinen Plänen, wie der Erzherzog Carl,
war er nicht; aber ungemein vorsichtig, alle möglichen
Folgen klug erwägend und dabei nicht im mindesten ei=
gensinnig, sondern jeder guten Einsicht völlig sein Ohr
öffnend. Sein Charakter war ungemein edelmüthig,
Wohlwollen gegen Jedermann einte sich bei ihm mit der
nöthigen Strenge, ohne welche ein Officier und gar ein
General keinen Schuß Pulver werth ist. Den geborenen
vornehmen Aristokraten, der es im Gefühl seiner Würde
verschmäht, sich durch falschen Schein ein erhöhtes An=
sehen zu geben, stellte er auf die edelste Weise dar und
gehörte unbedingt zu den ritterlichsten Erscheinungen, die
mir in meinem ganzen Leben vorgekommen sind. Für
junge Officiere war er ein nachahmungswerthes Beispiel
und ich glaube, daß sein später sehr mächtiger Einfluß
ungemein förderlich für die Officiercorps der Österreichi=
schen Armee gewirkt hat.

Anfangs October, als es schon fast zu spät war, schien dem Baron Mack endlich eine Ahnung aufzugehen, daß außer dem Corps des Generals Bernabotte, was aus Norddeutschland gekommen war, auch andere Französische Truppentheile schon in unserem Rücken angekommen sein müßten. Unter dem Befehle des Barons Auffenberg wurden neun Infanterie=Bataillone und einige Cavallerie=Schwadronen ausgeschickt, um zu erforschen, was denn eigentlich im Bairischen Schwabenland hinter uns vorginge.

Am 8. October hatte ich unweit Wentingen Gelegenheit, in diesem Feldzuge zuerst mit den Feinden in das Gefecht zu kommen. Es ging blutig dabei her und ich konnte meine Kampfeslust befriedigen. Starke Französische Dragonermassen attaquirten unsere Aufstellung mit wildem Hurrahgeschrei und größerer Kühnheit, als Geschicklichkeit. Es kam zu einem Handgemenge, in dem ich mich zu Fuß mit meinem Säbel gegen einen Französischen Rittmeister vertheidigen mußte, was mir auch trefflich gelang. Ich stach seinem Pferde in's Herz, so daß es zusammenbrach und seinen Reiter abschleuderte, der nun mit leichter Mühe von meinen Grenadieren gefangen genommen werden konnte.

Die Angriffe der Französischen Reiterei hielten wir standhaft auf; als aber jetzt der General Oudinot mit seinen Grenadieren und Murat mit einem ganzen Corps auf uns einbrang, mußten wir den Rückzug in guter Ordnung antreten. Wir hatten an diesem Tage über 1000 Mann verloren, konnten aber dem Feldzeugmeister Mack dafür auch die sichere Kunde bringen, daß Bona=parte mit seiner großen Armee, die an 150,000 Mann der besten Truppen der Welt zählte, in unserem Rücken aufmarschirt stände. Da verzog man freilich in unserem Hauptquartier gar lange Gesichter, und manche unserer gelehrten Strategen konnten gar nicht begreifen, wie Bonaparte solche Überflügelung möglich gemacht habe, da sie ja gegen alle ihnen bekannten Lehren der Stra=tegie verstoße. Solche dumme und dabei doch gelehrt und weise sein wollende Generale konnten einen wirklich zur Verzweiflung bringen, und der gewöhnlichste Corpo=ral besaß mehr gesunden Menschenverstand, wie sie. Es war jetzt ein gräulicher Zustand in unserem Hauptquar=tier und ein wahres Chaos von Niedergeschlagenheit, Dummheit, Hochmuth und Verblendung zeigte sich.

Noch stand dem Baron Mack bei nur einiger That=kraft der Weg auf das linke Donau=Ufer und von dort nach Böhmen offen. Es bedurfte nur eines kräftigen Entschlusses hiezu, und wir hätten uns entschieden noch durchzuschlagen vermocht. Bonaparte, der seine Geg=ner kannte, hatte Mack gar keine Energie zugetraut, und daher das linke Donau=Ufer nur schwach besetzen lassen, so daß wir mit den 60,000 Mann, die unser

Corps noch zählte, ganz entschieden den Durchbruch un=
ternehmen konnten. Der Erfolg bewies leider, wie
richtig Bonaparte einen Feldherrn wie Mack beur=
theilt hatte, wenn er ihm nicht die mindeste Energie im
Augenblick der Gefahr zutraute und ihn keines kühnen
Entschlusses für fähig hielt. Der Erzherzog Ferdinand
und andere Generale, unter denen besonders der Fürst
Schwarzenberg erwähnt werden muß, drangen zwar
auf das Bestimmteste darauf, diesen Durchbruch zu ver=
suchen, allein vergebens. Dummheit und Schwäche sieg=
ten auch diesmal wieder über Kühnheit und Genialität
und so mußte einem General wie Bonaparte, der
beide letzteren Eigenschaften in so hohem Grade besaß,
sein Plan freilich gelingen.

Wir schlossen uns in dies unglückliche befestigte La=
ger von Ulm ein, als wenn Gott ein Wunder thun
und uns hier ohne unsere eigene Beihülfe retten werde.
Es fehlte wirklich nicht viel, so wäre es zum Aufstand
gegen den Baron Mack gekommen; eine solche wüthende
Stimmung herrschte sowohl unter den Officieren wie
Soldaten.

Ich erhielt jetzt urplötzlich den Befehl, die Führung
meiner Compagnie einstweilen einem anderen Officier an=
zuvertrauen und mit Depeschen an die Russische Armee,
die unter dem Feldmarschall Kutusow durch Böhmen
anmarschirt kam, abzugehen. Es war mir unangenehm,

meine brave, mir treu ergebene Compagnie in diesem
Augenblick, wo ein Kampf bevorstand, abgeben zu müs=
sen und doch freute ich mich auf der anderen Seite wie=
der, einen so unheimlichen Aufenthalt, wie das Lager
bei Ulm darbot, verlassen zu können. Der Umstand, daß
ich früher in der Russischen Armee gedient, die Bekannt=
schaft vieler Officiere derselben gemacht und die Russische
Sprache einigermaßen erlernt hatte, mochte den Baron
Mack bewogen haben, gerade mich zu diesem Auftrage
auszusuchen. Ich mußte übrigens, um nach Böhmen
zu gelangen, mitten durch ein Französisches Corps hin=
durch und der Weg war sehr gefährlich. Wohlbewaffnet,
mit Geld reichlich versehen, gut beritten und von drei
muthigen und gewandten Cheveaurlegers begleitet, ver=
ließ ich in einer dunklen Regennacht Ulm.

Unser Ritt war voller Beschwerden und Abenteuer
und wiederholt waren wir in der allergrößten Gefahr,
von den Feinden gefangen genommen zu werden. Nur
die große Nachlässigkeit, mit der die Franzosen gewöhn=
lich ihren Vorposten = und Wachtdienst zu versehen pfle=
gen, machte es uns stets möglich, durchzukommen. Häu=
fig konnten wir aber nur bei der Dunkelheit der Nacht
reiten und mußten am Tage uns mit unseren Pferden
in den dichten Wäldern jener Gegenden verbergen. Auch
wurden wir einmal von einer Französischen Schildwache
angerufen und nur mein fertiges Französisch täuschte die=

selbe. Es war ganz eine Expedition, die mich an meine früheren Streifzüge als Häuptling der Chouans erinnerte, und mir in dieser Hinsicht manches Interesse gewährte. — Glücklich kam ich nun durch Baiern in den Böhmerwald, wo jede weitere Gefahr für uns aufhörte. Hier ließ ich meine Leute langsam nachreiten und nahm selbst Courierpferde, um so schnell wie möglich den Fürsten Kutusow und seine Russische Armee zu erreichen.

Der Fürst Kutusow empfing meine Depeschen und sandte mich dann mit neuen Briefen nach Wien. Hier erhielt ich den Befehl, wieder in das Russische Hauptquartier zurückzueilen und vorläufig dort zu bleiben, um dem Fürsten bei seinem Verkehr mit den Österreichischen Behörden behülflich zu sein. Mir war dieser Auftrag, in dem eine endlose Reihe aller möglichen Verdrießlichkeiten lag, gar nicht angenehm; doch unbedingter Gehorsam ist ja eine der wichtigsten Pflichten des Soldaten. Komisch fast kam mir übrigens der Wechsel in meinen Verhältnissen vor. Vor sechs Jahren hatte ich als Russischer Officier mit Österreichischen Militairbehörden verhandeln müssen, und jetzt als Österreichischer Officier mit Russischen.

Die Russische Armee und Kutusow fand ich nicht so gut, als die, welche ich unter Suworow kennen gelernt hatte. Überall vermißte man den Einfluß dieses großen Feldherrn, der seine Soldaten zu einer Kühnheit

zu entflammen wußte, wie solche sonst den Russischen
Soldaten, so tüchtig sie auch in der Defensive sind, nicht
eigen zu sein pflegt. Es waren viele Rekruten jetzt in
den Bataillonen und die alten Veteranen jener Suwo =
row'schen Schaaren vermißte man schmerzlich. Dabei
kam es mir vor, als ginge die Mannschaft nur ungern
in den Krieg. Besonders kamen Desertionsfälle ungleich
häufiger vor, obgleich die Disciplin streng war und
manche Officiere ihre Mannschaft tyrannischer behandel=
ten, wie Suworow dies jemals geduldet haben würde.
Unter den Officieren, mit denen ich in Berührung kam,
befanden sich zwar viele ehrenwerthe und kriegstüchtige
Männer, aber leider auch eine große Zahl jener rohen,
nur mit äußerem glatten Firniß überzogenen Gecken,
wie sie die vornehme Russische Aristokratie häufig besitzt,
und wie der alte Suworow sie so trefflich niederzu=
drücken verstand. Es waren dies häufig arrogante und
suffisante junge Burschen mit den Manieren Französischer
Tanzmeister, deren oberflächliche liberale Phrasen, die
sie in schlechten Romanen aufgelesen hatten, mit der bru=
talen Härte gegen ihre Untergebenen auf die widerlichste
Weise im Contrast standen. Nur durch ein sehr gemesse=
nes, ruhiges Wesen konnte man am Besten mit diesen
jungen Herren durchkommen; da ich zwei Russische Or=
den und darunter einen sehr geachteten trug, so hielten
diese Herren mich auch für so Russisch gesinnt, daß sie

Mem. eines Legit. II.   14

glaubten, ihrer Abneigung gegen Österreich in meiner Gesellschaft gar keinen Zwang anlegen zu dürfen. Gleich am ersten Abend bei einem gemeinschaftlichen Essen spöttelten mehrere Abjutanten vornehmer Geburt in Russischer Sprache über die Österreichische Armee und belustigten sich, alberne Anecdoten über diese zu erzählen. Das war mir denn doch zu viel und vor gerechtem Zorn rötheten sich meine Wangen. Ich stand auf und sagte diesen Herren in festem Tone, ich hätte jetzt die Ehre, die Officierschärpe des Kaisers von Österreich zu tragen und würde daher jeden Spott, der in meiner Gegenwart über die Österreichische Armee geäußert würde, als persönliche Beleidigung ansehen und nicht dulden. Sowohl jetzt gleich, oder auch nach beendetem Kriege, sei ich dafür zu jeglicher Genugthuung mit den Waffen bereit. Diese Sprache wirkte und fortan wurden wenigstens in meiner Gegenwart beleidigende Äußerungen über die Österreichische Armee vermieden. Ob der Ruf, den ich von früherer Zeit her im Russischen Heere hatte, ein besonders guter Fechter zu sein, hiezu beitrug, will ich nicht entscheiden. Diese Abneigung gegen Österreich war übrigens damals in der ganzen Russischen Armee tief verbreitet und erschwerte mir nicht allein meine Thätigkeit auf das Äußerste, sondern bereitete mir auch sonst wahren Kummer. Leider konnte ich nicht läugnen, daß das frühere Benehmen des Wiener Cabinets gegen Su=

worow gerade nicht geeignet gewesen war, lebhafte
Sympathien für Österreich unter den Russischen Truppen
zu erwecken. So trägt jede böse That auch stets ihre
bösen Folgen, unter denen leider nur zu oft dann auch
Unschuldige mitleiden müssen.

Persönlich konnte ich mich nicht über den Feldmar=
schall Kutusow beklagen, denn er war stets ganz ar=
tig gegen mich; sonst habe ich aber niemals zu seinen
Verehrern gehört. Gar eine Parallele zwischen ihm und
Suworow ziehen zu wollen, wie man es hie und da
versucht hat, erschien mir stets als eine große Albern=
heit, da Letzterer Ersteren in jeder Hinsicht weit über=
ragte. Kutusow war ein kleines unscheinbares Männ=
chen, von krummer Haltung, dem ein Auge im Kopfe
fehlte. Er war so schlau und verschmitzt, wie nur ein
echter Russe es sein kann, von großer Thätigkeit und
festem Willen, auch nicht ohne militairische Talente, wenn
auch ohne jegliche Genialität in der Entwerfung von
Plänen und ohne kühne Energie in der Ausführung
derselben. Seine Hauptstärke war eine zähe, unerschüt=
terliche Defensive, worin auch die Hauptkraft der Rus=
sischen Soldaten besteht, wie er denn überhaupt in vie=
ler Hinsicht als wahrer Vertreter derselben mit allen
ihren guten und schlechten militairischen Eigenschaften,
z. B. großer Langsamkeit, angesehen werden durfte.
Daß er in der Schule Suworow's gedient hatte,

konnte man Kutusow in vielen Dingen auffällig an=
merken, obgleich er sich leider die rücksichtslose Energie
dieses großen Feldherrn nicht im Mindesten angeeignet.
In dem großen Haß gegen alles Fremde und in der
festen Überzeugung, das alte Rußland sei das erste Land
der Welt, glichen sich diese beiden Männer vollkommen.
Suworow wollte, Rußland sollte als Eroberer den
ersten Platz in Europa einnehmen; Kutusow hingegen,
es solle stets nur in der Defensive bleiben und sich mög=
lichst streng von allen übrigen europäischen Völkern ab=
schließen.

Zu einem Führer des Russischen Heeres im Jahre
1805 war Letzterer daher sehr schlecht geeignet; für den
Feldzug von 1812, wo Rußland stets nur Defensiv=
Schlachten schlug, paßte er ganz vortrefflich.

Ein bemerkenswerther Russischer General, der im
Heere großes Ansehen hatte, war Miloradowitsch,
ein geborener Serbe. Tapferkeit und Energie konnte
man ihm nicht absprechen, sonst aber hatte er so rohe
Manieren wie ein Stallknecht und war brutal, jähzornig
und im höchsten Grade grausam. Ich ging ihm aus
dem Wege, so weit ich nur konnte, und es war mir
stets widerlich, wenn ich in dienstlichen Angelegenheiten
ihm eine Meldung machen mußte. Sehr gern verkehrte
ich hingegen mit dem General Doctorow, einem ebenso
braven und tüchtigen Soldaten, wie liebenswürdigen

und edelen Mann. Er hat mir vielen Verdruß erspart
und es war mir stets eine Freude, wenn ich mich in
seiner Gesellschaft befinden konnte. Überhaupt hatte ich
mehrere wahre und treue Freunde im Russischen Heere,
mit denen ich während des Feldzuges unter Suworow
herzliche Waffenbrüderschaft geschlossen hatte. So ein
Bund, im feindlichen Schlachtenfeuer zusammengeschmie=
det, pflegt auch für das Leben festzuhalten.

Eine mich wahrhaft betäubende Nachricht war die
der Capitulation Mack's bei Ulm. Wie ein Feldherr
mit 32,000 Mann trefflicher, muthiger, reichlich mit Ar=
tillerie und Munition versehener Truppen, so ohne Wei=
teres die Waffen strecken, und nicht vielmehr das Äußerste
versuchen konnte, um sich durchzuschlagen, oder mit Ehren
unterzugehen, war eine Sache, die ich gar nicht fassen
konnte. Da war der alte Melas, so thöricht er auch
sonst gehandelt haben mochte, doch bei Marengo ein
anderer Mann gewesen. Als mir zuerst ein Russischer
Officier mit spöttischem Lächeln die Nachricht von dieser
schmählichen Capitulation bei Ulm mittheilte, wollte ich
solche gar nicht glauben, hielt das Ganze nur für eine
hämische Erfindung und stritt sehr bestimmt dagegen.
Leider bestätigte sich bald darauf diese Schmach. Der
Übermuth vieler Russischer Officiere stieg jetzt nicht we=
nig und sie empfanden wirklich eine hämische Freude
über das Unglück ihrer Waffenbrüder. Daß es auch

viele edle und ritterliche Charaktere unter diesen Russi=
schen Officieren jeglichen Grades gab, die das, was bei
Ulm geschehen war, schon im Interesse des gemeinsamen
Bündnisses tief beklagten, bedarf kaum einer besonderen
Erwähnung.

Schmerzlich lag mir auch das Schicksal meiner bra=
ven und kriegstüchtigen Compagnie am Herzen, die jetzt
fast gänzlich aufgerieben war. Bei all diesem Unglück
erfreute mich nur, daß meine Compagnie nicht zu den
Truppen gehörte, welche bei Ulm auf Befehl die Waf=
fen strecken mußten, sondern den Abzug unter dem Erz=
herzog Ferdinand mit unternommen hatte. Zwar
war die Compagnie in den wiederholten Gefechten, die
das Corps des Erzherzogs noch zu bestehen hatte, größ=
tentheils aufgerieben oder zersprengt worden, doch war
dies immer besser, als jene fluchwürdige Capitulation.
Ungefähr die Hälfte meiner treuen Grenadiere hatten
sich, häufig in einzelnen Trupps, bis nach Böhmen
durchgeschlagen und fochten an dem blutigen Tage bei
Austerlitz schon wieder in den Heeresreihen ihres Kaisers
und Herrn.

Am 5. November hatte ich bei Amstetten unweit St.
Pölten zuerst Gelegenheit, einem Zusammenstoß der Rus=
sen mit den Franzosen beizuwohnen. Da mein Geschäft
hauptsächlich darin bestand, die Quartier=Angelegenheiten
der Russischen Truppen ordnen zu helfen, so hätte ich

an diesem Gefechte gar nicht theilzunehmen brauchen.
Um viele Tausend Gulden hätte ich mir aber jetzt diese
Gelegenheit zum Kampf nicht entgehen lassen.

Die Französische Cavallerie, welche der General
Murat, der zwar ein wahrer Comödiant, aber auch
ein persönlich sehr muthiger Reiter-Officier war, befeh=
ligte, attaquirte mit ihrem gewöhnlichen Ungestüm. Die
Kerle baumelten zwar nur so auf ihren abgehetzten Gau=
len, aber jagten wie das Donnerwetter gegen die Rus=
sische Artillerie vor. Diese schoß äußerst ungeschickt, und
ihre Schüsse gingen mehr in die Baumgipfel des Wal=
des, wie in die Glieder der Französischen Dragoner.
So wurden denn die Russischen Kanonen bald genom=
men und die zur Bedeckung derselben aufgestellte Caval=
lerie, die auch keine rechte Kraft zeigte, geworfen. Wie
eine Mauer so fest stand aber die Russische Infanterie,
und hier brach sich machtlos der Französische Reiter=
sturm. Die Grenadiere des Generals Oudinot, wahre
Elite-Bataillone der Armee Bonaparte's, mußten
sich nun mit gefälltem Bajonnett auf die Russische In=
fanterie werfen. Ein wüthender Kampf, Mann gegen
Mann, begann, und die größere Gewandtheit der Fran=
zosen im Einzelkampf gegen die zwar standhaften, aber
ungeschickten Russen, entschied dabei endlich zu Gunsten
Ersterer. Wir leisteten aber den hartnäckigsten Wider=
stand, und zogen uns dann mit der strengen Ordnung,

die das Russische Heer beim Rückzug stets beobachtet, langsam zurück.

Zwei Tage verfolgten nun die Französischen Generale Murat und Lannes die Russen, konnten aber diesen weiter keinen Abbruch thun. Ich selbst ward während dieser Zeit abermals mit Depeschen nach Wien gesandt. Ich traf hier Alles in der größten Bestürzung, denn man befürchtete schon sehr, daß die Franzosen die Stadt einnehmen würden. Leider vermißte ich — so weit ich dies in den 24 Stunden, die ich mich jetzt in Wien auf= hielt, beurtheilen konnte, Kühnheit und Einheit in den oberen Stellen. Gerade manche dieser hochweisen Her= ren vom Hoffriegsrath, die aus der Ferne so überkluge Operationen anbefehlen konnten, hatten jetzt, als die Gefahr sich wirklich nahte, am allermeisten den Kopf verloren. So ist es mir unbegreiflich, warum man nicht Anstalten traf, die werthvollen Vorräthe des reich aus= gestatteten Wiener Arsenals nach Ungarn zu retten, was bei einiger Energie immer möglich gewesen wäre. Man that hierin, wie überhaupt in Allem, gar nichts, und machte es Bonaparte überaus bequem, sich möglichst reicher Beute zu bemächtigen. Es war eine heillose Con= fusion und man hätte viele einflußreiche Persönlichkeiten lieber in ein altes Weiberspital, wohin sie gehörten, einsperren sollen, als an der Spitze wichtiger Geschäfte lassen. Ich mag keine Namen nennen, sonst könnte ich

eine Menge wirklich charakteristischer Anecdoten über die
Kopflosigkeit und Erbärmlichkeit vieler Personen, die vor=
her und auch sogar nachher sich ein gewaltig wichtiges
Ansehen zu geben verstanden, hier anführen. Ein alter
Hofkriegsrath, so recht ein Perückenstock von Kerl, mit
dem ich dienstliche Geschäfte zu besorgen hatte, schien
am meisten zu befürchten, daß die Franzosen bei ihrem
Einrücken seinen grünen Arbeitstisch und seinen Sessel
beschädigen würden. Der Verlust dieses Gerumpels lag
dem Kerl mehr am Herzen, als die Ehre der Öster=
reichischen Armee. Wirklich zur Verzweiflung müssen
solche Herren jeden braven Officier bringen.

Lauter Kanonendonner dröhnte mir aus der Ferne
am Abend des 11. Novembers entgegen, als ich wieder
zum Russischen Heere zurückkehrte. Mit heftigen Sporn=
stößen trieb ich mein ermüdetes Roß zur größten Eile an,
denn ich konnte ein heftiges Gefecht zwischen den Russen
und Franzosen erwarten und strebte danach, wenn es
irgend möglich war, noch daran theilzunehmen. Bei
Dirnstein am linken Donauufer fand dasselbe auch statt,
und mit großer Erbitterung hatten Russen und Franzo=
sen schon mehrere Stunden gegeneinander gekämpft, als
ich selbst am Platze anlangte. Ich gab meine Depeschen
ab, machte die Meldungen und sprang dann von mei=
nem sehr ermüdeten Roß, um zu Fuß zu den theilweise
noch kämpfenden Russischen Truppen zu eilen. Der Fran=

14*

zöſiſchen Diviſion Gazan war es hier ſehr ſchlimm er=
gangen, und die Ruſſen nahmen derſelben eine große
Zahl von Gefangenen ab. Ein wildes Nachtgefecht fand
beim Flammenſchein einer brennenden Ortſchaft noch ſtatt,
als ich mich in das Kampfgetümmel miſchte.

Die Franzoſen ſchlugen ſich mit großer Gewandtheit
und obgleich wir in bedeutender Überzahl waren, ſo muß=
ten ſie ſich doch meiſterhaft zu vertheidigen. Den Ruſ=
ſen fehlte aber die kühne Energie im Angriffe, die ſie
unter Suworow ſo oft ausgezeichnet hatte, und ſo war
denn auch diesmal unſer Erfolg lange nicht ſo vollſtän=
dig, wie er dies eigentlich unſeren ſehr bedeutenden Mit=
teln nach hätte ſein ſollen. Ich ſelbſt nahm übrigens
in der Nacht noch zwei Franzöſiſche Officiere gefangen,
die ſich in den engen Bergſchluchten der Gegend ver=
irrt hatten.

Ein ſehr empfindlicher Verluſt ſowohl für das ganze
Heer, wie auch beſonders für mich, war der des Öſter=
reichiſchen Generals Schmidt, der bei dieſem Gefecht
blieb. Er befand ſich als erſter Öſterreichiſcher Commiſ=
ſarius im Ruſſiſchen Heere und hatte dieſen Überfall der
Diviſion Gazan weſentlich mit geleitet. Wenige Offi=
ciere habe ich in meinem Leben kennen gelernt, für welche
ich eine ſo große Verehrung empfand, wie für dieſen
Schmidt. Er war das Muſter eines braven, erfah=
renen, durch und durch ritterlichen Soldaten, voller Kühn=

heit und klugen Vorsicht, biederen Aufrichtigkeit und wei=
sen Verschwiegenheit. Hätte das Österreichische Heer nur
einen Mann wie Schmidt zum Oberbefehlshaber ge=
habt und der Hoffkriegsrath seine Canzlei dann auf einige
Monate gänzlich geschlossen, ich bin fest überzeugt, daß
nun und nimmermehr von den Franzosen jemals die
Grenzen des Reichs überschritten wären.

Die Nachricht von der Einnahme Wiens durch die
Feinde betrübte mich zwar sehr, kam mir aber nicht un=
erwartet, denn ich war längst darauf vorbereitet. Bei
der kläglichen Rathlosigkeit, die theilweise in den höhe=
ren Österreichischen Kreisen herrschte, und der immer
stärker hervortretenden Abneigung der Russen, auch nur
das Mindeste für ihre Verbündeten zu thun, konnte man
nichts anderes mehr erwarten. Betäubender als die längst
schon erwartete Nachricht von der Besetzung Wiens traf
mich jetzt die Botschaft, der General Auersperg habe
den Franzosen die Donaubrücke bei Wien ohne Weite=
res überlassen, so daß diese mit ihrem ganzen Heere nun
einen ungehinderten Übergang auf das linke Ufer des
Flusses hätten. Der freche, aber gewandte und unter=
nehmungslustige General Murat hatte wirklich die fast
unglaubliche Kopflosigkeit seines Gegners nur zu richtig
beurtheilt und durch eine plumpe Kriegslist und schnelle
Überraschung eine Brücke gewonnen, die Bonaparten
für seine ferneren Operationspläne von der allergrößten

Wichtigkeit war. Was konnte da wohl alle Treue, Aus=
dauer und todesmuthige Aufopferung, an der es die bra=
ven Österreichischen Truppen auch jetzt niemals fehlen
ließen, nutzen, wenn die Erbärmlichkeit mancher hochste=
hender Anführer in einer einzigen Stunde Alles wieder
verdarb! Es war mir jetzt förmlich peinlich, in der Gesell=
schaft Russischer Officiere zu verweilen, denn nur zu sehr
waren fast Alle von dem Gefühl des Hohnes über diese
gleich feige, wie dumme Übergabe der Donaubrücke durch=
drungen. Die feindselige Stimmung im Russischen Haupt=
quartier gegen Österreich hatte jetzt einen so hohen Grad
erreicht, daß viele Officiere gar kein Hehl aus ihrem
Wunsch machten, sich sogleich mit den Franzosen gegen
die Österreicher zu verbünden. Mein Bursche, ein sehr
braver und gewandter Soldat, ein echter Sohn der lu=
stigen Wiener Stadt, klagte mir wiederholt mit Thränen
in den Augen, welche Spötteleien er von den Russischen
Soldaten über die Österreicher jetzt mit anhören müsse.
Meine Stellung ward mir immer peinlicher, und mit
Freude hätte ich in dem Österreichischen Heere, welches
unter dem Befehl des Erzherzogs Carl bei Calbiero
eine so blutige Schlacht gewann, jetzt als Corporal ge=
dient, wenn ich nur um diesen Preis aus dem Russischen
Hauptquartier erlöst worden wäre.

In guter Ordnung zwar, aber doch ziemlich schnell,
traten wir jetzt den Rückmarsch nach Mähren an. Der

Besitz der großen Donaubrücke bei Wien erleichterte es
Bonaparte sehr, seine Truppen gegen uns zu senden,
und so hatten wir denn wiederholt mehrere heftige Ar=
rieregarde = Gefechte. Wir wiesen das Andrängen der
Feinde zwar stets ab, verloren aber doch viele Menschen
dabei, was die gereizte Stimmung der Russischen Trup=
pen noch immer mehr steigerte.

Daß dieser so ungeschickt begonnene Krieg abermals
kein günstiges Resultat für die Rückkehr der Bourbons
nach Frankreich herbeiführen würde, war mir schon längst
klar geworden. Ich will nicht läugnen, daß meine Be=
geisterung für diesen Kampf dadurch ungemein abgekühlt
wurde, und ich mich jetzt mehr aus militairischem Pflicht=
gefühl, wie aus Interesse für den Zweck des Krieges
schlug. Selbst im Fall eines etwaigen Sieges — und
dieser ward mir immer zweifelhafter — wäre unter den
jetzigen Verhältnissen Rußland das einzige Land gewesen,
was wirklich reelle Früchte davongetragen hätte. Für
Rußland selbst aber, wenn es nicht wirklich als Vorkäm=
pfer für die Rechte des legitimen Princips in die Reihen
trat, wie dies 1799 entschieden der Fall war, habe ich
Zeitlebens äußerst geringe Sympathien gefühlt.

Bewunderung erregte bei mir in diesem Feldzug die
ungemein große Kriegstüchtigkeit der Französischen Armee.
Ich glaube, es hat niemals ein Heer gegeben, welches
in jeder Hinsicht so vollkommen ausgebildet für den Krieg

war, als die sogenannte „große Armee", die Napo=
leon in diesem Feldzug über den Rhein führte. Ich
mußte diese stete Tüchtigkeit der so bitter gehaßten Feinde
sehr beklagen, denn der so dringend gewünschten Rück=
kehr der Bourbons stand dadurch ein immer größeres
Hinderniß entgegen; aber in rein militairischer Hinsicht
konnte ich meine Bewunderung darüber nicht unterdrücken.
Keines der vielen Französischen Heere, gegen welche ich
seit 1792 gefochten hatte, konnte sich an Kriegstüchtig=
keit mit dem vom Jahre 1805 vergleichen, und weder
das Heer, was Bonaparte im Kriege von 1809 be=
fehligte, noch die Truppen, gegen die ich in Spanien
von 1810 — 1814 focht, waren dem jetzigen gleich. Es
zeigte sich ein Eifer, eine Gewandtheit, eine Schnellig=
keit jetzt bei diesen Truppen, die nicht besser gefunden
werden konnten. Alle Generale fast waren jugendkräftige,
von brennendstem Ehrgeiz gestachelte und dabei in der
Kriegskunst wohlerfahrene Männer, und konnten somit
den übrigen Stabs= und Subaltern=Officieren als gute
Beispiele dienen. Die Truppen selbst waren gut ausge=
rüstet, mit allem Kriegsmaterial versehen, ihren bewähr=
ten Führern sehr ergeben und von einer so strengen Dis=
ciplin, wie solche unter den früheren Heeren der Repu=
blik niemals geherrscht hatte, geleitet. Der General
Bonaparte verstand sein Soldatenhandwerk aus dem
Grunde und hatte die letzten Friedensjahre mit kluger

Umsicht dazu benutzt, seine Truppen für den Krieg mög=
lichst auszubilden. Er hatte die meisten Truppen einige
Jahre in großen Lagern vereinigt gehabt, sie dort ma=
növriren gelehrt, eine strenge Disciplin eingeführt und
Officiere und Mannschaften eng mit einander verbunden.
Alle Stabs=Officiere, Capitains, Unterofficiere und auch
viele Lieutenants und alte Soldaten hatten schon Cam=
pagnen mitgemacht, und ihre Erzählungen reizten ihre
jüngeren Kameraden an, sich Auszeichnung und Ruhm
zu erwerben. Rekruten befanden sich fast gar nicht in
den Corps und selbst die jungen Soldaten waren min=
destens schon ein bis zwei Jahre beständig unter den
Waffen gewesen. Diese ungemein zweckmäßige Mischung
von alten und jungen Soldaten habe ich niemals wieder
in der Vollkommenheit in einer Armee von Bonaparte
gefunden. Sein Heer, mit dem er 1809 den Krieg in
Deutschland begonnen, enthielt ungleich mehr Rekruten;
bei den in Spanien fechtenden Regimentern waren zwar
sehr viele alte Soldaten, aber diese waren häufig schon
der beständigen Kriege überdrüssig, fochten oft nicht mit
sonderlichem Eifer mehr und sehnten sich nach Hause.

Ausgezeichnet war, wie fast immer bei einem Fran=
zösischen Heere, auch diesmal wieder die Artillerie und
der Österreichischen in ihrer Manövrirfähigkeit, der Rus=
sischen aber im guten Schießen, weit überlegen. Auch
die schwere Cavallerie war gut beritten.

Ich kann nicht läugnen, daß ich mitunter als Franzose eine Art von Stolz fühlte, daß Frankreich eine so
tüchtige Armee geliefert hatte. Welch' Glück wäre es
für mich gewesen, in derselben dienen zu können, wenn
die weiße Fahne der Bourbons über diesen waffengeüb-
ten Regimentern geflattert hätte.

Mit ihren dreifarbigen Fahnen mußte ich sie freilich
hassen und ihren völligen Untergang bringend wünschen.
So sehr ich aber auch eine Hauptschlacht herbeisehnte,
so will ich doch nicht läugnen, daß mich oft ein banges
Gefühl des Zweifels, ob solche auch günstig für uns
ausfallen würde, überkam.

Achtes Capitel.

Vereinigung der Russischen Heere in Mähren. Krie=
gerische Stimmung im Hauptquartier des Kaisers
von Rußland. Verfehlter Schlachtplan. Beginn
der Schlacht bei Austerlitz. Blutige Kämpfe. Be=
gegnung zweier Brüder im Kampfe. Meisterhaf=
ter Schlachtplan Napoleon's. Verlust der Schlacht.
Rückzug. Trübe Stimmung im Österreichischen
Heer. Waffenstillstand.

Das Russische Corps unter dem Feldmarschall Fürst
Kutusow hatte sich jetzt in Mähren mit dem Heere,
welches der Kaiser Alexander persönlich aus Rußland
herbeiführte, vereinigt, so daß die gesammte Armee un=
gefähr 72,000 Mann zählen mochte. Einige 15,000
Mann Österreicher, unter denen besonders mehrere aus=
gezeichnete Cavallerie=Regimenter bemerkbar waren, ka=
men noch hinzu, und so konnte das gesammte Heer mit
88,000 Mann in die Schlachtreihe rücken. Wir standen
jetzt in und um Olmütz und durften mit Sicherheit in
der nächsten Zeit einer entscheidenden Hauptschlacht ent=

gegenfehen. Befonders auch der Kaifer Alexander war
ungemein kriegsmuthig geftimmt, und wünfchte dringend,
fich die Lorbeeren des Sieges zu erwerben. Ich hatte
die hohe Ehre, dem Kaifer vorgeftellt zu werden; der=
felbe erkundigte fich gnädig nach meinen früheren Feld=
zügen, und wo ich meine beiden Ruffifchen Orden er=
halten habe, und geruhte dann, mir mehrere huldvolle
Worte über meinen militairifchen Eifer zu fagen. Der
Kaifer Alexander war damals ein fchöner, blühender,
junger Mann, dem Gott eine ungemein einnehmende
Perfönlichkeit verliehen hatte. Wohlwollen und Güte
fprach aus jedem feiner Züge, und geiftige Lebendigkeit
blitzte aus feinen blauen Augen. Er hatte etwas unge=
mein Gewandtes und Schnelles in allen feinen Bewe=
gungen, ritt vortrefflich, und man konnte es leicht be=
greifen, daß alle Damenherzen dem fchönen, ritterlichen
Monarchen entgegenflogen. Die vielen Schmeichler, die
ihn damals umgaben, wollten behaupten, er befitze auch
ein gleiches militairifches Talent wie Bonaparte, und
es bedürfe nur einer Gelegenheit, um folches glänzend
zu zeigen. Ich glaube, daß der Kaifer felbft viel zu
viel Einficht befaß, um derartigen lächerlichen Lobhude=
leien Beachtung zu fchenken, wenn fonft leider auch un=
verftändige Schmeichelei nur zu oft in der Seele der
Fürften haften bleibt und gar großen Schaden anrichtet.
Ob große Charakterfeftigkeit gerade zu den Haupteigen=

ſchaften des Kaiſers Alexander gehörte, wage ich nicht
zu behaupten. Ich wenigſtens kann nicht läugnen, daß
ſein Benehmen gegen Napoleon während des Con=
greſſes in Erfurt 1808 meine bis dahin für ihn gehegte
große Verehrung gewaltig abkühlte.

So ungemein liebenswürdig der Kaiſer Alexander
perſönlich war, ebenſo arrogant, ja ſelbſt brutal, betru=
gen ſich mehrere junge Stabs=Officiere ſeines Gefolges,
die der hohen Ruſſiſchen Ariſtokratie angehörten. Dieſe
Fanfarons, die größtentheils noch niemals im Geſecht
geweſen waren, traten mit einem Übermuthe auf, wie
ihn eben nur gänzlich rohe Menſchen zeigen können.
Ich hatte mir feſt vorgenommen, ſchon im Intereſſe der
guten Sache, für die wir gemeinſchaftlich kämpften, jede
Gelegenheit zu irgend welchem Streite möglichſt zu ver=
meiden; allein die Verhältniſſe wollten dies nicht ge=
ſtatten. Ich ritt eines Tages ganz ruhig auf einer
ſchmutzigen Landſtraße, als ein Ruſſiſcher höherer Offi=
cier, ein noch ſehr jugendlich ausſehender Mann, in ſo
wilder Haſt bei mir vorbeiſprengte, daß ſein Pferd mich
von oben bis unten beſpritzte. Ohne nur ein Wort der
Entſchuldigung zu ſagen, jagte er weiter fort, kehrte
aber bald wieder um, da es nur ein Spazierritt war,
und ſprengte in gleicher Haſt abermals auf mich zu.
Jetzt riß mir die Geduld und ich drängte mein Pferd in
den Weg hinein, um ihm die Paſſage zu verſperren,

so daß er pariren mußte. Hochmüthig schrie er mir zu:
„Welche Insolenz von Ihnen, scheeren Sie sich fort aus
dem Wege, Capitain!"

Innerlich vor Zorn kochend, aber äußerlich noch
ruhig, antwortete ich ihm: „Dies ist keine Sprache, wie
man sie gegen einen Österreichischen Officier führt; Sie
scheinen so rohe Manieren zu besitzen, daß ich Sie für
einen Stallknecht halten würde, trügen Sie nicht die
Uniform."

„Ach was! Platz da, ich bin der Prinz Dolgo=
rucky!" schrie er laut und wollte sein Pferd anspornen.

„Und ich bin ein Marquis von altfranzösischem Adel,
und das ist wahrlich so viel, wie irgend ein Russischer
Fürstentitel. — Wenn Sie Muth haben, so geben Sie
mir nach beendetem Kriege Genugthuung mit den Waf=
fen, damit ich Ihnen Lebensart beibringen kann", ent=
gegnete ich, drehte mein Pferd um und ritt einen Sei=
tenweg, ohne den Fürsten nur eines Blickes ferner zu
würdigen. Hätte derselbe noch irgend eine weitere Be=
leidigung gegen mich verübt, so hätte ich ihn sogleich
mit dem Säbel angegriffen und zum Zweikampf auf der
Stelle gezwungen, wären auch die schlimmsten Folgen
daraus für mich entstanden.

Der Prinz Dolgorucky forderte mich aber nicht,
sondern beschwerte sich über mein Betragen. Man mußte
damals in Österreich Alles vermeiden, um die Russen

bei guter Laune zu erhalten und somit auch nur zu
viele Insolenzen derselben geduldig ertragen. So erhielt
ich jetzt einen scharfen Verweis und 16 = tägigen Stuben=
arrest, nach beendigtem Feldzuge zu bestehen, und ward
dann zu meiner großen Freude aus dem Russischen
Hauptquartier wieder abcommandirt. Ich war nicht we=
nig froh, als ich mich wieder in der Mitte meiner
Österreichischen Kameraden befand, und diesen täglichen
Unannehmlichkeiten überhoben wurde.

Am 30. November ward ich einstweilen dem Öster=
reichischen General Kienmayer wieder zugetheilt. Daß
es alsbald in den nächsten Tagen zur entscheidenden
Hauptschlacht kommen würde, ließ sich aus Allem mit
ziemlicher Sicherheit entnehmen. Ich freute mich sehr
hierauf, wenn ich auch häufig ein banges Vorgefühl, daß
wir uns abermals den Sieg nicht erkämpfen würden, nicht
zu unterdrücken vermochte.

Am Kriegslustigsten im ganzen vereinigten Heere wa=
ren übrigens die 12,000 Mann Russische Garden ge=
stimmt, die der Kaiser Alexander bei sich hatte. Es
war dies eine ungemein stattliche Truppe, die in Allem
— nur nicht an zähem Muthe — sich der übrigen Rus=
sischen Armee weit überlegen zeigte. Diese Garden wa=
ren seit vielen Jahren in keinem bedeutenden Kriege mehr
thätig gewesen und dies trübte ihren militairischen Stolz
und machte sie nun desto kampfbegieriger. Sie hatten

eine eigene Deputation an ihren Kaiser geschickt, mit der Bitte, in der nächsten Schlacht ja an den gefährlichsten Plätzen verwendet zu werden, da die Linientruppen fast immer behaupteten, sie würden nur zu glänzenden Paraden herausgeputzt, im blutigen Kampfe aber geschont. Es war dies eine Bitte, die dem Corpsgeist der Garde alle Ehre machte und von dem Kaiser huldvoll aufgenommen und gnädig gewährt wurde.

Am 1. December des Abends spät rückten die verschiedenen Corps in die Schlachtlinie ein. Die Hauptsorge der Russen schien zu sein, daß Bonaparte ihnen entwischen und der Schlacht ausweichen würde, und sie sprachen sich wiederholt in diesem Sinne aus. Sie konnten darüber ruhig sein, denn es lag zu sehr in dem Wunsche Bonaparte's, eine Hauptschlacht zu liefern, als daß er nur einen Augenblick an deren Vermeidung gedacht hätte. Er hatte mit meisterhafter Geschicklichkeit schon alle Vorbereitungen zu einer solchen getroffen, bevor man dies in unserem Hauptquartier nur ahnte.

Der junge Prinz Dolgorucky, eben derselbe, der mich so absichtlich beleidigt hatte, war am Abend des 1. December im Französischen Hauptquartier als Unterhändler gewesen. Seine Mittheilungen lauteten, es herrsche dort eine große Niedergeschlagenheit und Bonaparte selbst habe es durchblicken lassen, er sei in unvorsichtiger Verfolgung zu weit in Mähren eingedrungen und wünsche nun dringend, seinen Rückzug anzutreten. Der Thor, der solche Beobachtungen machen und die Thoren, die seinen Worten Glauben schenken konnten! Als ob ein Bonaparte seine Pläne von einem Prinzen Dolgo= rucky durchschauen lassen würde. Und doch wurde diese Ansicht im Russischen Hauptquartier nur zu sehr getheilt, so groß war die unbegreifliche Verblendung daselbst. Der überaus gelehrte, aber auch überaus pedantische und un= glaublich von sich eingenommene Österreichische Feldmar= schall=Lieutenant Weirother, so recht ein General nach der alten Schule des Hofkriegsraths gebildet, der auf eine mir unerklärliche Weise Einfluß bei dem Kaiser Alexander gewonnen, hatte unterdeß einen schön ab= gezirkelten und schulgerechten Schlachtenplan entworfen und dessen Annahme auch wirklich durchzusetzen gewußt. Der Plan, ganz in der Art ausgearbeitet, wie Suwo= row einen solchen zum Hohn früher einmal an den Hof= kriegsrath abgeschickt hatte, war gewiß vortrefflich und hatte nur den einzigen Fehler, daß Bonaparte eben= falls damit einverstanden sein mußte, wenn er wirklich zur Ausführung kommen sollte. Ich habe ihn später ein= mal gelesen und das Ganze war so präcis nach der Schablone gearbeitet, daß man sich für ein hübsches Frie= densmanöver, zur Lust und Ergözen des geehrten Pu= blikums ausgeführt, gar nichts Besseres denken konnte. Bonaparte hat sich nach erfolgtem Frieden diesen Plan ebenfalls zu verschaffen gewußt und soll herzlich darüber gelacht haben.

Die jungen Generalstabs=Officiere von der Russischen Aristokratie, die selbst keine Spur von militairischen Kennt=nissen besaßen, und denen der gute Herr v. Weirother daher als ein Nestor aller Weisheit vorkommen mußte, waren aber über diesen Plan entzückt und träumten schon von einem glänzenden Siege und der völligen Zer=störung der, nach ihrer Ansicht schon jetzt halb entmuthig=ten Franzosen.

„Eine Russische Garde haben die Kerle noch niemals gegenüber gehabt, und konnte schon Suworow mit seinen schlechten Linientruppen sie schlagen, wie wird das Ganze schnell auseinanderstäuben, wenn wir Russischen Garde=Cüraffiere erst gegen sie anreiten", sagte am Abend noch ein vornehmer Russischer Major, der sich morgen seine ersten Rittersporen verdienen wollte, zu mir. Ich wünschte von ganzem Herzen, der junge Herr möge Recht haben, konnte aber doch meine Zweifel nicht unterdrücken, ob die Russische Garde=Cavallerie, so stattlich sie auch aussehen mochte, allein eine Schlacht gegen Bonaparte und seine kriegsgeübten Bataillone zu entscheiden im Stande sein würde.

Der Feldmarschall=Lieutenant Kienmayer, unbe=dingt einer der tüchtigsten Reitergenerale des Österreichi=schen Heeres, sandte mich am Spätabend des 1. Decembers

noch auf eine Recognoscirung gegen die Französischen
Linien aus, deren Wachtfeuer wir hell vor uns brennen
sahen. Ich hatte vier altversuchte Reiter, lauter ge=
borene Wallonen, bei mir, und da die Franzosen stets
den Vorposten= und Sicherheitsdienst sehr nachlässig zu
versehen pflegen, so wagten wir uns dicht an sie heran.
Eine lebhafte Bewegung herrschte an den meisten Wacht=
feuern. Musikchöre spielten lustige Tänze und der ju=
belnde Zuruf „vive l'empereur!" erscholl oft laut zu
uns herüber, wie denn auch die Soldaten mit angezün=
deten Strohbündeln eine Art Illumination zu veran=
stalten schienen. Ich muß bekennen, eine düstere Stim=
mung überkam mich bei dieser nächtlichen Recognoscirung.
Ich haßte die Feinde da drüben gewiß so bitter, wie
nur irgend ein Officier in dem ganzen vereinigten Öster=
reichisch=Russischen Heere, und doch konnte ich auf der
anderen Seite eine gewisse Regung von patriotischem
Stolz nicht unterdrücken, daß es meine Landsleute wa=
ren, die einer blutigen Schlacht mit so großer Kampfes=
lust entgegenjubelten. Es ist immer ein schmerzliches
Gefühl, wenn traurige Umstände es dem Manne von
festen Grundsätzen zur unbedingten Nothwendigkeit machen,
gegen seine eigenen Landsleute kämpfen zu müssen. Dies
empfand ich, wie so oft schon in meinem Leben, beson=
ders auch wieder in dieser Nacht vor dem Beginn der
Schlacht bei Austerlitz.

Mem. eines Legit. II.   **15**

Wir begegneten bei dieser Recognoscirung einer klei=
nen Französischen Patrouille, die etwas angetrunken zu
sein schien und uns sogleich mit einem lustigen „bon
soir, camerados!" anredete. Es lag mir daran, diese
Leute bei dem Irrthum zu lassen, daß wir Franzosen
wären, und so antwortete ich wieder Französisch und
fragte nach dem Jubel da drüben.

„Wißt Ihr Herren von der Cavallerie denn nicht",
antwortete der Sergeant = Major, der die Patrouille
befehligte, „daß unser kleiner Corporal (Bonaparte)
so eben die Wachtfeuer besucht hat, und da jubeln die
Soldaten ihm zu, daß er ihnen auf Morgen eine Schlacht
und somit natürlich auch einen Sieg versprochen hat."
Ich sagte der Patrouille noch einige Abschiedsworte und
jagte dann mit meinen Leuten wieder eiligst zurück; denn
das, was ich gesehen und gehört hatte, schien mir wich=
tig genug zu sein, sogleich eine schleunige Meldung da=
von zu machen. Der Feldmarschall = Lieutenant Kien=
mayer sandte mich auch sogleich noch zu dem Feldmar=
schall Kutusow. Die Adjutanten desselben nahmen
meinen Rapport mit etwas spöttischer Miene auf und
meinten, ich habe mich sicherlich geirrt; sie wüßten bes=
ser, daß die Französische Armee an keinen Angriff denke,
auch schlafe der Feldmarschall schon und könne meiner
Meldung wegen nicht jetzt sogleich geweckt werden. So
mußte ich denn unverrichteter Sache wieder zurückreiten

und meine Gedanken dabei waren gerade nicht schmeichel=
haft für diese Russischen Officiere.

Ein Feldcaplan eines Österreichischen Regiments, der
die ganze Nacht in seinem heiligen Berufe unermüdlich
thätig war, nahm mir noch die Beichte ab und spendete
mir die Tröstungen der Kirche. Ich warf mich noch ei=
nige Stunden auf ein Strohlager in einem Stalle hin,
allein trotz der großen körperlichen Ermüdung konnte ich
doch den erwünschten Schlaf nicht finden. Gar viele
wechselvolle Bilder, meist aber trüber Art, erfüllten
meine Seele und verscheuchten die Ermattung des Kör=
pers. Gegen 6 Uhr Morgens saßen wir schon in den
Sätteln, da der General Kienmayer die Avantgarde
des linken Flügels bilden sollte. Derselbe hatte 23 Schwa=
dronen vortrefflicher Österreichischer Cavallerie, darunter
viele Husaren, und fünf schwache Bataillone Infanterie,
dazu noch zwei schwache Russische Kosacken=Regimenter
unter seinem Befehle.

Es war ein sehr kalter December=Morgen, ein eisig
nasser Nebel, der durch die Kleider drang, erfüllte das
Thal und vermehrte noch die Unklarheit der grauenden
Morgendämmerung. Wir saßen fröstelnd in den Sät=
teln, und im Allgemeinen herrschte sowohl bei den Of=
ficieren wie auch Soldaten keine sehr freudige Stim=
mung. In finsterem Schweigen bewegte sich Alles lang=
sam in den schlechten, engen Wegen fort.

Vor dem Dorfe Tellnitz stießen wir auf die ersten
Französischen Vortruppen und drängten solche mit leich=
ter Mühe zurück. So wie nur erst die Flintenschüsse
knallten, die Trompeten schmetterten, die Trommeln wir=
belten und das Gefecht begann, kam sogleich eine ganz
andere Stimmung in Alle. Die Kampfeslust ließ das
Blut lebendiger durch die Adern rollen, und Frösteln
und Unbehagen waren sogleich verschwunden. Alle trü=
ben Vorahnungen waren alsbald zurückgedrängt, die
Gegenwart forderte allgewaltig ihr Recht, die Brust hob
sich mächtiger, das Auge blitzte feuriger, vermehrte
Spannkraft kräftigte alle Glieder.

Bald dröhnte auch der schwere Kanonendonner durch
die Flinten= und Carabinerschüsse unserer leichten Trup=
pen hindurch und bewies den vollen Ernst des Tages.
Jetzt brach auch eine klare Wintersonne hervor, ver=
scheuchte den dicken Nebel, der bis dahin die ganze Ge=
gend dicht verhüllt hatte und erlaubte einen freien
Überblick.

Was alle Verständigen längst verkündet hatten, fand
jetzt seine volle Bestätigung; Bonaparte hatte gar
nicht an einen Rückzug gedacht, sondern vollständig zum
Kampf gerüstet stand sein Heer in Schlachtordnung vor
uns. Wir standen jetzt bald in dem heftigsten Kampfe,
der sich um den Besitz des Dorfes Tellnitz drehte. Un=
sere braven Truppen fochten mit großem Muthe, und

obgleich die Franzosen das Dorf mit der äußersten Hart=
näckigkeit vertheidigten, so erstürmten wir dasselbe end=
lich. Vergebens hofften wir, daß die Russen, die uns
nachrücken sollten, bald erscheinen würden, denn immer
größer ward die Übermacht der gegen Tellnitz unter
wirbelndem Trommelschlag und unter jauchzendem „vive
l'empereur!" heranmarschirenden Franzosen. Die Ruf=
sische Brigade Kamenskoi sollte uns zur Hülfe kommen,
marschirte aber äußerst langsam und schwerfällig vor=
wärts. Immer massenhafter stürmten nun die Franzo=
sen, von dem eisernen Davoust, einem der energisch=
sten Generale Bonaparte's, befehligt, heran und trotz
des Muthes unserer Truppen mußten wir das Dorf
Tellnitz wieder räumen. Wir hatten zu wenig Infan=
terie hier, und unsere Cavallerie, die an diesem Tage
wiederholt trefflich attaquirte, war für das eigentliche
Dorfgefecht weniger verwendbar.

Von allen Seiten tobte jetzt die Schlacht und die
Sicherheit und Energie der feindlichen Angriffe bewies,
daß der Meister Bonaparte seinen Plan dazu längst
entworfen hatte.

Der Feldmarschall=Lieutenant Kienmayer hatte
mich inzwischen zu den Russen gesandt, mit dem drin=
genden Auftrage um Beschleunigung ihres Marsches.
Endlich kamen ihre vordersten Colonnen auf dem Kampf=
platz an, und die Russische Infanterie machte durch ihren

zähen Muth, mit dem sie angriff, die frühere Langsam=
keit ihres Marsches wieder gut. Wir erstürmten Tellnitz
wieder und nach einem wilden Dorfgefecht, Mann gegen
Mann, in dem auch mein Pallasch an diesem Tage zu=
erst wieder seine blutige Arbeit fand, sicherten wir uns
dessen Besitz. Abermals stürmten aber neue feindliche
Infanterie = Colonnen hervor, abermals ertönte das laute
„vive l'empereur!", mit dem eine Französische Infan=
terie = Brigade sich in Sturmesschritt mitten in das Dorf
hineinstürzte, nahe in unsere Ohren, und diesen gewal=
tigen Stoß vermochte die Russische Infanterie nicht aus=
zuhalten. Wir räumten das blutgetränkte, in Flammen
stehende Dorf und zogen uns auf das freie Feld zurück.
Mit mehr Ungestüm wie Vorsicht, folgte die Französische
Infanterie uns in dichten Schwärmen auch hierher nach
und dies war ihr Unglück. Der Feldmarschall = Lieute=
nant Kienmayer wußte geschickt den richtigen Augen=
blick zu erfassen und machte mit dem größten Theile der
Österreichischen Cavallerie, die er hatte, eine herzhafte
Attaque auf diese Infanterie und mehrere Französische
Dragoner = Schwadronen. Wir hieben herzhaft ein, und
viele Feinde sanken unter den Säbeln unserer Reiter,
während die Überreste zerstreut wurden. Das Dorf
Tellnitz ward jetzt zum dritten Male von uns erstürmt
und blieb fortan auch in unserem Besitz. Bei dieser
Attaque, wo ich herzhaft mit einhieb, ereignete sich

ein eigenthümlicher Vorfall. In einem Österreichischen Cheveauxlegers-Regiment diente ein geborener Wallone als Rittmeister, ein sehr braver Soldat, der von seiner Cadetten-Dienstzeit an stets dem Regiment angehört, und sich vielfach schon ausgezeichnet hatte. In diesem Gefechte sah er sich einen stattlichen und muthigen Französischen Dragoner-Officier, der sich durch seine Verwegenheit hervorthat, zum Gegner aus, und voller Kampfbegierde sprengten beide auf einander zu, und waren schon im Begriff, gewichtige Hiebe mit einander auszutauschen. Plötzlich aber läßt der Franzose seinen Pallasch sinken und ruft im Tone der höchsten Freude aus: „Guillaume, mein Bruder — was hätten wir Beide fast begonnen!" Auch der Österreichische Rittmeister hält sogleich inne, denn er erkennt nun in dem Gegner seinen einzigen Bruder, den er seit der Zeit, daß die Wallonischen Provinzen an Frankreich gekommen sind, nicht wieder gesehen hat. Von brüderlicher Liebe übermannt, steigen Beide von ihren Pferden und umarmen sich herzlich, während rings um sie her der wildeste Reiterkampf tobt, Schwerter klirren, Pistolenschüsse knallen, und Verwundete ächzend aus ihren Sätteln sinken. Sowohl die Französischen, wie Österreichischen Reiter ehren diese brüderliche Liebe und Keiner greift das Paar an. Nur kurze Augenblicke sind den Brüdern vergönnt, um sich ihrer Wiederbegegnung zu erfreuen, dann for-

dert die Pflicht des Kriegers wieder ihr volles Recht.
Sie schütteln sich noch einmal die Hände, schwingen sich
auf ihre Rosse und Jeder sprengt zu der Schaar, bei
der sein Platz ist, zurück.

Den Österreichischen Rittmeister zerriß eine Stunde
darauf eine Französische Kanonenkugel in lauter blutige
Fetzen. Ich habe später gehört — doch ohne letzteres
verbürgen zu wollen, daß auch der Französische Dra=
goner=Officier in dieser Schlacht bei Austerlitz noch den
Soldatentod gefunden hätte.

Nachdem wir das Dorf Tellnitz erobert und uns ge=
sichert hatten, drangen wir weiter vor und erstürmten
das Dorf Sokolnitz. Ein furchtbares Feuer der treff=
lich postirten und ungemein sicher schießenden Französischen
Artillerie schmetterte hier die Russische Infanterie zusam=
men. Ich bin während aller meiner vielen Kriege nie=
mals in einem so heftig wirkenden Kanonenfeuer gewe=
sen, wie jetzt hier auf kurze Zeit. Förmlich lange Fur=
chen rissen die Französischen Kugeln in die dicht aufmar=
schirten Russischen Colonnen und zu Dutzenden lagen an
einzelnen Stellen die Leichen auf einander. Die Stand=
haftigkeit der Russischen Infanterie zeigte sich auch hier
wieder in ihrem besten Lichte. Fest und unerschütterlich
standen die Soldaten und schlossen in tactmäßigem Schritte
immer wieder auf, um die weiten Lücken auszufüllen.
Mir selbst ward mein Pferd jetzt erschossen, doch ver=

kaufte mir sogleich mitten im heftigsten Kugelregen ein Kosack ein sehr gutes Beutepferd mit Sattel und Zeug für sechs Ducaten. Kaum hatte der Kerl die Goldstücke mit schmunzelndem Lächeln in seinen breiten Ledergurt geschoben, so zerriß ihn eine Kanonenkugel und seine Hand flog mir dicht vor die Füße.

Die Russen unter dem tüchtigen General Langeron erstürmten endlich Sokolnitz, mußten es wieder räumen, erstürmten es auf's Neue und es schien fast, als sollten wir auf diesem Flügel der Schlachtlinie vollständig Sieger bleiben.

Jetzt aber brach Napoleon mit gewaltigem Keil durch die Mitte unserer Schlachtreihe. Auf die Höhen bei Pratzen ging der feindliche Stoß, denn von dem Besitz dieser hing das Schicksal des ganzen Tages ab. Der Feldmarschall-Lieutenant Kienmayer hatte mich mit einer Ordre nach dieser Stelle gesandt, und so war ich zufällig Augenzeuge, wenn auch kein persönlicher Theilnehmer, mehrerer wichtigen Entscheidungen hier. Besonders sah ich eine sehr kräftig ausgeführte Attaque, die der heldenmüthige Fürst Liechtenstein, der unbedingt zu den besten Reitergeneralen der Österreichischen Armee gezählt werden mußte, hier ausführte. Die Österreichischen Cürassier-Regimenter Lothringen, Nassau und Kaiser rasselten in prächtiger Ordnung in den Feind hinein, und ich hätte mich ihnen unendlich gern angeschlos=

15*

sen. Bald darauf stießen die Garde-Cavallerie des Kaisers Alexander und die Garde-Cavallerie Bonaparte's in einer wüthenden Attaque auf einander. Die
Russischen Gardereiter, durch die Gegenwart ihres Kaisers begeistert, attaquirten lebhafter, wie ich jemals Russische Cavallerie habe anreiten sehen und drängten anfangs die Französischen Gardereiter, die aus Grenadieren,
Jägern und Mameluken bestanden, entschieden zurück.

Der Kaiser Alexander, der dies schöne Schauspiel
mit ansah, klatschte vor Freude in die Hände, und als
in demselben Augenblick ein Russischer Adjutant ihm den
eroberten Adler eines Französischen Linien-Regiments
zu Füßen legte, steigerte sich seine Freude noch mehr.

Plötzlich aber warf sich eine einzelne Französische
Garde-Schwadron, die den persönlichen Dienst bei Bonaparte gehabt hatte, mit verhängten Zügeln den Russen entgegen. So gewaltig war der Choc dieser kühnen
Reiter, daß die gesammte Russische Garde-Cavallerie
dadurch aufgehalten wurde, bis sich die vorher geworfene
Französische Reiterei wieder sammeln und die Russen auf's
Neue attaquiren und werfen konnte. Der Kaiser Alexander hatte leider zu frühzeitig frohlockt.

So stand hier das Gefecht, als ich meine Befehle
wieder erhielt und zu dem General Kienmayer, der
noch immer auf unserem linken Flügel befehligte, zurück-
sprengen mußte. Die Nachrichten, die ich überbrachte,

waren leider nicht erfreulich, denn es unterlag keinem
Zweifel mehr, daß Bonaparte die Mitte unserer
Schlachtlinie bald durchbrochen haben würde.

Heftiger wie je fing jetzt auch hier der Kampf zu wü=
then an, und mit gewaltigem Nachdruck drängte Da=
voust mit frischen Truppen vor. Die Russen fochten
zwar sehr ungeschickt, aber standhaft wie immer und lie=
ßen sich nur Schritt für Schritt zurückdrängen. Der Ge=
neral Kienmayer hatte mich alsbald zu dem Szekler=
Husaren=Regiment, das zu seinem Corps gehörte, ge=
schickt und wir hieben uns noch wiederholt mit den Fran=
zosen herum. Auch unsere Infanterie von den Grenz=
Regimentern, die wir hier hatten, zeigte sich im Trail=
leurkampf noch sehr thätig, wenn freilich — mit Aus=
nahme der Szekler=Infanterie — der geschlossene Sturm
im feindlichen Kanonenfeuer nicht so recht nach dem Ge=
schmack der Grenzer war.

Der schlimme Befehl zum Rückzug war endlich ge=
kommen und auch leider unvermeidlich, und es mochte
wohl gegen ein Uhr Mittags sein, als wir den Rück=
marsch antraten. Wir bildeten die Arrieregarde und hat=
ten noch wiederholt lebhafte Gefechte mit den Feinden,
die uns von der Seite bedrohten, zu bestehen. Eine
wilde Flucht fand, wenigstens so weit ich unsere Trup=
pen übersehen konnte, nirgends statt und wenn auch in
Eile, so doch in geschlossener Ordnung, marschirten alle

Colonnen ab. Unſere leichten Truppen, die verhältniß=
mäßig lange nicht den gleichen Verluſt, wie die Ruſſi=
ſche Infanterie, die dem Kanonenfeuer am Meiſten aus=
geſetzt geweſen war, erlitten hatten, ſchlugen ſich noch
immer mit dem lebhafteſten Muthe. Ich ſelbſt wäre auf
dieſem Rückzuge faſt von den Feinden gefangen genom=
men worden, da mein ſehr ermüdetes Pferd mit mir im
Schlamme ſtecken blieb und einige Franzöſiſche Voltigeurs
mich ſchon umringten. Zum großen Glück kamen meh=
rere Szekler=Huſaren angeſprengt und hieben mich noch
zur rechten Zeit heraus. Zu Fuß und mein hinkendes
Pferd am Zügel hinterherzerrend, machte ich den ferne=
ren Theil des Rückzuges mit.

Es ward jetzt bald ſehr traurig bei uns, denn nach
und nach fing die Unordnung an, immer mehr einzu=
reißen. Viele Soldaten hatten den ganzen Tag über ge=
kämpft, ohne nur die mindeſte Nahrung zu erhalten,
und da der größte Theil der Proviantwagen in die Ge=
walt der Feinde gefallen war, ſo fehlte es auch jetzt an
Lebensmitteln. Dies brachte viele zum Marodiren, be=
ſonders als die frühe Dunkelheit des Decembertages erſt
angefangen hatte, und einzelne Compagnien, die nicht
ſehr ſtrenge Führer beſaßen, waren faſt ganz aufgelöſt.
Wie viel es in ſolchen Fällen auf die Perſönlichkeit des
Führers ankommt, davon überzeugte ich mich, wie ſo
oft in meinem Soldatenleben, ſo auch jetzt wieder recht

auffällig in dieser Nacht nach der Schlacht von Auster=
litz. Für mich persönlich war diese Nacht wieder unge=
mein traurig, denn abermals hatte ich einer Schlacht
beiwohnen müssen, die durch die Ungeschicklichkeit der hö=
heren Führer gänzlich verloren ging. Es schien wirk=
lich, als sei es des Himmels Fügung, daß dieser Bo=
naparte eine Stufe des Ruhmes nach der anderen noch
ersteigen solle, um endlich zu einer schwindelnden Höhe
zu gelangen. Noch war das Ende seines Steigens gar
nicht abzusehen, und ich bedurfte schon der ganzen Kraft
meines Glaubens, um immer gefaßt und doch noch an
einen endlichen Sieg der Legitimität nicht verzweifelnd,
zu bleiben.

Die Franzosen waren von der Blutarbeit des Ta=
ges selbst zu erschöpft, um uns mit der Energie, die Bo=
naparte in solchen Fällen sonst zu entfalten pflegte,
zu verfolgen. Wir bivouacquirten nicht sehr weit von ih=
nen und konnten ihre zahlreichen Wachtfeuer, an denen
sie sich in der langen Winternacht zu erwärmen suchten,
deutlich erkennen. Ein eisiger Regen rieselte abwechselnd
von dem tiefdunkelen Himmel herab, durchnäßte unsere
Kleider und erhöhte die Unbehaglichkeit dieser schaurigen
Nacht noch mehr. Und wie viel schlimmer waren die
Tausende von ächzenden Verwundeten daran, die überall
mit blutenden Gliedern umherlagen und oft vergebens
nach einer rettenden Hand, die ihre Wunden verbinden

konnte, sich sehnten. Die schönsten Augenblicke des gan=
zen Krieges sind diejenigen, wenn die Schlacht beginnt,
die schlechtesten aber, wenn dieselbe beendet und dann
gar verloren ist und es nun gilt, die blutigen Opfer
des Tages zusammenzuzählen und herbeizuholen. Und
doch hat Gott der Herr in seiner unerforschlichen Weis=
heit dem menschlichen Geschlechte die Lust am Krieg und
Kampf in die Brust gepflanzt und es so eingerichtet, daß
die edelsten Eigenschaften des Menschen, Selbstaufopfe=
rung und Hingebung des eigenen Ichs für eine bestimmte
Idee, nur im Kriege ihre großartigste Entwickelung fin=
den können.

Schon am Morgen des 3. Decembers verbreitete sich
in unserem Heere die Kunde, daß der Kaiser von Öster=
reich wahrscheinlich einen Waffenstillstand mit den Fran=
zosen abschließen würde. Abtheilungen der Szekler= und
Hessen = Homburg = Husaren und O'Reilly = Chevauxle=
gers wollten einen Überfall der sehr waghalsig und nach=
lässig aufgestellten Französischen Vorposten unternehmen,
um den Feinden zu zeigen, daß Muth und Selbstver=
trauen noch nicht in unseren Reihen geschwunden wa=
ren; doch ward dies untersagt und befohlen, daß wir
uns nur vertheidigungsweise verhalten sollten. Die Rus=
sen zogen ihre Corps, die furchtbar gelitten hatten, en=
ger zusammen und ließen die Österreichischen Abtheilun=
gen, die zwischen ihnen vertheilt gewesen waren, aus=

ſcheiben. Das ohnehin ſehr kühle Einvernehmen der bei=
den Armeen zu einander hatte durch den unglücklichen
Ausgang dieſer Schlacht bei Auſterlitz eine noch größere
Schwächung erlitten. Wegen der Beſitznahme von Pro=
viant kam es in den nächſten Tagen zwiſchen Ungari=
ſchen Huſaren und den Koſacken wiederholt zu blutigen
Raufereien. Auch die Öſterreichiſchen und Ruſſiſchen Of=
ficiere, die nicht etwa von früheren Zeiten her perſönlich
befreundet waren, vermieden ſich, ſo viel ſie nur konn=
ten und ſprachen nur die nothwendigſten Worte mit
einander.

Am 4. December ward uns verkündet, daß der Kai=
ſer Franz mit Bonaparte vorläufig einen Waffen=
ſtillſtand geſchloſſen habe und alle Feindſeligkeiten bis auf
Weiteres eingeſtellt werden ſollten.

So hatte alſo auch dieſer Krieg wieder unglücklich
für uns geendet und abermals war ich um eine ſchöne
Hoffnung ärmer geworden. Es ſchien des Allmächtigen
Wille zu ſein, daß mein ganzes Leben eine fortgeſetzte
Reihe der bitterſten Erfahrungen ſein ſollte!

Neuntes Capitel.

Garnisonirung in Ungarn und Siebenbürgen. Wunsch,
als Volontair-Officier den Krieg von 1806—1807
in der Preußischen Armee mitzumachen und Bedenken dagegen. Glückliche Veränderungen im Österreichischen Heere. Gefährliche Wolfs- und Bären-
jagden. Rüstungen gegen Frankreich im Winter
1808—1809. Ernennung zum Major und Befehlshaber eines Landwehr-Bataillons in Böhmen.
Freudige Stimmung des Heeres und Volkes beim
Ausbruch des Krieges. Leben in Theresienstadt.
Führung eines Grenadier-Bataillons. Unwillen
über die voreilige Räumung Wiens. Siegreiche
Schlacht bei Aspern und Eßling.

———

Der Friede von Preßburg, der für Österreich diesen
unglücklichen Krieg von 1805 beendete, war geschlossen
und unsere Armee ging in ihre verschiedenen Friedens=
garnisonen zurück. Mit einem beträchtlichen Verlust an
Gebietstheilen hatte der Kaiserstaat diesen Frieden erkau=
fen müssen, und auf mehrere Jahre hin schien jetzt jede

Aussicht verschwunden zu sein, daß Österreichische Trup=
pen den Französischen im Kampfe gegenüberstehen wür=
den. Rußland schien zwar noch geneigt zu sein, gegen
Bonaparte den Kampf fortzusetzen, allein verschiedene
Rücksichten verhinderten mich daran, aus dem Österreichi=
schen Militairdienst zu scheiden und in die Russische Armee
überzutreten. Ich paßte nun einmal ganz und gar nicht
für die Russischen Militair=Verhältnisse; dies hatte ich
schon 1799, als ich bei Suworow war, zuerst empfun=
den, und auch jetzt wieder mehrfach erfahren. Es wollte
mir auch nicht wahrscheinlich erscheinen, daß Rußland
allein einen Mann wie Bonaparte besiegen und die
Bourbons nach Frankreich zurückführen werde. Eine
gewisse Resignation war über mich gekommen, nachdem
ich nun schon so oft getäuscht war, und ich machte mich
immermehr mit dem Gedanken vertraut, daß ich die Be=
sitznahme Frankreichs durch seine legitime Königsfamilie
nicht mehr erleben werde. So blieb ich denn noch jetzt
nach wie vor Hauptmann im Dienst des Kaisers von
Österreich. Unsere Aussichten auf Avancement wurden
durch die nothwendige Reduction des Heeres nach er=
folgtem Friedensschluß sehr verschlechtert, und da auch
manche Officiere aus den jetzt von Österreich abgetrete=
nen Provinzen in der K. K. Armee blieben, so hatten
die meisten Regimenter übercomplette Officiere. Ich
hatte somit Aussicht, vielleicht eine ganze Reihe von

Jahren fortdienen zu müssen, bis ich es endlich zum Stabs-Officier bringen konnte.

. Die Vertheilung der Armee in die verschiedenen Provinzen des Kaiserstaates brachte mich jetzt nach Ungarn und später nach Siebenbürgen in Garnison. Es war mir dies erfreulich und ich habe zum Theil die angenehmsten Jahre meines Lebens in diesen Landestheilen verlebt. Wenn auch von jeder jugendlichen Ausgelassenheit weit entfernt, so kehrte allmählich doch eine heitere Stimmung bei mir wieder zurück. Die Zeit forderte endlich ihr Recht, und die blutigen Bilder der Ermordung meiner Familie und der vielen anderen Gräuelscenen der Revolution, die mein Herz zerrissen hatten, wurden mehr in den Hintergrund zurückgedrängt. Ich suchte jetzt häufig heitere Familienkreise auf, was ich lange Jahre vermieden hatte, da ich vorzugsweise in diesen meine eigene Vereinsamung am Schmerzlichsten fühlte, und konnte wieder fröhlich mit den Fröhlichen sein. Wilde Trink- und Spielgelage vermied ich aber grundsätzlich stets, und ging auch nicht gern auf rauschende Bälle. Ungarn war ein Land, was mir in vieler Hinsicht gefiel, und besonders auf den gastfreien Schlössern des Ungarischen Adels verlebte ich gar manche angenehmen Stunden. Die Männer waren echte Aristokraten, ritterlich in Denk- und Handlungsweise, wie auch in ihrer ganzen äußeren Erscheinung. Die Frauen schön

und feurig und oft von kühnem Charakter. Meine
Hauptbelustigung auf diesen Ungarischen Herrschaften war
die Jagd, wozu sich in der Regel eine reiche Auswahl
hier bot. Sehr häufig begleiteten uns die Damen auf
diesen Jagden, und ich habe manche schöne Ungarin als
kühne Reiterin und geschickte Schützin dabei kennen ge=
lernt. —

Erfreulich — und dabei doch auch zuerst schmerzlich,
war mir hier die Wiederbegegnung der Gräfin D. aus
Mainz, die ich 1792 so sehr geliebt hatte, jetzt als
blühende Gattin eines vornehmen Österreichischen Offi=
ciers. Die Liebe ging nun in warme und treue Freund=
schaft von meiner Seite über, und ich habe viele sehr
angenehme Stunden im Hause dieser edlen Frau, die in
jeder Hinsicht eine wahre Zierde ihres Geschlechts ge=
nannt werden konnte, verlebt.

Ich hatte mich kaum einige Monate in Ungarn ein=
gelebt, als die Nachricht von der Kriegserklärung Preu=
ßens an Bonaparte zu mir drang. Der erste Ein=
druck erweckte in mir den Wunsch, um meinen Abschied
oder lieber um meine temporaire Beurlaubung aus Öster=
reichischen Diensten nachzusuchen, mir dann eine Stellung
als Volontair=Officier in der Preußischen Armee zu ver=
schaffen, und auf's Neue gegen Bonaparte und das
in ihm verkörperte Princip der Französischen Revolution
zu kämpfen. Es schien mir, als erfordere meine Pflicht

dies, und ich handle nicht als strenger Legitimist, wenn ich irgend eine Gelegenheit, gegen die Revolution zu kämpfen, unbenutzt vorübergehen lasse. Bei ruhigerer Beurtheilung aller Verhältnisse kamen mir aber nach und nach immer mehr gewichtige Bedenken gegen diesen Plan. Ich konnte nicht die Überzeugung gewinnen, daß Preußen in diesem Kampfe gegen Bonaparte glücklich sein würde, und hegte keine sonderliche Neigung, aber= mals Feldzügen beizuwohnen, deren Ausgang mir von Vorneherein ungünstig erschien.

Der Eindruck, den mir die Preußische Armee wäh= rend des Feldzuges von 1792 und bei meinen späteren Reisen durch Preußen gemacht hatte, war nicht der Art, daß ich hoffen durfte, sie würde Französische Truppen von einer Trefflichkeit, wie solche 1805 sich gezeigt hatte, überwältigen können. Und nun gar, als ich erfuhr, der Herzog von Braunschweig würde den Oberbefehl des Heeres erhalten! Ein Feldherr, wie der Herzog von Braunschweig gegen einen Bonaparte — das konnte nun und nimmermehr ein günstiges Ende nehmen! Auch die Politik des damaligen Preußischen Cabinets schien mir nicht fest und energisch genug zu sein, um großes Vertrauen auf ihre Handlungen setzen zu dürfen. Der Erfolg dieses Krieges bewies leider, wie richtig meine Voraussetzungen gewesen waren, und ich freute mich später gar oft, daß ich nicht den Österreichischen Dienst

verlaffen hatte, um an jenem Kriege Theil zu nehmen.
— Diefe Bedenken gaben den Hauptgrund ab, weßhalb
ich jetzt nicht Dienfte im Preußifchen Heere fuchte, ein
zweiter, obwohl minder gewichtiger Grund lag auch mit
darin, daß ich wußte, ich würde mich in dem Preußi=
fchen Officiercorps niemals recht behaglich fühlen. Ich
hatte zwar hohe Achtung vor der untadelhaften Ehren=
haftigkeit, Anftändigkeit und militairifchen Tüchtigkeit der
Preußifchen Officiere und ehrte den ritterlichen Sinn,
der in ihnen wohnte; aber diefe Herren waren mir da=
bei fehr häufig zu felbftgefällig auftretend, zu eingenom=
men von ihren eigenen und zu geringfchätzend gegen die
Verdienfte anderer Heere, als daß ich mich recht heimifch
unter ihnen hätte fühlen können. Ein gleiches Urtheil
über diefe zu große Selbftgefälligkeit der Preußen habe
ich fehr häufig von vielen fremden Officieren gehört, und
felbft 1814 und fpäter 1815 — 1820 blieben die Preu=
ßifchen Officiere in Frankreich der Bevölkerung aller
Claffen am Fernften ftehen. Die unermeßlichen Verdienfte
der Preußifchen Truppen in den Kriegen von 1813 bis
1815 für die Rückkehr der Bourbons wird kein Verftän=
diger verringern wollen und der Kriegeseifer und die Eh=
renhaftigkeit derfelben wurden von keinen anderen Heeres=
theilen übertroffen, ja felbft von Manchen fogar lange
nicht erreicht. Das anmaßende Benehmen gar vieler Of=
ficiere beeinträchtigte aber fehr die lebhaften Gefühle des

Dankes, den wir legitimistischen Franzosen ihnen sonst
so bereitwillig gespendet hätten. Daß es viele, sehr viele
Ausnahmen hiervon giebt, ist natürlich, und ich habe
manche Preußischen Officiere näher kennen zu lernen die
Ehre gehabt, die in Allem wahre Muster der echtesten
Ritterlichkeit genannt werden konnten.

Wenn ich nun aus diesen Gründen auch keine wei=
teren Schritte that, um an diesen Feldzügen von 1806
bis 1807 theilzunehmen, so verfolgte ich alle Begeben=
heiten derselben doch mit der größten Spannung. Ich
hatte mir die besten Karten der Kriegsschauplätze gekauft,
und da ich um diese Zeit gerade in Pesth in Garnison
stand, so waren mir die neuesten Zeitungen auch zugäng=
lich und ich brachte täglich einige Stunden mit dem Stu=
dium der Kriegsbegebenheiten zu. Daß mich die Nie=
derlage von Jena und die vielen darauf folgenden Un=
glücksfälle des Preußischen Heeres tief betrübten, war
natürlich, da die Macht Bonaparte's, dieses größten
Feindes der Legitimität, einen Zuwachs dadurch erhielt.
Mit Entrüstung vernahm ich die erbärmliche Capitula=
tion bei Prenzlau, dies Seitenstück zu Ulm, wodurch
der Fürst Hohenlohe seinen Namen so sehr schändete,
erfreute mich aber wiederum an der kühnen Energie
Blücher's, der ja noch von 1792 her mein persönlicher
Bekannter war. Unter der Mehrzahl der Österreichischen
Officiere erregten diese wiederholten Niederlagen der Preu=

ßen oft ein nicht zu läugnendes Gefühl einer gewiffen Scha=
denfreude, wenn freilich Alle das daburch erhöhte Anfehen
Bonaparte's auf das Lebhaftefte beklagten. Die Preu=
ßifchen Officiere hatten während der gemeinfamen Feld=
züge von 1792 — 1794 mit einem, auf nichts begrün=
deten Hochmuth auf die Öfterreicher herabgeblickt, und
auch fpäter die wiederholten unglücklichen Feldzüge letz=
terer ftets fehr hart beurtheilt. Befonders über den Feld=
zug von 1805 und die traurige Capitulation von Ulm
hatten verfchiedene Preußifche Officiere die fchroffften Ur=
theile gefällt umb die Behauptung aufgeftellt, folche Er=
eigniffe könnten in der Preußifchen Armee gar nicht vor=
kommen. Als nun kaum ein Jahr fpäter Gleiches, ja
vielleicht noch Schlimmeres auch bei Letzterer gefchah,
wurde natürlich die Spottluft der Öfterreicher nicht we=
nig daburch gereizt. Ich entfinne mich noch, daß viel=
fache Discuffionen barüber angeftellt wurden, ob der
Baron Mack bei Ulm ober der Fürft Hohenlohe bei
Prenzlau erbärmlicher gehandelt hätten, und daß ein
witziger Öfterreichifcher Officier eine äußerft gelungene
Carricatur diefer beiden Schwachköpfe barftellte.

Beide Armeen, fowohl die Öfterreichifche wie Preu=
ßifche, haben diefe garftigen Niederlagen fpäter durch
glänzende Siege wiederholt ausgeglichen. Zu meiner
großen Freude bemerkte ich auch 1814 in Paris zwifchen
ben zahlreichen Preußifchen und Öfterreichifchen Officieren

eine ungleich herzlichere Waffenbrüderschaft wie 1792, und habe auch 1834—1835 in Deutschland gehört, daß ein sehr gutes Einvernehmen zwischen diesen beiden Armeen statt finden solle. Ich glaube, daß die musterhafte Leitung des Oberbefehles der verbündeten Armeen 1813 bis 1814 durch den Fürsten Schwarzenberg sehr viel zu diesem besseren Verhältnisse der Preußischen zu der Österreichischen Armee mit beigetragen hat. Jeder Anhänger des streng conservativen Systems, gleichviel welchem Volke er auch angehören mag, muß dieses gute Einvernehmen der Österreichischen und Preußischen Truppen dringend wünschen und auf das Lebhafteste befördern. Mein unglückliches Vaterland Frankreich scheint der Revolution für immer verfallen zu sein, und somit den Heerd beständiger Unruhen abzugeben. Gott der Herr hat an den Franzosen der Welt recht zeigen wollen, daß alle möglichen sonstigen Vorzüge ein Volk nicht vor Zerrüttung zu schützen vermögen, wenn der Glaube ihm abhanden gekommen ist. Frankreich ist durch den Verfall der Religion in vielen Volksclassen zum warnenden Beispiel für ganz Europa bestimmt. Rußland, wenn es auch viele treffliche conservative Elemente enthält, liegt dem eigentlichen Kriegsschauplatz doch zu entfernt und wird sich stets mehr auf die Defensive beschränken müssen, und so werden die vereinten Heere von Preußen und Österreich stets eine Hauptstütze des legitimen Princips

in Europa bilden. Einheit aber macht stark, Zwietracht
schwach, das habe ich in den vielen Feldzügen, denen
ich beiwohnte, nur zu oft erfahren. Ich selbst bin ein
alter Greis, mein Haar ist weiß, meine sonst so starke
Hand schon zitternd, und bald wird Gottes Gnade mir
im Grabe die Ruhe schenken. So werde ich hoffentlich
den blutigen Kampf zwischen der Revolution und der
Legitimität, der durch ganz Europa rasen wird, nicht
mehr erleben. Kommen wird und muß solcher aber, so
lange eine Stadt wie Paris, dieser Krater Europa's,
noch besteht, und je besser gerüstet und je einiger die
legitimen Monarchen dann sind, desto glücklicher für sie
und ihre Völker wird es sein. (Geschrieben 1845.)

Durch die siegreiche Beendigung des Russisch=Preußi=
schen Krieges von 1806—1807 gewann Bonaparte
immer mehr an Ansehen und schien jetzt auf dem Gipfel
seiner Macht zu stehen. Nicht allein, daß er Frankreich
seinem legitimen Herrscherhause ungehorsam machte, er
verfolgte auch mit grimmigem Hasse das ihm feindliche
Princip der Legitimität in sehr vielen anderen Staaten
Europa's. Zu Dutzenden vertrieb er die rechtmäßigen
Fürsten, um ihre Throne mit seinen Geschwistern und
seiner übrigen Verwandtschaft zu besetzen. Es war dies
eine harte, aber nicht ganz unverdiente Strafe für manche
dieser Fürsten, für die Lauheit und Zaghaftigkeit, mit
der sie sich scheuten, im Jahre 1792 die Französische

Mem. eines Legit. II.   16

Revolution gleich energisch zu unterdrücken, wo dies noch so leicht möglich gewesen wäre.

Sehr schwer mußten es nun auch die unterjochten Völker büßen, daß manche der verderblichen Lehren der Französischen Revolution nur zu leichten Eingang bei ihnen gefunden, und Frömmigkeit und gute Grundsätze verdrängt hatten. Daß man für Napoleon Bona= parte eine Begeisterung fassen und ihn als Herrscher begrüßen konnte, war mir erklärlich, denn die geistige Größe und das gewaltige militairische Talent dieses sel= tenen Mannes konnten ihren überwältigenden Eindruck auf Alle, die nicht ganz feste Grundsätze hatten, nicht verfehlen; aber gar einen Jerome Bonaparte, oder wie diese neugebackenen Könige sonst noch heißen moch= ten, auf dem usurpirten Throne des rechtmäßigen Für= stenhauses sitzen zu sehen, mußte ein überaus hartes Schicksal für ein Volk sein.

Daß Österreich, dieser feste Hort der Legitimität, doch gezwungen wurde, noch einmal den Kampf mit Bonaparte zu wagen, war vorauszusehen. Es ge= schah daher jetzt sehr viel, um das Heer immer besser für den Krieg auszubilden. Zum großen Glück hatte der Erzherzog Carl jetzt einen ungleich kräftigeren Ein= fluß in Wien wie früher, und sein belebender Geist theilte sich bald allen Zweigen der Heeres=Verwaltung mit. Manche Strohköpfe, die früher nur zu viel Be=

deutung gehabt hatten, wurden jetzt entweder ganz be=
seitigt, oder wo dies persönlicher Verhältnisse wegen nicht
gut anging, doch sehr in den Hintergrund gedrängt, und
die Partei des altgewohnten Schlendrians verlor immer
mehr Boden unter ihren Füßen. Besonders unter den
höheren Generalen wurden manche, die entweder schon
zu altersschwach waren, oder von ihrer Unbrauchbarkeit
im letzten Kriege wieder zu überzeugende Beweise gelie=
fert hatten, pensionirt und tüchtigere Männer traten da=
für an ihre Stelle. Sonst wurde besonders auch dahin
gestrebt, der Infanterie eine größere Gewandtheit in
allen ihren Bewegungen zu geben, denn der große
Vorzug der Französischen Infanterie hierin hatte sich in
dem Feldzug von 1805 wieder recht bemerkbar gezeigt.
Alle diese Reformen in der Heeres=Organisation wür=
den noch viel weiter ausgedehnt worden sein, wenn nicht
die Rücksicht auf die bedrängten Finanzen des Staates
manche verzögert, oder doch sehr ˙eingeschränkt hätte.
Durch die Kosten des letzten unglücklichen Feldzuges und
die Abtretung mancher wohlhabender Provinzen waren
die Österreichischen finanziellen Verhältnisse jetzt sehr
drückend geworden, und man mochte wollen oder nicht,
es mußten in allen Verwaltungszweigen die Ausgaben
auf das unumgänglich Nothwendigste eingeschränkt wer=
den. Daß dies Ersparungs=System auch auf das Heer
zurückwirken mußte, ließ sich natürlich nicht ändern.

Gar manche Verbefferung, die dringend wünschens=
werth war, konnte blos aus finanziellen Gründen ent=
weder gar nicht, oder doch nicht in dem erforderlichen
Umfange ausgeführt werden. Befonders die Artillerie
blieb wieder zurück, und wurde weder fo zahlreich, noch
mit fo gutem Material ausgerüftet, als nöthig war,
wenn fie der überaus vortrefflichen Französischen ge=
wachsen fein follte. Es schien auch, als könnte man fich
in manchen einflußreichen Kreisen in Wien immer noch
nicht entschließen, der Artillerie die hohe Bedeutung zu=
zuerkennen, die ihr Bonaparte schon längst gegeben
hatte.

Daß diefe lebhafte Thätigkeit in der Heeres=Orga=
nifation mir große Freude bereitete, war natürlich. Ich
war mit Leib und Seele Soldat und exercirte unermüd=
lich, denn ich hoffte ja, daß alle diefe militairischen Ver=
befferungen der gerechten Sache endlich doch einmal den
Sieg über die Französischen Schaaren bereiten würden.
Ein gleiches Streben wie ich hatten auch meine meiften
Kameraden, und felten wohl hat in dem Heere des Kai=
fers von Öfterreich eine größere Regfamkeit, als in den
Jahren 1807—1808 geherrscht. Selbft die gemeinen
Soldaten fühlten, daß bald etwas geschehen müffe, um
die Niederlage des Feldzuges von 1805 zu fühnen, und
ließen es an Anstrengungen nicht fehlen, um fo viel in
ihren Kräften lag, zu einem folchen Refultate mit bei=

zutragen. Es ist ein herrliches Gefühl, in einem Heere zu dienen, das von solchen Gedanken durchdrungen ist, und dessen einzelne Regimenter selbst im Frieden von dem rühmlichsten Wetteifer ergriffen sind. Jede Anstrengung wird dann leicht, jede Mühe findet ihren reichlichen Lohn, und die Arbeit gereicht selbst zum Vergnügen. Solches war bei mir jetzt auch der Fall, und in dieser Hinsicht werde ich stets an meine Dienstzeit von 1806—1808 im Österreichischen Heere mit besonderem Vergnügen zurückdenken. Dabei waren auch meine kamerabschaftlichen Beziehungen die angenehmsten, und ich zählte unter den Officieren meines Regiments mehrere wahre Freunde.

Im December 1808 hätte ich fast einen sehr qualvollen Tod gefunden. Ich fuhr, nur von meinem wackeren Bedienten, einem langgedienten Wallonen begleitet, auf einem kleinen Rennschlitten in einer kalten Winternacht von einem Schlosse nach meinem Standquartier zurück. Ein Rudel vor Hunger wüthend gewordener Wölfe, gewiß zwanzig bis dreißig an der Zahl, fiel uns gierig an. Wir schossen zwar mit unseren scharfgeladenen Pistolen wiederholt auf die Bestien, und töbteten mehrere, allein die übrigen ließen sich dadurch nicht abschrecken. Ein riesiger Wolf hatte schon mein Pferd, welches vor den Schlitten gespannt war, an der Kehle gepackt, um es niederzureißen, als ich ihn noch glück=

licher Weise mit einem Pistolenschuß tödtete. Das arme
Pferd hatte aber so bedeutende Verletzungen von diesem
Bisse davongetragen, daß es noch lange Zeit an deren
Folgen leiden mußte. Zwei kühne Wölfe versuchten
nun, in den kleinen und niedrigen Schlitten zu bringen,
während die übrigen Bestien mit grimmigem Geheul uns
umkreisten. Mein Bediente hieb jetzt mit dem Hirsch-
fänger dem einen Wolf so derb über den Kopf, daß er
blutend im Schnee zusammenstürzte, zerbrach aber dabei
die Klinge und war nun völlig wehrlos. Auch eine
zweite Pistole ward jetzt abgefeuert, und wir hatten nur
noch zwei scharfe Patronen bei uns, so daß wir selbst
im glücklichsten Falle nur noch zwei Wölfe aus der
wüthenden Meute tödten konnten. In einem inbrünstigen Gebet empfahl ich meine Seele der Gnade des allmächtigen Gottes, dessen Wille es zu sein schien, daß
ich hier unter den Bissen der Ungarischen Wölfe mein
Leben verbluten sollte, während mich der Tod bisher in
den Hunderten von großen und kleinen Gefechten, denen
ich schon beigewohnt, verschont hatte. So lange wir
athmeten, mußten wir jedoch für unsere Rettung kämpfen;
so gebot es die Pflicht der Selbsterhaltung. Wir rissen
jetzt große Bündel aus dem Stroh, mit dem der Wärme
wegen der Fußboden unseres Schlittens angefüllt war,
zündeten solche an und schwenkten sie dann um uns,
wodurch wir die Wölfe immer wieder auf einige Schritte

zurückscheuchten. Lange hätte dies Mittel freilich nicht geholfen, denn alles Stroh war fast schon verbrannt, als Gottes Gnade uns plötzlich ganz unerwartet Hülfe sandte.

In vollem Laufe der Rosse kam eine zahlreiche Gesellschaft von Ungarischen Bauern, die eine Hochzeit gefeiert hatten, aus einem Waldwege hervorgejagt. Wohl an 12 bis 15 Reiter mit brennenden Kiehnfackeln in den Händen sprengten voraus, und ein halbes Dutzend Schlitten, ganz mit Männern und Weibern, die alle des süßen Weines übervoll zu sein schienen, beladen, jagten nach. Vor dem Gelärme und dem Fackelschein dieses Zuges zerstoben die Wölfe heulend in den Wald und wir waren gerettet.

Auch einer sehr beschwerlichen und gefährlichen Bärenjagd wohnte ich im Winter 1806 in den hohen Grenzgebirgen Siebenbürgens gegen die Moldau bei. Wir schneiten bei dieser Gelegenheit förmlich ein, und mußten an zwei Tage in einer hochgelegenen Alpenhütte zubringen, wobei das Fleisch der erlegten Bären unsere einzige Nahrung ausmachte. Dabei waren wir fortwährend der Gefahr ausgesetzt, daß die gewaltigen Schneemassen das Dach der Hütte eindrückten und uns verschütteten, mußten auch sehr von Kälte leiden, da unser Holzvorrath nur äußerst gering war. Eine Colonne von einigen hundert Arbeitern, die uns nachgeschickt war,

schaufelte uns endlich aus unserem Schneegefängniß her=
aus. Bei dieser einzigen Jagd wurden übrigens 17 Bä=
ren und 22 Wölfe geschossen, ein Beweis, wie zahlreich
damals die Raubthiere in diesen Siebenbürgischen Grenz=
gebirgen hausten.

Das Jahr 1809 sollte mir endlich wieder die Gele=
genheit bringen, andere Feinde als Bären und Wölfe
zu bekämpfen, denn schon Mitte Februar drang die frohe
Nachricht zu uns, daß die Armee zum Kriege gegen Frank=
reich gerüstet werden sollte. Eine große Freude darüber
erfüllte alle Officiere und auch die meisten Soldaten hat=
ten Lust, abermals gegen ihre alten Feinde zu kämpfen.
Daß ich für meine Person das stärkste Verlangen nach
Kampf und immer neuem Kampf gegen Bonaparte
und seine Schaaren fühlte, war natürlich, denn ich wäre
mir selbst meines Gelübdes abtrünnig und daher ver=
ächtlich erschienen, hätte je ein anderes Gefühl meine
Brust beseelt.

Am 1. März wurde die Armee auf den Kriegsfuß
gesetzt, und ich selbst erhielt die Ernennung zum Major
und Commandeur eines Landwehr=Bataillons, das in
Böhmen organisirt wurde. Daß ich gerade ein Landwehr=
Bataillon befehligen sollte, war mir nicht erwünscht,
denn diese neu errichtete Landwehr stand unläugbar hin=
sichtlich ihrer Feldtüchtigkeit weit hinter den meisten Li=
nien=Bataillonen zurück. Selbst die größte Begeisterung

sowohl der Soldaten, wie Officiere wird bei Truppen,
die für den eigentlichen großen Krieg und den Kampf
in den Linien der offenen Feldschlacht bestimmt sind, nie=
mals die bessere Waffengeübtheit und strengere Disciplin
alter, gut geführter Linien = Bataillone ersetzen können.
Was auch neuere Theoretiker, die größtentheils den Krieg
gar nicht kennen, hierüber sagen mögen, so sind sie doch
im Irrthum, wenn sie das Gegentheil behaupten wol=
len. Die Bataillone des Revolutionsheeres 1792 schlu=
gen sich ungleich schlechter, als die Bataillone Bona=
parte's 1805, die muthigen Schaaren der Vendéebauern
mußten in offenen Schlachten unterliegen, als die kriegs=
geübten Bataillone des Generals Hoche gegen sie an=
rückten; die Österreichischen Landwehr = Bataillone vom
Jahre 1809 waren von ungleich geringerem Werthe,
als die alten Musketier = oder gar Grenadier = Bataillone;
die Spanischen Guerillas konnten in offenen Schlachten
kaum gebraucht werden, und die Preußischen Landwehr=
Regimenter bewiesen 1814 und 1815 in Frankreich und
bei Ligny auch nicht die gleiche Kraft, als die Linien=
Regimenter; Alles dies sind persönliche Erfahrungen,
die ich selbst gemacht habe und die Niemand, und sei er
auch der geistvollste und gelehrteste Theoretiker, mir be=
streiten kann.

Die Kriegsrüstungen, die jetzt im Österreichischen Kai=
serreiche gemacht wurden, waren ungemein großartig;

16*

eine wahre Begeisterung herrschte im Volke, wie Heere, und alle Stände wetteiferten in patriotischen Opfern da= für. Es war hierin in der Nation jetzt eine ganz an= dere Stimmung, als beim Ausbruch des Krieges von 1805, wo man sich im Allgemeinen nur ziemlich passiv verhielt. Jetzt aber galt es, die Unbillen, die Bona= parte damals an Österreich verübt hatte, zu rächen; jetzt mußte der Kaiserstaat wieder sein früheres Ansehen gewinnen, oder zu einer Macht untergeordneten Ranges hinabsinken. Zu Tausenden strömten die Freiwilligen jetzt in die Regimenter, eine fast in Österreich ganz unge= wohnte Erscheinung, und selbst verheirathete Männer verließen Haus und Familie, um die Reihen der Land= wehr=Bataillone füllen zu helfen. Besonders in den al= ten Erbprovinzen des Kaiserhauses war die Begeisterung sehr groß, und Tausende von rührenden Zügen der tief= gewurzelten Anhänglichkeit der treuen Bewohner an ihr uraltes Herrscherhaus könnte ich anführen. Es ist etwas Schönes, wunderbar Schönes, wenn ein solches Band den Kern des Volkes mit seinem Fürsten und Herrn ver= bindet. In meinem armen Frankreich wird, wie ich fürchte, solch' Band niemals wieder zurückkehren und selbst die Vendée und Bretagne sind jetzt lange nicht mehr das, was sie noch 1792 — 1795 waren.

Daß wir Officiere und nun gar wir Officiere der neuen Landwehr=Bataillone bei diesen umfassenden Kriegsrüstun=

gen sehr viel angestrengt wurden, war natürlich. Ich selbst hatte während der sechs bis acht Wochen des März und April 1809 im eigentlichsten Sinne des Wortes kaum Zeit zum Essen und Schlafen, und war vom frühsten Morgen bis in die sinkende Nacht unaufhörlich beschäftigt. Da galt es, die Ausbildung der neu ausgehobenen Mannschaften zu überwachen, Freiwillige anzunehmen, mit den verschiedensten Behörden zu verhandeln, die Schuster, Schneider, Sattler und alle möglichen Handwerker, die für unsere Ausrüstung arbeiteten, zu controliren, Streitigkeiten zu schlichten, Ungerechtigkeiten und Härten zu verhindern, Strafen zu bestimmen und Gott weiß was für eine Menge der buntesten Geschäfte sonst noch, die alle auf den Befehlshaber eines neuformirten Landwehr=Bataillons losstürmen, zu erledigen. Große Schnelligkeit und Gewandtheit in der Behandlung der Geschäfte war auch gerade kein Vorzug der damaligen Civilbehörden des Kaiserstaates. Manche langweilige Stunde, die ich nützlicher auf dem Exercierplatz bei meinen Rekruten hätte verbringen können, mußte ich diesen pedantischen Verhandlungen opfern und viele, viele Bogen Papier, aus denen auch besser Patronen gemacht werden konnten, wurden zu zwecklosen Schreibereien verschwendet.

Dabei waren die Landwehr=Bataillone nur sehr spärlich mit tüchtigen Officieren und noch spärlicher mit brauch=

baren Unterofficieren versehen und die Hauptlast aller
Obliegenheiten ruhte auf den Bataillons = und Compag=
nie = Chefs. Mit welcher unendlichen Freude unterzog
ich mich aber allen diesen mühseligen, ja zum Theil so=
gar widerwärtigen Arbeiten. Die Tage wurden mir zu
kurz, die Nächte zu lang, und bei grauender Morgen=
dämmerung waren wir oft schon auf dem Exercierplatz.
Ich hatte doch jetzt wieder einen schönen Zweck vor mir,
wußte warum ich mich anstrengte, durfte hoffen, daß
auch meine geringe Thätigkeit zum Wohl des großen
Ganzen fördernd mit beitragen werde. Dabei war von
allen Seiten doch Eifer, wenn auch oft keine sonderliche
Geschicklichkeit, und ich hatte die innige Freude, daß mein
Bataillon vorwärts kam und von Woche zu Woche ei=
ner tüchtigen Kriegerschaar ähnlicher wurde, wenn frei=
lich sowohl in Ausrüstung, wie Ausbildung der einzel=
nen Soldaten noch immer sehr Vieles zu wünschen übrig
blieb. Zeit und mehr noch Geld fehlten nur zu häu=
fig, um Alles so herzustellen, wie ich es dringend ge=
wünscht hätte.

Zur größten Freude des Heeres wurde der Erzher=
zog Carl zum Generalissimus ernannt. Eine neue Be=
geisterung erweckte diese Wahl in den Herzen aller Sol=
baten und jubelnd konnte man sie in den verschiedenen
Sprachen, die im Österreichischen Heere gesprochen wer=
den, die Wahl gerade dieses Generalissimus begrüßen hö=

ren. Auch die Wahl der Commandanten der einzelnen
Armee-Corps war trefflich und bewies, welchen wohlthätigen Einfluß der Erzherzog hierbei gehabt hatte. Solche
ungeheure Fehler, wie Österreich sie leider so häufig in
den früheren Feldzügen gegen die Franzosen begangen
hatte, konnten jetzt nicht mehr geschehen, dafür bürgten
schon die Namen der neuen Corpsführer.

Allein und ganz auf eigene Kraft gestützt, mußte der
Kaiser von Österreich jetzt den Kampf beginnen, denn
außer der Seemacht England, hatte er keine weiteren
Bundesgenossen. Bonaparte war jetzt der Beherrscher
des Continents von Europa und selbst legitime Deutsche
Fürsten mißachteten das Princip der Legitimität so sehr,
daß sie ihre Truppen ihm opferten, um gegen das alte
Kaiserhaus Deutschlands zu fechten. Dahin hatte es dieser Corsische Emporkömmling, lediglich durch die Kraft
seines militairischen Talentes und die Schwäche und Uneinigkeit seiner Gegner, gebracht, daß selbst Söhne der
ältesten und edelsten Deutschen Fürstenhäuser sich um seine
Gunst bewarben. Ich will darüber schweigen, welche
Gefühle es bei den Österreichischen Officieren erweckte
und auch erwecken mußte, als sie die traurige Nachricht
erhielten, daß Baiern, Sachsen, Würtemberger, mit den
Soldaten Bonaparte's vereint, gegen sie kämpfen würden. Dem Princip der Legitimität wurden durch solche
Bündnisse legitimer Fürsten mit dem Usurpator Bona-

parte gar tiefe Wunben geschlagen, unb ich kann mich
ber Furcht nicht erwehren, baß noch manche böse Nach=
wirkungen baraus entstehen.

Am 6. April erschien die bekannte herrliche Procla=
mation bes Erzherzogs Carl, burch welche bas Heer
zum Kampfe aufgeforbert wurbe. Einen unbeschreiblichen
Sturm ber Begeisterung erregten biese prächtigen Worte
eines echten Mannes unb Solbaten in ben Herzen aller
Officiere unb Mannschaften, benen sie in ihre verschie=
benartigen Dialecte übersetzt wurben. Man muß selbst
in jener bewegten Zeit die Ehre gehabt haben, bie Öster=
reichische Uniform zu tragen, um alle jene Gefühle, welche
burch biese Proclamation erweckt wurben, in ihrer gan=
zen Mächtigkeit begreifen zu können. So lange bas alte
Erzhaus Österreich auch schon bestanb, sicherlich ist nie=
mals eine bessere unb mehr begeisterte Armee für bessen
Rechte in ben Kampf gezogen, wie bies im April bes
Jahres 1809 geschah.

Ich selbst burfte leiber an bem Beginn bieses Felb=
zuges keinen thätigen Antheil nehmen. Wie ein Don=
nerschlag traf mich ber Befehl, baß bas von mir ge=
führte Landwehr=Bataillon vorläufig nicht zu ben acti=
ven Corps gehören, sonbern in Böhmen als Reserve ste=
hen bleiben solle. Des Solbaten erste, oft aber auch
schwerste Pflicht, ist unbebingter, schweigenber Gehorsam,
bies fühlte ich erst jetzt so recht. Seit wir Garbes bu

Corps in jener Mordnacht im Versailler Schloß ben Be=
fehl erhielten, die Waffen nicht mit der gehörigen Ener=
gie zu gebrauchen, sondern geduldig die Mißhandlungen
des Pariser Pöbels zu ertragen, war mir der schweigende
Gehorsam des Soldaten nicht wieder so schwer gewor=
den, wie jetzt.

Die Kopfbedeckungen mit grünem Eichenlaub geziert,
zogen die verschiedenen Bataillone und Schwadronen hin=
aus in das freie Feld, um die Ehrenschlachten für ihren
Kaiser und Herrn zu schlagen, während ich in dem Städt=
chen zurückbleiben mußte, um tagtäglich die rohen Hau=
fen Böhmischer Rekruten exerciren zu laffen. Das wa=
ren harte, sehr harte Stunden für mich, und jeder neue
Durchmarsch einer in das Feld ausrückenden Truppe er=
füllte meine Brust immer wieder mit dem mir bis dahin
unbekannten Gefühl des Neides. Wie gern hätte ich auf
meine Majorscharge verzichtet und wäre wieder Haupt=
mann geworden, wenn ich um diesen Preis nur hätte
mit in das Feld rücken können. Leider gestatteten die
militairischen Verhältnisse dies nicht und ich mußte blei=
ben, wozu mich der Befehl bestimmte.

Unsere Hauptarmee unter dem Erzherzog Carl war
nun in das Bairische Gebiet eingerückt, und die Feind=
seligkeiten hatten begonnen. Mit unendlicher Spannung
lauschten wir allen Nachrichten vom Kriegsschauplatz,
und die Zeitungen, die nur irgend Kunde davon brach=

ten, wurden förmlich verschlungen. Die Briefpost, welche das Zeitungspacket brachte, passirte sechsmal wöchentlich in der Nacht um 1 Uhr die Festung Theresienstadt, in der ich mit meinem Bataillon jetzt lag. Unsere Ungebuld, die neuesten Nachrichten zu erfahren, war so groß, daß wir nicht bis zum Morgen warten wollten, sondern mitten in der Nacht aufstanden, um sogleich die Zeitungen zu lesen, weshalb wir, — die meisten Officiere meines Bataillons, einige Beamte, Geistliche und ich, jede Nacht gegen 1 Uhr in dem Gastzimmer des Posthauses zusammen kamen. Waren sehr erfreuliche Nachrichten in den Zeitungen, so zogen wir häufig sogleich in die Kirche, die dann erhellt wurde, um in einer feierlichen Dankmesse Gott dem Herrn aus der Fülle unserer froh bewegten Herzen für den Sieg, den seine Gnade unseren Waffen verliehen hatte, zu preisen. Die ersten Nachrichten, die von den verschiedenen Kriegsschauplätzen einliefen, denn sowohl in Italien, wie in Polen und Deutschland hatte der Kampf schon begonnen, lauteten günstig. In Deutschland, dem Hauptkriegsschauplatz, hatte der Erzherzog C a r l schon wiederholte Erfolge errungen und die Baiern an mehreren Stellen zurückgeworfen.

Jetzt aber war B o n a p a r t e mit seiner ganzen Macht in Baiern eingerückt, und die Großartigkeit seines militairischen Genies zeigte sich wiederum durch eine Reihe meisterhafter strategischer Operationen. Allmählich kamen

auch schon Schaaren von Gefangenen an, die in There=
sienstadt untergebracht werden sollten. Ich sorgte für die
humane Behandlung derselben nach besten Kräften, und
ließ besonders alle Kranken und Verwundeten möglichst
pflegen. Unter den Franzosen fand ich noch großen
Enthusiasmus für ihren Napoleon; die Stimmung der
gefangenen Deutschen Soldaten war aber sehr schlecht
gegen ihn, und sie schimpften, daß sie sich in einem
Kriege, der sie nichts anginge, für fremden Ehrgeiz schla=
gen müßten.

Den anfänglich guten Nachrichten folgten aber bald
häufige Hiobsposten, die uns viele betrübte Stunden be=
reiteten. Baiern konnte trotz der heldenmüthigen An=
strengung unserer Truppen nicht gehalten werden, und
der Erzherzog sah sich genöthigt, den Rückmarsch nach
Böhmen anzutreten.

Tag und Nacht fast wurde jetzt in Theresienstadt ge=
rüstet und die Festung völlig in Vertheidigungszustand
gesetzt, während ich unausgesetzt neue Rekruten in mög=
lichster Eile ausbildete, und wiederholt bereits Ergän=
zungsmannschaften an die active Armee hatte abgehen
lassen. Immer peinlicher ward es mir nun, hier blei=
ben zu müssen, während meine braven Kameraden schon
so viele blutige Gefechte bestanden hatten, und die Kampfes=
lust verzehrte mich fast. — Endlich sollte mein Wunsch
erhört werden und ich zur activen Armee abgehen dür=

fen. Der muthige Befehlshaber eines Grenadier=Ba=
taillons war in dem Gefecht bei Regensburg verwundet
und zu uns transportirt worden. Sein Zustand erlaubte
ihm zwar bald auf dem Exercierplatz oder in einer be=
lagerten Festung Dienste zu leisten, nicht aber eine Cam=
pagne noch mitzumachen. Auf höheren Befehl, den wir
beide gern annahmen, wechselten wir nun mit unseren
Stellen, und ich erhielt somit das Grenadier=Bataillon,
welches bei der großen Armee an der Donau stand, zur
vorläufigen Führung. Auf den Knieen dankte ich Gott
für seine Gnade, daß er mich jetzt doch noch an dem
Kampfe selbst theilnehmen lasse, und eilte dann, so schnell
mich nur Extrapostpferde bringen konnten, zu meinem
Grenadier=Bataillone. Ich fuhr Tag und Nacht, und
gab den Postillonen dreifache Trinkgelder, damit sie mich
nur schnell vorwärts brachten, und so kam ich denn am
Morgen des 10. Mai bei der Donau=Brücke unweit
Wien an, wo mein Bataillon unter dem Befehl des
mir schon von der Schlacht bei Austerlitz so wohlbekann=
ten Generals Kienmayer stand.

Die Freude, mit welcher dieser so bewährte General
mich empfing, war mir ungemein wohlthuend, denn sie
gab mir ein Zeugniß, daß ich mich bisher als ein kriegs=
tüchtiger Officier gezeigt hatte. Auch das Bataillon,
von dem ich im Feldzug 1805 schon eine Compagnie
geführt, empfing mich mit Freude, und mein Erscheinen

war um so nothwendiger, da schon ein empsindlicher
Mangel an Officieren herrschte. Starke Verluste hatte
das Bataillon in mehreren blutigen Gefechten in Baiern
erlitten, und nicht geringe Lücken zeigten leider die Reihen.
Aber tüchtige, kampfgeübte Krieger standen jetzt in den
Gliedern, alte Veteranen, die schon mit Ehren manchen
blutigen Strauß für das hohe Erzhaus Österreich bestanden hatten. Ein freudiger Stolz erfüllte mich, als
ich den Befehl über diese wackere Schaar übernahm, um
sie in den heiligen Kampf für Recht und Legitimität zu
führen.

Wir hofften, daß Wien bis auf das Äußerste vertheidigt werden sollte und unsere Soldaten brannten vor
Begierde, dem Feinde den Besitz der Hauptstadt ihres
Kaisers streitig zu machen. Wir waren jetzt in und um
Wien an 42,000 Mann tüchtiger Truppen versammelt,
und wenn die streitfähigen Bewohner der großen Stadt
uns nur einigen Beistand hätten leisten wollen, so wäre
Bonaparte die Besitznahme wahrscheinlich nicht gelungen. In der Nacht vom 11. auf den 12. Mai begann
das Bombardement der Stadt durch Französische Hau-
bitzen. Sehr nachdrücklich ward dasselbe zwar nicht betrieben und jeder Kriegserfahrene sah ein, daß mehr
Schrecken dadurch erregt, als wirklicher Schaden ange-
stiftet werden sollte. Einige Häuser in Wien geriethen
jedoch in Brand, und viele Einwohner geriethen vor Ent-

sehen außer sich und glaubten, der Untergang der gan=
zen Stadt sei nahe. Ein großer Theil der Bürgerschaft
von Wien benahm sich bei dieser Gelegenheit muthig und
gefaßt und wollte, daß auf das Schicksal der Stadt
keine Rücksicht genommen werden sollte; ein größerer
Theil war aber höchst erbärmlich und feige. All' dieser
reiche Pöbel unserer größten Städte zeigte bei dieser Ge=
legenheit wieder so recht seine elende Charakterlosigkeit,
wodurch er sich bei jeder Gelegenheit hervorthut. Das
heulte und jammerte und ächzte und schrie und führte
in seiner Verzweiflung um den etwaigen Verlust einiger
Spiegel und Fensterscheiben, oder Dachsparren und Schorn=
steine, eine Menge komischer Scenen auf, über die man
hätte lachen müssen, wenn sie bei dieser Gelegenheit, wo
es die Rettung des Vaterlandes galt, nicht so überaus
widerwärtig gewesen wären. Besonders die Juden in
Wien zeigten jetzt wieder ihre gewöhnliche Feigheit und
waren die ersten Schreier, die da behaupteten, die Stadt
müsse möglichst bald übergeben werden, damit ja kein
Schaden geschehe. Was lag solchen Menschen auch an
der Ehre und dem Ansehen des Österreichischen Reiches
und Heeres!

Ich befand mich mit meinem Bataillon in der Nacht
vom 11. auf den 12. Mai in der Stadt auf Wache.
Das sehr schwache und nur in langen Pausen statt fin=
dende Bombardement der Franzosen — Bonaparte

hatte gar kein schweres Festungsgeschütz bei sich — hatte aufgehört, und ein großer Haufe dieser eleganten Pflaster= treter, untermischt mit einzelnen Damen der sogenannten Geldaristokratie, stand unweit meines Bataillons, und trieb viele unnützen Reden. Statt daß diese Leute hätten arbeiten sollen, um Anstalten zu treffen, damit das et= waige Bombardement keinen großen Schaden verursachen konnte, trieben sie politische Kannegießereien und wollten eine Deputation an den Gouverneur von Wien senden, damit er die Stadt sogleich übergeben möge. Nament= lich ein frecher Bengel, ein rechter Modegeck von jüdi= scher Abkunft, machte den Hauptredner und hielt solche widerwärtigen Reden über die Barbarei des Krieges, und es sei eine Härte, daß Wien jetzt geopfert werden solle, daß ich schon große Lust hatte, ihn arretiren zu lassen. Als der Haufe noch mitten im besten Berathen war, kam wieder eine feindliche Granate angeflogen, und platzte unschädlich oben in der Luft. In höchster Eile stäubte aber die ganze Versammlung jetzt auseinander, und die meisten hielten einen Wettlauf, um sich wieder in ihre Keller und andere sichere Schlupfwinkel zu ver= kriechen. Diese wirre Flucht aller Herren und Damen, die so eben noch mit ihrem Mundwerk einen solchen Lärm gemacht hatten, sah so komisch aus, daß mein ganzes Grenadier=Bataillon in ein helles Gelächter dar= über ausbrach.

Wir hofften sicherlich, daß am Morgen des 12. Mai ein Ausfall aus Wien unternommen würde, und freuten uns schon auf ein tüchtiges Gefecht; statt dessen traf aber die ganz unerwartete Kunde ein, wieder auf das linke Donau = Ufer zurück zu marschiren und die Brücken hinter uns abzubrennen.

Am 12. Mai capitulirte Wien, und am folgenden Tage hielt Napoleon seinen Einzug in die Residenz des Österreichischen Kaiserstaates. Schon zum zweiten Mal hatte das Glück der Waffen diesen großen Feld= herrn nun dahingeführt.

Ich will nicht untersuchen, wer der eigentliche Ur= heber dieser vorschnellen Capitulation von Wien gewesen ist, und ob der Erzherzog Maximilian wirklich die Hauptschuld daran trägt, wie damals im Heere allge= mein behauptet wurde. Ein Hauptfehler, der durch keine Scheingründe zu rechtfertigen ist, bleibt diese vor= eilige Übergabe aber entschieden. In drei bis vier Ta= gen kam der Erzherzog Carl mit mindestens 40,000 Mann frischer Truppen aus Böhmen heranmarschirt, und dann waren wir immer stark genug, um Bonaparte noch auf dem rechten Donau = Ufer eine Entscheidungsschlacht liefern zu können. Bis dahin hätten wir Wien aber entschieden vertheidigen müssen, da Bonaparte kein schweres Geschütz besaß, und sich gescheut haben würde, einen Hauptsturm zu wagen. Die allgemeine Stimmung

in unſerem Heere war auch für dieſe Vertheidigung,
und der Befehl zum Rückzug erregte große Unzufrieden=
heit unter den Soldaten. Schon die Waffenehre gebot
es, daß an 42,000 Mann Truppen nicht die Burg ih=
res Kaiſers einem tollkühnen Feinde überlaſſen durften,
ohne vorher die hartnäckigſte Vertheidigung derſelben zu
wagen.

Freilich, wenn man den Stimmen der feigen Geld=
leute und der alten Perrücken, denen militairiſche Ehre
etwas völlig Unbegreifliches war, da man es nicht auf
der Börſe verwerthen konnte, Einfluß einräumen wollte,
ſo mußte Wien je früher, je lieber, übergeben werden.
Konnte man dann doch hoffen, daß die „Herren Feinde"
bei ihrem Triumpheinzug in möglichſt guter Laune ſein
und die Weinkeller und Speiſekammern, oder gar die
Geldbeutel ihrer Quartiergeber nicht allzuſehr in An=
ſpruch nehmen würden. Wenn man aber ſolchen Män=
nern, und leider waren ſie auch in den höchſten Kreiſen
nur zu ſehr vertreten, Gewicht beilegen wollte, ſo hätte
Öſterreich überhaupt den Krieg nicht beginnen, ſondern
ohne Weiteres allen übermüthigen Anforderungen des
Herrn Bonaparte demüthigſt genügen müſſen. Was
lag ihnen an Ehre und Nationalſtolz, und ob ihr recht=
mäßiger Kaiſer, oder ein ſiegreicher fremder Abenteurer
in der alten Kaiſerburg herrſche, wenn nur ihre Geld=
beutel gefüllt blieben und ſie ihr gebackenes Hähnel in

aller Behaglichkeit verzehren, und am Abend im Theater
an dem Getriller einer Welschen Sängerin oder den un=
züchtigen Sprüngen schamloser Ballettänzerinnen sich er=
gößen konnten!

Daß aber viele wackere Bürger Wiens, die wirklich
Ehre im Leibe hatten, über diese voreilige Übergabe mit
Recht ergrimmt waren, konnte ich recht erkennen, als
ich in der Morgendämmerung des 12. Mai mit meinem
Grenadier=Bataillon abmarschiren mußte. Vielfache Äu=
ßerungen des Unwillens wurden laut, und besonders die
eigentlichen Arbeiter, diese wackeren Leute, unter deren
groben Hemden oft ungleich mehr von Ehre erfüllte
Herzen, wie unter den Spißenkragen unserer modernen
Aristokratie schlagen, äußerten unverhohlen ihre gerechte
Entrüstung. Wie gern hätten wir Soldaten an der
Seite dieser muthigen Bürger gekämpft, doch schweigen=
der Gehorsam war ja unsere erste und heilige Pflicht.
Unseren stolzen Grenadier=Marsch mochte ich aber bei
diesem Abmarsch nicht schlagen lassen, denn dies kam
mir wie eine Entweihung desselben vor, und ich befahl
daher den Tambouren, den Trauermarsch mit gedämpf=
ten Trommeln zu schlagen. Dieser Befehl hat mir, wie
ich später erfuhr, manche Feindschaft gewichtiger Per=
sönlichkeiten zugezogen.

Am 16. Mai schon langte der Erzherzog Carl mit
seinem Corps am Bisamberge, Wien gegenüber, an und

bewirkte die Vereinigung aller Truppen, so daß jetzt ei=
nige 80,000 Mann unter seinem Befehle standen. Unser
hoher Feldherr, der wahre Vertreter des Ruhms der
Armee des Kaisers von Österreich, soll über diese vor=
eilige Übergabe Wiens im höchsten Grade erzürnt ge=
wesen, und es zu mehreren äußerst heftigen Scenen des=
halb im Hauptquartier gekommen sein. Verbürgen kann
ich dies zwar nicht, unter den Truppen wurde es aber
damals allgemein erzählt, und auch gern geglaubt.

Mit gewohnter Energie hatte Napoleon sogleich
nach der Einnahme von Wien die Vorbereitungen zu
einem Donau=Übergang getroffen, und sein militairischer
Scharfblick ließ ihn erkennen, daß von der Insel Lobau
aus durch die Französischen Truppen am Leichtesten der
Fluß überschritten werden konnte. Er hatte diese große
Insel sogleich in ein befestigtes Lager verwandeln lassen,
wozu sie sich in der That auch vortrefflich eignete, und
konnte nun von da aus einen Übergang über den schma=
len Arm, der die Insel von dem weiten Marchfelde
trennt, leicht unternehmen. Die wunderbare militairische
Kühnheit und Genialität dieses großen Soldaten hatte
sich auch hiebei wieder bewiesen. Bald aber sollte er
auf einen ihm militairisch würdigen Gegner stoßen, und
unser Erzherzog Carl der erste Feldherr sein, der sich
rühmen durfte, auch selbst einen Bonaparte in offener
Feldschlacht besiegt zu haben.

Mem. eines Legit. II.   17

Schon am **20.** Mai war es zwischen den Österreichi=
schen und Französischen Truppen zu sehr lebhaften Ge=
fechten gekommen, die einen für beide Theile im We=
sentlichen unentschiedenen Erfolg gehabt hatten. Mein
Bataillon nahm aber nicht daran Antheil, da es in der
Grenadier = Reserve stand.

In der Frühdämmerung des 21sten traten wir wie=
der unter die Waffen, denn mit Bestimmtheit durfte an
diesem Tage eine blutige Entscheidungsschlacht erwartet
werden. Die Beichte hatte ich wieder in dieser Nacht
abgelegt, und voller Verlangen harrte ich nun des Au=
genblickes, um mein Bataillon in die Schlacht zu füh=
ren. Gegen Mittag begann der Kampf auf allen Thei=
len des weiten Kampffeldes, welches das Marchfeld hier
bildete. Ganz wie zur Völkerschlacht geeignet ist die Be=
schaffenheit dieser Ebene, auf der die großen Heere sich
ungezwungen entwickeln und alle Waffengattungen die
geeignetste Verwendung finden können.

Wenn man als Führer eines Bataillons auf einem
gewissen Punkt der Schlachtlinie festgebannt ist, so geht
der Gesammtüberblick über die Schlacht selbst fast immer
verloren, und man erfährt die meisten Einzelheiten des
Kampfes erst aus nachträglichen Berichten. So ging es
auch mir bei dieser denkwürdigen Schlacht bei Aspern
und Eßling, über welche ich mich daher in dieser Dar=
stellung meiner persönlichen Erlebnisse nur kurz fassen will.

Wir hatten erst bei Seyering in der Reserve gestan=
den und marschirten dann in die Stellung bei Geras=
dorf, welche das Corps des Generals Graf Belle=
garde so eben verlassen hatte, um diesem zur Reserve
zu dienen. Die Armee war in fünf Hauptcorps ein=
getheilt, die auf verschiedenen Seiten angriffen. Mit
schallender Musik und freudigem Rufe: „Hoch unser Erz=
herzog Carl!" marschirten die ersten Regimenter in die
Gefechtslinie, und niemals habe ich Österreichische Trup=
pen mit solchem freudigen Enthusiasmus kämpfen sehen,
wie an diesen Tagen.

Der Kampf war lebhaft, und der Kanonendonner
ließ die Erde unter unseren Füßen erbeben. Alle Waf=
fengattungen beider gegenseitiger Heere kämpften in der
heftigsten Erbitterung und gewaltig war oft der An=
prall, mit dem sie auf einander stießen. Zu unserem
großen Kummer kamen wir Grenadiere an diesem ersten
Tage gar nicht in das Gefecht, sondern blieben ruhig
in der Reserve stehen. Es war dies zwar nothwendig,
aber für uns doch sehr schmerzlich und erregte namentlich
bei mir, der ich während dieses ganzen Feldzuges noch
niemals in den Kampf zu kommen Gelegenheit gefunden
hatte, ein schmerzliches Gefühl.

Um das Gefecht besser übersehen zu können, war ich
eine kurze Zeit etwas vorgeritten, und sah so — wenn
auch freilich aus der Ferne, mit an, wie der Brigade=

General Vacquant mit dem Regiment Vogelsang, das von den Bataillonen der Regimenter Reuß und Rainer unterstützt wurde, das Dorf Aspern erstürmte. Es war dies ein ungemein glänzender Angriff, den keine Truppe der Welt mit größerer Kühnheit ausführen konnte, und der diesen tapferen Bataillonen auf ewige Zeiten Ehre macht. Die Französische Infanterie vertheidigte sich zwar im Dorfe mit gewohnter Tapferkeit und vielgeübter Geschicklichkeit, wurde aber dennoch zuletzt vollständig vertrieben, wobei freilich die Stürmenden große Verluste erleiden mußten. Jetzt rasselte gleich einer von der Abendsonne beschienenen goldenen Gewitterwolke, eine starke Masse Französischer Cürassiere vor. Dieser Ansturm der schwergeharnischten Cürassiere war ein prächtiger Anblick, den ich nie wieder vergessen habe. Ich fürchtete, die schnell formirten Linien unserer Infanterie würden solchen Reitersturm nicht aushalten, und sprengte daher schnell zu meinem Bataillon zurück, in der sicheren Erwartung, daß wir jetzt vorrücken müßten. Mit einer über alles Lob erhabenen Kaltblütigkeit hatte aber die wackere Linien-Infanterie ihr ruhiges Feuer abgegeben, und an der Standhaftigkeit dieser Bataillone zerschellte die Wucht der Cürassiere Bonaparte's, die sich bis dahin für unbesieglich gehalten hatten. Ein lehrreiches Beispiel für alle Zeiten ist hiedurch der Infanterie gegeben worden.

Die Dunkelheit machte allmählich dem ferneren Kampfe ein Ende, obgleich noch bis weit in den Mai = Abend hinein an einzelnen Stellen der Schlachtlinie die Schüsse aufblitzten, ja selbst vereinzelte Kanonenschüsse noch erdröhnten. Wir Grenadiere erhielten noch in der Nacht den Befehl, aus unserer bisherigen Stellung bei Gerasdorf bis nach Breitenklee vorzurücken. Große Freude erregte dieser Befehl bei mir, denn er zeigte einerseits, daß die Schlacht am anderen Tage mit erneuter Kraft fortgesetzt werden sollte, andererseits aber auch, daß wir Grenadiere nun nicht länger in der Reserve bleiben, sondern zum Vorwärtsstürmen selbst mit verwandt werden sollten. Wir waren die einzigen frischen Truppen, die noch nicht im Kampfe gewesen waren, und durften deshalb hoffen, zum entscheidenden Hauptsturm mit verwandt zu werden; was ja auch der Ehrenposten der Grenadiere sein muß.

Sonst war diese Nacht reich an schaurigen Scenen, wie dies stets nach einem blutigen Kampfe der Fall sein wird. Tausende von Verwundeten seufzten nach den Händen der Wundärzte, deren Zahl lange nicht ausreichte, um Allen die gewünschte Hülfe zu bringen. Das Elend des Krieges zeigte sich auch jetzt wieder in seiner ganzen Gräßlichkeit.

Uns entmuthigte dies freilich nicht, und es waren gewiß wenig Grenadiere in meinem Bataillon, die nicht wie ich begierig auf den Befehl zum Angriff harrten.

Der glänzende Erfolg unserer Waffen am vorigen Tage
hatte uns mit Freude erfüllt und unser Selbstvertrauen
ungemein erhöht, zugleich aber auch einen gewissen Neid
erregt, daß wir selbst noch nicht am Kampfe hatten thä=
tigen Antheil nehmen können. Ich entsinne mich noch,
daß ich kurze Augenblicke an einem Bivouakfeuer einge=
schlummert war, alle Augenblicke aber vor Besorgniß in
die Höhe fuhr, Bonaparte könne die Schlacht ab=
brechen und noch in der Nacht den Rückzug nach der
Insel Lobau antreten. Eine unnöthige Furcht von mei=
ner Seite, denn dieser kühne Feldherr war in der That
kein Mann, der so leicht sich die Siegeslorbeeren von
seiner Stirn abreißen ließ und einen Rückzug antrat,
bevor er nicht selbst die äußersten Mittel zur Gewinnung
des Sieges erschöpft hätte.

Schon mit grauender Morgendämmerung mußten
wir wieder unter die Waffen treten, denn der Kampf,
der nur auf wenige Stunden geruht hatte, begann auf's
Neue mit voller Kraft. Die Französischen Garden stürm=
ten gegen Aspern vor, und es gelang ihnen diesmal,
das Dorf oder vielmehr die Ruinen desselben wieder ein=
zunehmen. Bald aber drangen neue Truppen von uns
wieder vor, und ein furchtbares Ringen und Kämpfen
begann um Aspern. Lange Zeit war der Erfolg zwei=
felhaft, und die im wüthendsten Handgemenge begriffenen
Gegner schoben sich immer hin und her, bis sich endlich

die Unsrigen wieder festzusetzen wußten. Die braven Regimenter Benjowsky und Klebeck erwarben sich hier großen Ruhm.

Jetzt erhielten auch wir im Centrum der Schlacht= reihe endlich den längst gewünschten Befehl zum Kampfe. Es war mit der schönste und stolzeste Augenblick, den ich je in meinem Leben gehabt hatte, als der Sturmmarsch ertönte, und ich mein wackeres Bataillon gegen die bit= ter gehaßten Feinde führen durfte. Wie ganz anders schlugen meine Tamboure jetzt, als in jener Nacht bei dem befohlenen voreiligen Abmarsch aus Wien. Ohne einen Schuß zu thun, in festem Schritt und Tritt, stürm= ten wir mit dem Bajonnett gegen das Centrum der feind= lichen Schlachtlinie bei Eßling vor. Ein furchtbares Ka= nonenfeuer der vortrefflich bedienten Französischen Artil= lerie empfing uns bald und zerriß unsere Glieder. Wie Hagelkörner so dicht prasselten die Kartätschkugeln zwi= schen uns. Mir selbst ward meine Säbelscheide von ei= ner Kugel abgerissen und gleich darauf tödtete eine an= dere Kugel mein Pferd. Ich kam jedoch noch glücklich auf die Füße und konnte zu Fuß an dem ferneren Kampf theilnehmen.

Eßling ward von den Franzosen zu hartnäckig und was noch mehr sagen will, zu geschickt vertheidigt, als daß unser Sturm geglückt wäre. Wir führten unsere arg mitgenommenen Truppen zurück, um sie, aus der

feindlichen Kanonenschußweite entfernt, wieder sammeln
zu können. Mein Bataillon hatte arg gelitten und fast
ein Drittel der Mannschaft fehlte in den Gliedern. Der
Erzherzog Carl, der immer an den gefährlichsten oder
wichtigsten Stellen des Schlachtfeldes sich befand, erschien
in unseren Reihen. Sein Anblick, seine Worte entflamm=
ten uns Alle zu neuem Kampf. Begeistert blitzte auch
das Auge dieses edelsten Sohnes des hohen Erzhauses
Österreich, und Wort und That verkündeten bei ihm den
wahren Helden. Eines solchen Führers mußte die Armee
am heutigen Tage sich würdig zeigen, dieser Gedanke· er=
füllte gewiß die Brust fast aller Officiere, ja selbst auch
der meisten Soldaten.

Gerade um 12 Uhr Mittags stürmten wir wieder
in zwei Colonnen gegen das Dorf vor und drangen schon
bis an die einzelnen steinernen Häuser desselben. Mit
ihrer großen Gewandtheit in dergleichen Dingen hatten
die Franzosen aber die meisten, festen, massiv steinernen
Häuser des Dorfes förmlich in kleine Citadellen verwan=
delt und vertheidigten sich darin mit der äußersten Hart=
näckigkeit. Der Verlust von Eßling hätte leicht einen
Theil der Französischen Schlachtlinie von der Donau ab=
geschnitten, so daß diese Truppen dann unwiderbringlich
in Gefangenschaft gerathen oder aufgerieben wären, dies
mußte Bonaparte sehr gut und befahl daher, das
Dorf bis auf das Alleräußerste zu vertheidigen. Trotz

der großen Hartnäckigkeit, mit der wir den Kampf meh=
rere Stunden fortsetzten, vermochten wir Eßling nicht
einzunehmen. Aus den Fensteröffnungen der Häuser schoß
der Feind, wie aus Schießscharten auf uns und viele
brave Soldaten fanden hier ihren Tod.

Der Erzherzog befahl, uns wieder in unsere frühere
Stellung zurückzuziehen, wo wir auf's Neue die Ord=
nung in unseren aufgelösten Gliedern herstellten. Die
Grenadier=Bataillone waren wüthend, daß der wieder=
holte Sturm nicht gelungen sei und wünschten auf's Neue
gegen Eßling vorgeführt zu werden. Der Erzherzog Carl,
an den diese Bitte gerichtet war, schlug solche entschie=
den ab. Mit dem richtigen Blick des geübten Feldherrn
hatte er erkannt, daß die Französische Armee ihren Rück=
zug nach der Insel Lobau doch schon antreten und so=
mit Eßling auch wieder räumen müsse. Ein wüthender
Verzweiflungskampf wäre entstanden, hätten wir den
Sturm abermals versucht und selbst im glücklichsten Fall
wären Hunderte von den Unsrigen dabei gefallen. Das
Österreichische Heer hatte aber durch diesen blutigen Riesen=
kampf zwei Tage hindurch so schon sehr bedeutende Ver=
luste erlitten und somit war es gut, daß derselbe nicht
noch vergrößert wurde, blos um Eßling einige Stunden
früher in unseren Besitz zu bekommen.

Ich will nicht läugnen, daß diese Gedanken der ru=
higen Vernunft mir erst später gekommen sind und ich

17*

im Anfang, als unsere Bitte um Erneuerung des Stur=
mes abgeschlagen wurde, lebhaften Unwillen darüber
empfand. Gerade, daß wir Grenadier=Bataillone, diese
Elite der Infanterie, Eßling nicht hatten nehmen kön=
nen, während die übrigen Linien=Bataillone doch As=
pern erstürmt hatten, dünkte uns besonders empfindlich. •
Freilich war hier bei Eßling früher schon der wiederholte
Ansturm der Truppen aus den Corps der Feldmarschall=
Lieutenants Rohan, Hohenlohe und Davidovich
gescheitert, und es konnte den Grenadieren gewiß auch
nicht das Allermindeste vorgeworfen werden. Doch der
Erfolg entscheidet nur zu häufig das Urtheil, und des=
halb wäre es für das Grenadier = Corps des Feldmar=
schall = Lieutenants d'Aspre sehr wünschenswerth gewe=
sen, wenn gerade ihm die endliche Erstürmung von Eß=
ling geglückt wäre. Es gab deshalb in den nächsten Ta=
gen noch manche ärgerliche Scenen, welche die Sieges=
freude verbittern konnten.

Ermattet von der furchtbaren Blutarbeit der letzten
beiden Tage, ruhte das Österreichische Heer auf der theuer
erkämpften Wahlstatt aus, als Bonaparte noch in
der Nacht vom 22. auf den 23. Mai seinen Rückzug
nach der Insel Lobau wieder antrat. Zum ersten Mal
in seinem Leben hatte er eine von ihm persönlich gelei=
tete Hauptschlacht verloren, und der Erzherzog Carl
war der erste Feldherr gewesen, der eine Lücke in die

Siegesreihe dieses großen Eroberers gerissen. In ruhiger Ordnung traten die Franzosen ihren Rückzug an und unsere Truppen, die mit Ausnahme einiger weniger Bataillone alle in dem Kampf gewesen waren, beunruhigten ihn nicht weiter.

Unsere Verluste waren sehr groß und über 20,000 Mann standen jetzt weniger in den Gliedern als in den Tagen vor der Schlacht. Das von mir geführte Bataillon, welches durch das feindliche Kartätschfeuer sehr gelitten hatte, zählte 85 Todte und 193 Verwundete, darunter 8 Officiere. Mehrere Versprengte fanden sich in den nächsten Tagen noch wieder ein. Gefangene hatte die Österreichische Armee nur einige hundert Mann verloren, dagegen hatten wir an 2000 Französische Gefangene gemacht, wie denn überhaupt der feindliche Verlust ungleich größer, als der unsrige war. Da wir im Besitz des Schlachtfeldes blieben, so fiel uns das Geschäft des Todtengräbers zu, und es sind an 6000 Leichen der Feinde von uns verscharrt worden. So viel Opfer hatte der unersättliche Ehrgeiz Bonaparte's wieder an einem einzigen Tage gefordert.

Ich selbst hatte am nächsten Tage die Aufsicht mit bei dem Zusammensuchen und Begraben der Leichen um Eßling selbst. Auf einem Fleck von noch nicht einer halben Stunde im Umkreis fanden wir allein an 700 Französische Leichen. Nicht ohne tiefe Rührung konnte ich

diese todten Söhne meines armen Vaterlandes, die alle
hier für einen falschen Wahn gefallen waren, betrachten.
Unter den Leichen der Französischen Linien = Infanterie
sah man viele jugendliche frische Gesichter, die den jun=
gen Conscribirten, welche hier sogleich in ihrem ersten
Feldzug auch schon den Kriegertod gefunden hatten, an=
gehörten. Ungleich ältere und bärtigere Gestalten fan=
den sich unter den gefallenen Cürassieren, und bei Man=
chen von diesen bemerkte man noch die Narben früherer
Wunden. So schlecht die Französische Cavallerie im All=
gemeinen auch reitet, so bildeten diese Cürassier = Schwa=
dronen Bonaparte's doch kampfgewöhnte, stolze Schaa=
ren, die eine gewaltige Attaque ausführen konnten. Lei=
der fand ich viele todte Bretagner darunter, die in der
Regel an ihrem eigenthümlichen Gesichtsschnitt erkennbar
waren. Die Meisten derselben trugen ein kleines Kreuz
von Holz an einem dünnen schwarzen Lederriemen auf
der Brust und bei manchen fand sich auch noch ein Ro=
senkranz in der Tasche. So gut es anging, ließ ich alle
diese Bretagner und überhaupt die Soldaten, bei deren
Leichen sich Spuren ihrer Religiosität, z. B. auch ge=
weihte Herzen oder eingeätzte Kreuze auf der Brust vor=
fanden, in ein besonderes Grab auf dem Kirchhofe von
Eßling legen. Ich freute mich, daß diese Frommen doch
wenigstens in geweihter Erde ruhen sollten, wenn sie
auch leider nicht für die Sache ihres rechtmäßigen Kö=

nigs oder für die bedrohten Rechte der Kirche gefallen
waren. Der Anblick einer Leiche erregte mir großen Kum=
mer. Es war die eines Sergeanten eines Französischen
Cüraffier=Regiments, eine starke, feste Gestalt, das ge=
bräunte Antlitz stark mit Bart bewachsen. Auf der Uniform
des Cüraffiers glänzte das Kreuz der Ehrenlegion und
noch im Tode hielt seine Rechte den Griff des wuchti=
gen Pallasches fest umklammert. Die Büchsenkugel eines
Österreichischen Scharfschützen war ihm gerade in die
Schläfe gedrungen, und in kleinen schwarzen Tropfen
siekerte das Blut aus der fast unmerklichen Todeswunde.
Ich trat näher an den so ruhig, als schlafe er einen
sanften Schlaf, daliegenden Todten, und erkannte zu
meinem großen Schmerz einen meiner früheren treuen
Gefährten aus dem Vendéekampf in ihm. Er war aus
unserer alten Familienherrschaft gebürtigt, hatte dann
zu den muthigen Burschen gehört, die mich damals, als
ich nach Paris zur Guillotine geführt werden sollte, aus
den Händen der Gensd'armen befreiten und später sich
in den Vendéekämpfen wiederholt sehr ausgezeichnet. Ver=
wundet war er dabei in die Gefangenschaft der Repu=
blikaner gefallen und mußte so unter die Französischen
Truppen gerathen sein. Ein Rosenkranz in der Tasche
und ein Kreuz um den Hals bewiesen auch jetzt noch die
Frömmigkeit dieses Bretagnischen Cüraffiers. Ein trau=
riges Schicksal, das diesen armen, sonst so treu und

gutgefinnten Sohn unferer Bretagne dazu gezwungen hatte, ein Soldat des Corfen Bonaparte zu werden. Daß er aber auch als folcher wenigftens mit echt Bretagnifchem Muthe geftritten haben mußte, bewies fein Ehrenlegionskreuz.

Die Betrachtungen aller Art, welche dies plötzliche Wiedererkennen der Leiche eines früheren Gefährten bei mir erweckt hatte, trübten mir noch auf einige Tage die innige Freude, die ich fonft mit vollem Recht über unferen Sieg bei Aspern und Eßling empfand.

In den Annalen des Österreichischen Heeres werden der 21. und 22. Mai des Jahres 1809 aber für alle Zeiten in glänzendem Lichte ftrahlen und jeder Soldat, dem das Glück vergönnte, an diefen Schlachten einen ehrenwerthen Antheil nehmen zu dürfen, hat volles Recht, fich darüber zu freuen.

Zehntes Capitel.

Rüftungen im Öfterreichifchen Lager bei Wagram. Übernahme eines Linien-Bataillons. Erwartung des baldigen Kampfes. Die Schlacht bei Wagram am 5. und 6. Juli. Glücklicher Erfolg und heißer Kampf am erften, meine fchwere Verwundung am zweiten Schlachttage. Herftellung in Prag. Nachricht von der Verheirathung Bonaparte's mit der Prinzeffin Marie Luife. Entfchluß, den Abfchied aus Öfterreichifchem Dienft zu nehmen und in Spanien fortan zu kämpfen.

———

Die Leichen, die fonft die Luft bald verpeftet hätten, waren in ungeheure Gruben begraben, die zahlreichen Verwundeten, fowohl Franzöfifche wie Öfterreichifche, nach beften Kräften in die fchnell errichteten Nothfpitäler untergebracht, und unfere ruhmvollen Trophäen — darunter allein einige Taufend Cüraffe — vom Schlachtfelde aufgelefen. Eine ftolze Siegesfreude herrfchte im ganzen Öfterreichifchen Heer, und felbft der dummfte Böhmifche Trainknecht trug den Kopf höher und nahm eine ſtolzere Miene an, wenn er von dieſen glorreichen Schlachttagen ſprach. Man muß ſelbſt Soldat im Felde geweſen ſein und das Kriegsleben aus eigener Erfahrung kennen, um die gewaltige Wirkung, die ſowohl ein Sieg — aber auch auf der anderen Seite eine Niederlage, auf die Stimmung eines ganzen Heeres zu äußern vermag, ſo recht zu würdigen. Es iſt wirklich oft, als ob ganz andere Menſchen da wären, ſolch gewaltiger Unterſchied in Allem herrſcht zwiſchen ſiegreichen und beſiegten Soldaten.

Das linke Donau-Ufer war nun in unſerem ſicheren Beſitz, doch leider Wien damit nicht wieder den Franzoſen entriſſen. Welche traurigen Folgen dieſe unverzeihliche, voreilige Übergabe von Wien hatte, zeigte ſich jetzt nach dieſem Siege bei Aspern und Eßling erſt in ſeiner vollen Bedeutung. Von unermeßlichem Vortheil wäre es geweſen, wenn wir dieſe ſiegreiche Schlacht noch auf dem rechten Donau-Ufer hätten ſchlagen können. Der ganze Krieg hätte dann leicht eine völlig andere Geſtaltung erhalten.

Man hat es dem Erzherzoge Carl von vielen Seiten zum Vorwurfe gemacht, daß er nicht ſogleich in den erſten Tagen nach dem erfochtenen Siege die kriegsmuthige Stimmung der Öſterreichiſchen und die niedergedrückte der Franzöſiſchen Armee benutzt hätte, um den Donau-Übergang zu forciren und nochmals eine Ent-

scheidungsschlacht zu wagen. So weit meine Beurthei=
lung reicht, ist dieser Vorwurf nicht ganz gegründet.
Daß ein sehr waghalsiger, stets zur unbedingten Offen=
sive geneigter Feldherr, wie z. B. Suworow, oder
vielleicht auch Bonaparte, einen Übergang forcirt
haben würde, glaube ich entschieden. Große Opfer hätte
ein solcher zwar gekostet, der Erfolg wäre ein sehr, sehr
zweifelhafter — freilich aber auch, wenn er wirklich ge=
glückt, ein ungemein wichtiger gewesen.

In dem Charakter des Erzherzogs Carl lag aber
zu viel bedächtige Vorsicht, als daß er ein Unternehmen
derartiger tollkühner Wagstücke, bei dem leicht viele
Tausende Soldaten gänzlich nutzlos geopfert werden
konnten, sein wollte. Das Corps, was er hier befeh=
ligte, war das einzige bedeutende Österreichische Heer in
allen Deutschen Provinzen, und ging dies verloren, so
wäre die ganze Monarchie ziemlich wehrlos auf Gnade
und Ungnade dem übermüthigen Sieger preisgegeben
gewesen. Solche ungeheure Verantwortung wollte der
Erzherzog aber nicht übernehmen, ja konnte dies auch
vielleicht selbst beim besten Willen nicht, da seine Macht=
vollkommenheit dazu viel zu sehr beschränkt war.

Der Widerstand der Franzosen war an den zwei
Schlachttagen ein so hartnäckiger gewesen, und unser
Verlust so groß, daß die Armee sich wirklich, trotz ihrer
siegesmuthigen Stimmung, nicht in recht schlagfertigem

Zuſtande befand. Es fehlte an Officieren, Munition und Vorbereitungen aller Art, um ſogleich einen Brücken= übergang zu forciren. An 20,000 Mann mangelten in den Gliedern, und nicht viel über 60,000 Soldaten hätte der Erzherzog Carl in den erſten Tagen nach dem Siege zu einem etwaigen neuen Kampfe verwenden können. Bonaparte hatte aber noch mindeſtens an 70,000 Mann in und bei Wien zur Verfügung, ſelbſt wenn man an= nimmt, daß ihm an 30,000 Mann am 21. und 22. Mai außer Gefecht geſetzt wurden. Die Franzoſen hatten zwar eine unläugbare Niederlage erlitten, aber ihr Rück= zug war in guter Ordnung vor ſich gegangen und eine gänzliche Niedergeſchlagenheit oder gar eingeriſſene Un= ordnung durfte in ihren Gliedern nicht erwartet werden. Wenn die Französiſche Armee von 1809 auch nicht in allen Corps eine gleiche Trefflichkeit, wie die von 1805, mehr beſaß, denn ein Theil ihrer beſten Soldaten ver= blutete ſich jetzt in Spanien für den Ehrgeiz Bona= parte's, ſo war ſie doch ſonſt noch immer im höchſten Grade kriegstüchtig und kriegsmuthig. Sie beſaß noch einen Bonaparte mit unumſchränkter Machtvollkom= menheit an ihrer Spitze, geſchickte, vielgeübte Unteran= führer, und großen militairiſchen Ehrgeiz in ihren Glie= dern. Solch ein Heer, was ſchon ſo viele glänzende Siege ſich erkämpft hatte, wurde durch eine einzige Nie= derlage, wie die bei Aspern, nicht gleich ſo entmuthigt, daß es nicht noch den allerhartnäckigsten Widerstand, besonders in einer Defensiv=Schlacht, in der es sich dann um seine Existenz handelte, entgegen zu setzen ver= möchte. Dazu kommt, daß die örtliche Beschaffenheit der Donau=Ufer einen Übergang im Angesicht des Fein= des vom linken auf das rechte Ufer ungemein gefähr= licher macht, als umgekehrt. Ein Übergang vom rech= ten Ufer aus, wie Bonaparte ihn unternahm, wird durch die vielen, mit Bäumen bewachsenen Auen und Inseln sehr erleichtert.

Alles dies sind die gewichtigen Gründe, die, wie ich glaube, den Erzherzog Carl dazu bewogen, seinen Sieg nicht sogleich in den ersten Tagen nach der Schlacht nach= drücklich zu verfolgen, sondern nach wie vor in der De= fensive zu verbleiben.

Wir bezogen nun ein Hüttenlager auf dem March= felde und das Corps, zu dem ich gehörte, kam ungefähr ein und eine halbe Meile von Eßling entfernt zu stehen. Es galt die eifrigsten Anstrengungen, um die vielen Lücken aller Art, welche die mörderische Schlacht in unseren Reihen angerichtet hatte, wieder auszufüllen. Täglich fast kamen neue Ersatztransporte aus Böhmen, Mähren, Ungarn, Galizien und aus den anderen von den Feinden noch nicht besetzten Theilen der Monarchie bei uns an. Es wurde eifrigst exerciert, manövrirt, or= ganisirt, neu uniformirt, denn vielen Truppen fehlte es an den nothwendigsten Bedürfnissen; kurz es herrschte eine unermüdliche Thätigkeit, um baldmöglichst wieder vollständig gerüstet zu einem neuen Kampfe dazustehen. Auch das bisher in Böhmen gestandene Armee=Corps des Grafen Kolowrat wurde jetzt herbeigezogen, wie auch ebenfalls Böhmische Landwehr=Bataillone bei uns einrückten. Es war dringend nothwendig, das hier ver= sammelte Heer zu verstärken, da auch Bonaparte, der sich inzwischen auf der Insel Lobau immer mehr festge= setzt hatte, von allen Seiten bedeutende Verstärkungen an sich zog. Zu erwarten stand, daß dieser Feldherr mit seiner gewohnten Energie über kurz oder lang wie= der einen Hauptschlag gegen uns ausführen werde, und so galt es, möglichst darauf gerüstet zu sein.

Mitte Juni gab ich die Führung des Grenadier= Bataillons wieder ab, da der frühere Befehlshaber des= selben inzwischen von seiner Wunde soweit wieder ge= nesen war, um mit einiger Anstrengung das Pferd be= steigen zu können. Ich erhielt jetzt ein Linien=Bataillon, und obgleich der Dienst bei den Grenadieren, die nur bewährte Leute hatten, in mancher Hinsicht angenehmer und leichter war, so bedauerte ich in anderer Beziehung diesen Tausch doch nicht zu sehr. Ich hatte jetzt Gele= genheit, mehr auf Vorposten und so eher an den Feind zu kommen, als bei den Grenadieren, die stets sehr ge= schont und in Reserve gehalten wurden, um im letzten

Fall die Hauptentscheidung mit abzugeben. Auch kam ich jetzt mehr mit meinen früheren Regimentskameraden in nähere Berührung, als bei den abgesonderten Gre= nadieren, und dies gewährte mir manche Annehmlichkeit.

Ich war jetzt häufig auf Vorposten, nur durch den schmalen Arm der Donau, der die Insel Lobau vom linken Ufer trennt, von den Franzosen geschieden. Wir konnten in den stillen Nächten auf unseren äußersten Feldwachen sehr oft die frohen Gesänge und munteren Scherze, mit denen die Französischen Truppen die nächt= lichen Wachen sich zu verkürzen strebten, ganz deutlich vernehmen. Es gewährte mir oft ein eigenes, aus Trauer und Freude zugleich gemischtes Gefühl, mich al= lein an die Ufer des schnell dahinrauschenden Flusses zu setzen, um diesen heimathlichen Klängen zu lauschen. Traurige Gefühle, daß mich ein hartes Geschick fort und fort dazu zwang, gegen die Söhne meines Vaterlandes kämpfen zu müssen, wenn ich nicht meinen Grundsätzen ungetreu werden wollte, erfüllten dabei oft meine Brust. Hörte ich dann aber die Töne der Marseillaise oder an= derer republikanischer Lieder, welche die Französischen Truppen auf ihren Feldwachen noch häufig sangen, ob= gleich Bonaparte, der Sohn der Revolution, ihnen dies untersagt hatte, oder den mir noch verhaßteren Ruf: „vive l'empereur Napoleon!" so schwand auch diese wehmüthige Stimmung sogleich wieder. Ich war

dann nur der strenge Legitimist und nicht mehr der Sohn
des entarteten Frankreichs, und erneuerte mein Gelübde,
fort und fort für das heilige Princip der Legitimität zu
fechten, so lange mir Gott in seiner Gnade die Kraft
verlieh, das Schwert in meiner Rechten führen zu können.

Wie es übrigens bei zwei Heeren, die schon eine
entscheidende Feldschlacht gegen einander geschlagen haben
und sich zu einer baldigen neuen wieder vorbereiten, häu=
fig der Fall sein wird, so ruhte der kleine Vorposten=
krieg jetzt bei uns fast gänzlich. Die Soldaten waren
es überdrüssig, sich durch solchen mühseligen Kampf, der
doch keine entscheidenden Erfolge liefern konnte, zu er=
müden, und sie sparten lieber ihre Kräfte für den zu
erwartenden Hauptkampf. Es herrschte mitunter oft eine
Art freundliches Verhältniß zwischen unseren Vedetten
und den Französischen und nur selten kam es zu kleinen
Gefechten. Sehr häufig kamen übrigens Deserteure vom
Heere Bonaparte's zu uns herübergeschwommen. Es
waren dies gewöhnlich Soldaten aus den sogenannten
Rheinbund=Contingenten, oder auch Wallonen aus den
jetzt zu Frankreich geschlagenen Wallonischen Provinzen,
mitunter auch wohl Italiener; äußerst selten aber Na=
tionalfranzosen. Von unserem Heere desertirten nur we=
nige Soldaten, und dann waren dies in der Regel schlechte
Subjecte, die verdiente Strafen für andere Vergehen
fürchteten.

Ein wahrer Festtag war es immer für uns Alle, sowohl Officiere wie Mannschaft, wenn der Erzherzog Carl uns besuchte. Mit wahrhaft begeisterter Stimmung brachten wir dann dem edelen Feldherrn aus voller Brust unser Hoch. Das Wesen des Erzherzogs, der jetzt häufig die Gnade hatte, längere Gespräche mit mir zu führen und mich auch einigemal zur Tafel zu befehlen, mußte auf Jeden einen ungemein gewinnenden Eindruck machen, selbst wenn man nicht den Sieger von Aspern in ihm verehrt hätte. Er zeichnete sich besonders durch eine völlige Einfachheit und Natürlichkeit seines Wesens, wie solche der wahrhaft vornehme Mann besitzt, aus und es war auch nicht das mindeste künstlich Gemachte und Affectirte in ihm. Er war von kleiner, schwächlicher Figur, die aber jetzt mehr Rundung gewonnen hatte, als damals, da ich zuerst die Ehre hatte, ihm vorgestellt zu werden, und saß dabei vortrefflich zu Pferde, wie denn auch alle seine Bewegungen eine große Anmuth zeigten. Aus seinen lebhaften, blauen Augen blitzte Feuer und Begeisterung und sein Blick ließ den hohen Geist, der in diesem zarten Körper wohnte, klar erkennen. Sein großer Muth, den er bei jeder Gelegenheit und besonders noch wieder jüngst bei Aspern, da er mitten im heftigsten feindlichen Feuer die Fahne des in Unordnung gekommenen Bataillons vom Regiment Zach ergriff, zeigte, dabei seine menschenfreundliche Sorgfalt selbst für das Wohlergehen des untersten Soldaten und sein gerechter und standhafter Sinn, hatten ihm die unbegrenzte Verehrung des ganzen Österreichischen Heeres in einem Grade, wie sie vorher nie ein anderer Feldherr besessen hat, erworben. Man brauchte nur die Freudenäußerungen zu vernehmen, welche die neuerbings zu unserem Heere stoßenden Truppentheile ausriefen, daß sie jetzt wieder unter den Befehlen ihres geliebten Erzherzogs Carl stehen durften, um dies so recht zu erkennen. Ich glaube, es gab zu jener Zeit manche einflußreiche Persönlichkeiten im Österreichischen Kaiserstaat, denen diese gar zu große Popularität des Erzherzogs im Heere nicht recht erwünscht war. Neider und heimliche Intriguanten hatte dieser große Mann leider nur zu viele, und zum unermeßlichen Schaden der ganzen Monarchie wurden nur zu oft manche seiner Befehle nicht in der Art ausgeführt, wie er es bestimmt hatte.

Am Abend des 30. Juni wurden wir plötzlich von Kanonendonner allarmirt. Es war ein furchtbar heißer Tag gewesen, ich hatte fast den ganzen Tag über Rekruten exercieren lassen und war eben in der Feldhütte auf meiner Streu sehr ermüdet eingeschlummert, als mich der Kanonendonner wieder aufweckte. Mein Bataillon, das an dem Tage mit auf Vorposten war, stand sogleich unter den Waffen, denn wir erwarteten einen ernsthaften Kampf. Es kam aber diesmal noch nicht dazu und

das Ganze beschränkte sich auf eine gegenseitige Kano=
nabe zwischen unseren Batterien bei Eßling und den auf
der Mühlen=Insel in der Donau aufgefahrenen schweren
Französischen Geschützen.

Wir blieben noch zwei Tage völlig zum Kampf ge=
rüstet, es kam jedoch nicht dazu, denn Bonaparte
glaubte noch nicht, daß die rechte Stunde zu einem er=
neuerten Angriff gekommen sei.

Am 3. Juli gegen Mittag marschirten wir mehr zu=
rück und bezogen ein Hüttenlager unweit Wagram. Wa=
rum diese mehr rückgängige Bewegung geschah, und wir
Bonaparte somit Gelegenheit ließen, bei einem etwai=
gen Übergang seine Truppen bequem auf dem linken Ufer
aufstellen zu können, bevor er zum eigentlichen Angriff
schritt, habe ich nie recht begreifen können.

Die Französische Armee, durch mehrere herbeigezo=
gene Corps verstärkt, betrug jetzt an 130,000 Mann
Infanterie, 18,000 Mann verfügbare Cavallerie und
nahe an 600 Geschütze, während unser Generallissimus
nur an 96= bis 98,000 Mann Infanterie, 13,000 Mann
Reiterei und höchstens 450 Geschütze zur Schlacht ver=
wenden konnte. Die Österreichische Cavallerie war zwar
geringer, sonst aber entschieden besser, als die Franzö=
sische, während die Österreichische Artillerie nicht allein
an Stärke, sondern auch an Tüchtigkeit für die Schlacht
weit hinter der Französischen zurückstand. Unsere Ar=

tilleriſten bewieſen ſich zwar ſehr muthig, theoretiſch un=
gemein geſchickt unb ſchoſſen, wenn ſie erſt einmal am
Plaße angekommen, auch ſicher, waren ſonſt aber unge=
mein langſam unb pebantiſch. Bonaparte hatte bie
verwegenſten Solbaten mit zu Fahrkanonieren gemacht
unb bieſen einen erhöhten Rang gegeben. Die Franzöſiſchen
Batterien jagten oft in vollem Galopp in bie Schlacht=
linie, als wollten ſie eine Cavallerie = Attaque mitmachen;
bei ber Öſterreichiſchen hingegen biente ber Ausſchuß ber
Rekruten, bie kein Regiment haben wollte, als Train=
knechte; bie Kerle hatten keinen Ehrgeiz, wollten nicht
gern in bas Feuer unb bie armen Artillerie = Officiere
mußten oft mit bem flachen Säbel auf ihre Fahrknechte
hauen, um bieſe nur ſchnell vorwärts zu bringen. So
manövrirte bie Franzöſiſche Artillerie, bieſe ſtolzeſte Waf=
ſengattung bes Heeres, ungleich ſchneller, als bie Öſter=
reichiſche unb ſeiner zahlreichen unb trefflichen Artillerie
hat Bonaparte ebenfalls wieder weſentlich ben Ge=
winn ber Schlacht bei Wagram zu verbanken. Seine
Infanterie focht biesmal theilweiſe nur ſehr mittelmäßig,
beſonders auch bas Corps von Bernabotte, ben bie
Schweden wahnſinniger Weiſe ſpäter zu ihrem Könige
machten.

In ber Nacht vom 4. auf ben 5. Juli tobte ein ſo
heftiges Gewitter, wie ich ſolches in Deutſchland ſelten
geſehen habe, über bas weite Marchfelb. Der Regen

ergoß sich in Strömen hernieder und die nur mitunter durch zuckende Blitze weithin erhellte Finsterniß war so groß, daß man kaum seinen Nebenmann erkennen konnte. Kein Bivouakfeuer vermochte bei diesem Unwetter zu brennen, keine Laubhütte gewährte Schutz gegen den eindringenden Regen, und fröstelnd und durchnäßt lagen wir Alle auf unseren nassen Lagern. Es hatte am Nachmittag wieder eine heftige Kanonade zwischen den Französischen Geschützen auf der Insel Mühlau und unseren Batterien statt gefunden und „Stadt=Enzersdorf" auf dem linken Donau=Ufer war dabei in Brand geschossen.

Gegen zwei Uhr Morgens wurde plötzlich bei uns Allarm geschlagen und wir mußten noch in all' dem Unwetter unter das Gewehr treten, blieben aber sonst ruhig aufmarschirt dastehen. Was Niemand für möglich gehalten hätte, war geschehen; Bonaparte hatte gerade dies Unwetter benutzt, um an zwei verschiedenen Stellen einige tausend Mann über die Donau gehen zu lassen. Nur ein so energischer Feldherr, wie Bonaparte, konnte solch' Wagstück unternehmen, nur so gut eingeübte, an schnelles und ineinandergreifendes Ausüben der schwierigsten Befehle gewöhnte Truppen, wie es die Französischen Pontonniers, Voltigeurs und Grenadiere damals waren, einen so gefährlichen Übergang in solcher dunkelen Nacht glücklich ausführen. — Um 3 Uhr Morgens standen 40,000 Mann auserlesene Französische

Truppen in zusammengedrängter Stellung bei Mühl=
leithen und auf sechs inzwischen geschlagenen Schiff=
brücken marschirten unablässig die übrigen Truppen her=
über. Bonaparte hatte wieder eines der vielen mili=
tairischen Meisterstücke, an denen sein Feldherrnleben so
überreich ist, ausgeführt.

Um vier Uhr Morgens, als die Frühsonne das fin=
stere Gewölk der Nacht zerstreut hatte und nach all dem
Unwetter ein schöner, heiterer Julitag zu erwarten stand,
ertönte auf's Neue der Donner des schweren Geschützes,
dem sich bald auch das Knattern der Gewehrsalven bei=
mischte. Ein entscheidender Tag war zu erwarten, das
mußte bald uns Allen einleuchten, und ich bedauerte sehr,
daß ich in letzter Nacht keine Gelegenheit gehabt hatte,
die heilige Beichte abzulegen, wie ich es so gern vor
jeder Schlacht zu thun pflegte.

In raschem Sturmschritt, unter wirbelndem Trom=
melschlag und schmetternder Feldmusik drangen die Fran=
zösischen Truppen nun vorwärts und warfen unsere er=
sten Brigaden zurück. Die Dörfer Aspern und Eßling,
jene Blutstätten des Kampfes am 21. und 22. Mai,
waren bald von den Feinden eingenommen. Unsere Stel=
lung war zu weit ausgedehnt, unsere Truppen standen
an den vielen bedrohten Punkten, die sie hatten decken
sollen, zu schwach aufgestellt, und so mußten die Feinde,
die in dichten Keilen vorwärts drangen, bald Terrain

gewinnen. Der Erfolg in den erſten Stunden des 5. Juli war entſchieden günſtig für Bonaparte geweſen, und es kam nur darauf an, ob er die gewonnenen Vortheile auch auf die Länge würde behaupten können.

Wir waren jetzt unweit des Dorfes Wagram auf= marſchirt, und da die Ebene ſich ſanft abwärts ſenkte, konnten wir einen großen Theil der Kampflinie von un= ſerem erhöhten Platz aus bequem überſehen. Beſonders feſſelten wiederholte Reitergefechte, die ich durch mein Handfernglas deutlich erkennen konnte, meine Aufmerk= ſamkeit. Der Fürſt Liechtenſtein machte mit ſeinen Cavallerie = Regimentern prächtige Attaquen und warf namentlich Deutſche Cavallerie (ich glaube es war Säch= ſiſche), die zum Corps Bernadotte's gehörte, tüchtig zurück. Die zahlreiche Franzöſiſche Artillerie, die mit großer Schnelligkeit und Entſchloſſenheit vorging, gab auch hier wieder den Ausſchlag, und ihr wohlgerichtetes Feuer zwang endlich die Cavallerie des Fürſten Liech= tenſtein zum Rückzug.

Das Franzöſiſche Geſchützfeuer war uns inzwiſchen ſchon ſo nahe gerückt, daß einzelne Kanonenkugeln über die Köpfe der Soldaten hinwegſauſten, ohne jedoch ſon= derlichen Schaden anzurichten. Nur ein Marketender= karren, der ſich unvorſichtig in die Schußlinie gewagt hatte, wurde hinter meinem Bataillon von einer Zwölf= pfünderkugel ſammt Pferd und Menſchen hinweggeriſſen.

Jetzt erschien der Erzherzog Carl vor der Front
unserer Bataillone. Wie glänzte das Auge unseres ho=
hen Feldherrn so feurig, welche Ruhe thronte auf seiner
Stirn; ganz so wie ein Erzherzog vom edlen Hause
Habsburg=Lothringen im feindlichen Schlachtenfeuer aus=
sehen muß, war seine Erscheinung. Mit Jubel begrüß=
ten seine getreuen Soldaten ihren Feldherrn mitten im
Donner der feindlichen Kanonen.

Ein Theil unserer Infanterie hier wurde jetzt in
Plänklerketten aufgelöst und den Abhang hinunter be=
ordert, um den Rußbach gegen die feindlichen Angriffe
zu vertheidigen. Leider schossen die damaligen Kommiß=
gewehre der Österreichischen Infanterie so schlecht und
wir hatten dazu viele Rekruten, die noch ganz unge=
schickte Schützen waren, in den Gliedern, und so rich=
tete unser Feuer keinen großen Schaden an.

Starke Französische Colonnen drangen immer leb=
hafter vor, und unsere Plänkler mußten den Rand des
Rußbaches verlassen.

Die Französische junge Garde, an ihren Uniformen
erkennbar, war inzwischen über den Rußbach gegangen
und stürmte gegen uns an. Die hier aufgestellte In=
fanterie, zu der auch mein Bataillon gehörte, empfing
den Feind jedoch mit großer Standhaftigkeit, und es
kam zu einem lebhaften Handgemenge mit dem Bajon=
nett. Jetzt hatte ich selbst während dieses ganzen Feld=

zuges zum erſten Mal Gelegenheit, von meinem treuen
Pallaſch einen gehörigen Gebrauch zu machen, und hieb
einen Franzöſiſchen Corporal, der mit dem Bajonnett
nach mir ſtieß, zuſammen. Unſere Infanterie, begeiſtert
durch die Anweſenheit ihres hohen Feldherrn, der mit=
ten im heftigſten Handgemenge ſich befand, focht vor=
trefflich, und wir drängten die feindlichen Colonnen mit
dem Bajonnett zurück. Das tapfere Chevauxlegers=Re=
giment Vinant, früher als Latour ſo hoch berühmt, in
dem noch ein tüchtiger Stamm jener alten kriegsgewohn=
ten Walloniſchen Reiter diente, kam uns bald zu Hülfe,
und trieb die ſchon erſchütterten feindlichen Truppen
förmlich in Unordnung wieder über den Rußbach. Schöne
Augenblicke, die mir noch jetzt unvergeßlich ſind, waren
es, als wir unter Trommelklang und Hurrahgeſchrei
avancirten. Wir machten jetzt viele Gefangene, ja er=
beuteten ſogar einen Regimentsadler, den die Franzoſen
ſonſt ſtets mit großer Hartnäckigkeit zu vertheidigen pfleg=
ten, wie man denn überhaupt einem Theil der feindlichen
Infanterie ſehr anmerken konnte, daß ſich viele Rekruten
in ihren Reihen befanden.

Die Dunkelheit machte leider unſerem Weitervor=
rücken ein nur zu frühes Ende, denn bis jetzt war die
Öſterreichiſche Armee Sieger geblieben und Bonaparte
hatte die anfänglich errungenen Vortheile wieder aufge=
ben müſſen.

Vier Französische Divisionen waren entschieden zu=
rückgeworfen, ja sogar theilweise in Unordnung geflohen,
und namentlich hatte Bernadotte mit einem Theile
seiner Truppen eine empfindliche Schlappe erlitten. Nur
die Garde Bonaparte's blieb wie immer fest und un=
erschütterlich und ihr Stand bei Raßdorf gab während
der Nacht den theilweise in Verwirrung geflohenen feind=
lichen Truppen einen neuen Stützpunkt. Hätte der Erz=
herzog nur noch 15,000 frische Soldaten als Reserve
gehabt, ich bin überzeugt, wir hätten wieder einen so
glänzenden Sieg, wie vorher bei Aspern und Eßling,
uns erkämpft.

Bis auf das Äußerste ermüdet, lagerten wir uns an
den Ufern des Rußbaches und suchten die wenigen Stun=
den der kurzen Rast zur Herstellung der erschöpften Kräfte
zu benutzen. Daß dabei einem Bataillons = Comman=
deur, auf den eine Menge der verschiedenartigsten Ge=
schäfte sich zusammendrängten, keine Zeit zum Schlaf,
dem die gemeine Mannschaft sich hingeben konnte, übrig
blieb, war natürlich. Kaum gewann ich so viel Muße,
um einige Bissen Brod und Wurst und einige Gläser
Wein aus der Feldflasche, die erste Nahrung, die ich
innerhalb 24 Stunden genossen hatte, zu mir zu neh=
men. Und doch, wie wohl und kräftig fühlte sich auch
jetzt mein Körper, denn die bisher erkämpften glückli=
chen Erfolge hatten ihm neue Spannkraft verliehen. Welche

schöne Hoffnungen erfüllten in jener Nacht meinen Geist und wie bald wurden sie abermals wieder gänzlich ver= nichtet. — An den schaurigen Scenen, die jedem blutigen Schlachttage stets als finstere Nachtgespenster folgen, fehlte es natürlich auch diesmal wieder nicht. Beson= ders rötheten hohe Flammensäulen aus mehreren rings= umher brennenden Dörfern den dunklen Himmel. Ein ehrwürdiger Feldcaplan vom Regiment Colloredo, den sein frommer Eifer hierher auf die Blutstätte geführt hatte, den vielen Sterbenden die letzten Augenblicke ih= res Lebens zu erleichtern, nahm auch mir die heilige Beichte ab. Als Beleuchtung bei dieser Handlung diente der Flammenschein einiger brennenden Häuser des Dor= fes „Wagram." Ich konnte nach abgelegter Beichte und empfangener Absolution wieder ungleich ruhiger dem Tod in das Antlitz schauen.

In der Nacht noch erhielten wir die Befehle für die blutige Arbeit des kommenden Morgens. Der Erzher= zog Carl hatte trotz der Minderzahl seines Heeres den kühnen, aber auch richtigen Entschluß gefaßt, seinem Gegner Bonaparte zuvorzukommen, selbst die Offen= sive zu ergreifen und die Franzosen wo möglich von der Lobau abzuschneiden und in das weite Marchfeld zu werfen. Leider sollen die Ausführungen dieses sehr com= plicirten und ausgedehnten Manövers nicht immer so schnell und sicher in einander gegriffen haben, wie es

18*

dieser treffliche Plan des Erzherzogs verdiente. — Unser Heereshaufen, der den geringsten Weg zu machen hatte, da er im Centrum kämpfen mußte, trat erst um 4 Uhr, als schon der Morgen angebrochen war, unter die Waffen. Wir waren Alle des besten Muthes und hofften sicher auf einen Sieg, wie den bei Aspern. Unsere Schlachtaufstellung war eine gleiche wie die an jenen siegreichen Tagen, nämlich in Bataillons-Colonnen mit Plänklern voran, zu zwölf Gliedern Tiefe. Mein Bataillon, das am letzten Tage an Todten, Verwundeten und Vermißten 117 Mann verloren hatte, zählte jetzt noch 714 Combattanten in sechs Compagnien in den Gliedern.

Die Schlacht begann, als eben die Sonne aufgegangen war, nach dem vorgeschriebenen Plan, und es mußte Bonaparte eigenthümlich erscheinen, daß sein Gegner ihm diesmal zuvorgekommen war und die Offensive ergriffen hatte. Wir im Centrum kamen noch nicht sogleich in das Feuer, da das Gefecht sich auf den Flügeln zuerst entwickelte. Der Erzherzog, von seinem Stabe umgeben, sprengte an unserer Front entlang. Der freudige Hochruf aller Soldaten mußte dem edlen Feldherrn zeigen, mit welch muthigem Vertrauen seine Truppen auch heute wieder in den Kampf gingen, um Österreichs Kaiserfahnen neue Ehre zu erringen. — Wir rückten nun bald zwischen den Dörfern Aderkla und Wagram vor, um die Franzosen aus ihrer Stellung bei Rasdorf zu vertreiben. Ein heftiges Französisches Geschützfeuer empfing uns bald und zerriß unsere Reihen, so daß wir anfänglich wieder zurückgehen mußten. Vergebens suchte die Österreichische Artillerie hier der Französischen gegenüber Widerstand zu leisten, da sie in numerischer Hinsicht viel zu schwach hierzu war.

Auf allen Flügeln unserer Schlachtlinie entspann sich jetzt der heftige Kampf, überall dröhnte der Kanonendonner, knatterten die Flintenschüsse und der dicke Pulverdampf versperrte nach allen Seiten hin die freie Aussicht. Eine der blutigsten Schlachten unseres Jahrhunderts hatte jetzt in voller Stärke wieder begonnen.

Der Erzherzog Carl, der inzwischen die ganze Österreichische Linie beritten hatte, kam in dem gefährlichen Augenblick, da unsere erschütterten Linien schon zu wanken begannen, wieder bei uns an. Der Anblick ihres geliebten Führers, der hoch zu Rosse so ruhig im heftigsten feindlichen Kartätschenfeuer hielt, als sei für ihn gar keine Gefahr vorhanden, brachte unsere Bataillone wieder zum Stehen, die Glieder ordneten sich wieder, und abermals marschirten wir vorwärts. Uns gerade gegenüber hatte Bonaparte seinen Standpunkt, und leitete von hier, als der wichtigsten Stelle der Schlachtlinie, den ganzen Kampf. Mit seiner gewohnten Energie und richtigen Beurtheilung der Verhältnisse,

ließ er nun **60** Geschütze seiner Garde = Artillerie in einer
einzigen großen Batterie zusammenfahren und ihr Feuer
gegen uns richten. Es war wirklich, als ob die Hölle
ihren Schlund aufgethan hätte, um uns Alle zu ver=
derben, so bonnerte und krachte und sauste es um uns
herum. Noch waren wir im Vorrücken, und wenn auch
unsere Glieder schon über die Hälfte gelichtet waren, so
stürmten die wackeren Reste doch immer noch vorwärts.

Jn diesem Augenblick traf mich eine feindliche Kar=
tätschenkugel unterhalb der Brust und riß aus den Rip=
pen einen Fetzen Fleisch mit fort. Jch griff mit beiden
Händen in die Mähnen meines Pferdes, um mich wo
möglich noch im Sattel zu erhalten; allein es ward mir
dunkel vor den Augen, meine Sinne schwanden und ich
stürzte vom Pferde.

Von dem, was ferner nun mit mir vorging, hatte
ich keine klare Anschauung mehr, sondern fühlte nur ei=
nen brennenden Schmerz in meiner Wunde und ein
Getobe von Menschen um mich herum. Später merkte
ich, daß ich aufgehoben und fortgetragen wurde, ohne
daß ich jedoch die Augen dabei öffnete oder ein Wort
sprach. — Unter den Händen eines Arztes, der mit blu=
tigem Messer an meiner Wunde umherschnitt, erwachte
ich später zu einigem Bewußtsein und schlug die Augen
wieder auf. Jch lag auf einem Tische in einer Bauern=
stube, die von einigen Kiehnfackeln erhellt wurde; an

meiner Seite stand mein treuer Bediente, der stets eine seltene Anhänglichkeit an mich bewies, während rings= umher zahlreiche Verwundete unter den Messern der Ärzte ächzten und wimmerten.

Meine erste Frage war, wie es mit der Schlacht stände, und ob wir solche gewonnen hätten. Mein Be= diente schwieg, und dieß Schweigen erfüllte mich mit banger Ahnung, denn im Fall eines Sieges würde er mir ihn sogleich jubelnd verkündet haben. Nochmals frug ich in großer Hast und verlangte in jedem Fall eine bestimmte Antwort. Ein Feldscheerer, der neben mir einem verwundeten Husaren einen breiten Hieb ver= band, antwortete mit spöttelnder Stimme: „Nun; avan= ciren thun wir gerade nicht, sondern üben uns einmal wieder im Retiriren." Der höhnische Ton, mit dem die= ser Mensch diese Trauerkunde aussprach, und der freche Ausdruck seines gemeinen Gesichtes dabei, das gerade durch den Schein einer Fackel recht hell beleuchtet wurde, machte einen solchen widrigen Eindruck auf mich, daß ich ihn nie wieder vergessen habe.

Mein Bediente merkte dies und sagte: „Wir ziehen uns aber in sehr guter Ordnung zurück, und unser Ba= taillon hat bis zum letzten Augenblick standhaft gefoch= ten." Dankbar drückte ich dem treuen Menschen, dessen freundliche Absicht bei diesen tröstlichen Worten ich gut erkannte, die Hand.

Ein Hauptmann eines Grenz = Regiments, der sich inzwischen seinen zerfeßten Arm hatte verbinden laffen, kam nun zu mir heran, und theilte mir den Verluft der Schlacht und den in guter Ordnung statt findenden Rückmarsch unseres Heeres in der Richtung auf Znahm mit. Mehr als meine Wunde, in welcher der Arzt eine eingedrückte Rippe wieder aufgerichtet hatte, schmerzte mich diese Trauerkunde. So waren so herrliche Hoff= nungen sogleich bei ihrem Entstehen wieder vernichtet, und ein begonnener Sieg hatte sich abermals in eine Niederlage verwandeln müssen. Es war wirklich, als ob diesem Bonaparte dämonische Kräfte schüßend zur Seite stehen müßten, so sehr glückten alle, selbst seine gewagtesten Pläne.

Unseres Bleibens in dem überfüllten Bauernhause durfte nicht länger sein, denn es stand zu erwarten, daß die Franzosen beim Beginn des nächsten Tages allmäh= lich weiter nachrücken würden. Mehrere Schwerverwun= dete, bei denen ein Weitertransport nur eine nußlose Quälerei gewesen wäre, wurden zurückgelassen, und der Gnade der nachmarschirenden Franzosen übergeben, die anderen aber auf Bauerwagen oder leere Pulverkarren .eng zusammengepackt und weiter gegen Olmüß zu fort= gefahren.

Die Sorge meines treuen Bedienten, theils vielleicht auch mein Rang als Stabs = Officier, verschaffte mir ein

kleines Bauerwägelein, auf dessen Stroh ich mit einem
verwundeten Hauptmann gelegt wurde. Mein Bedien=
ter ritt auf meinem Packpferd, was gerettet war, ne=
ben dem Wagen. Später, als das Bauerpferd ermüdet
war, spannten wir mein eigenes Roß ein.

Die Fahrt war sehr schmerzlich und angreifend und
die Stöße des Wagens in dem ausgefahrenen Wege
bereiteten mir viele Qualen. Ich lag im heftigsten Wund=
fieber, so daß ich nur ein unklares, dumpfes Bewußt=
sein hatte und nicht genau wußte, was um mich her
vorging. Da in Olmütz und überhaupt in Mähren,
wohin die Armee des Erzherzogs Carl in fester Ordnung
zurückmarschirte, voraussichtlich alle Lazarethe überfüllt
sein mußten, so hatte ich gebeten, mich gleich nach Prag
fahren zu lassen, wo ich hoffen durfte, eine bessere Pflege
zu finden. Die Fahrt, die an acht Tage dauerte, denn
wir machten nur kleine Tagereisen und rasteten auch in
Iglau, war sehr angreifend und gänzlich erschöpft langte
ich in der alten Böhmischen Königshauptstadt an.

Das Spital der „Barmherzigen Brüder" nahm mich
in seine stillen Mauern, in denen schon so viele Schmer=
zen ihre Linderung und Heilung gefunden hatten, gast=
lich auf. Meine Wunde, die sich durch die Fahrt ver=
schlimmert hatte, war gefährlich und schmerzlich und die
Heilung sehr langwierig, da sich besonders eine starke
Eiterung absetzte. Über acht Wochen durfte ich mein

Lager gar nicht verlassen und konnte später auch noch geraume Zeit keine enganliegende Uniform tragen und vor Schwäche nur auf einen Stock gestützt, umhergehen. Mein Körper bot jetzt überhaupt schon eine gute Samm= lung von Wunden dar.

Was waren aber alle diese körperlichen Leiden gegen die grausamen Schmerzen, welche meine Seele jetzt wie= der empfinden mußte. Der Waffenstillstand nach dem blutigen Gefechte bei Iglau, in dem die Österreichische Armee wieder ihren alten Ruhm bewährte, der Rück= tritt des Erzherzogs Carl von dem Obercommando des Heeres und nun gar der unheilvolle Friede von Wien, waren gar traurige Nachrichten, welche viele, viele bit= tere Stunden mir brachten. Welchen Trost flößten dann die frommen Mönche meinem Herzen ein, wenn ich an dem endlichen Sieg des Rechts gegen die Revolution im= mer mehr zu verzweifeln begann. Nicht allein die Lin= derung meiner körperlichen, sondern auch die meiner gei= stigen Schmerzen, verdanke ich ihren segensreichen Be= mühungen.

Der härteste Schlag, der mich treffen konnte, war aber die verbürgte Nachricht, der Kaiser von Österreich habe beschlossen, in die Verbindung seiner Tochter Ma= rie Luise mit Napoleon einzuwilligen. — Als ich zuerst von diesem Gerüchte hörte, hielt ich das Ganze für einen schlechten Scherz frivoler Witzbolde und ver=

bat mir ernstlich die Wiederholung desselben. Bald aber
sollte ich zu meinem Entsetzen vernehmen, daß eine Toch=
ter des Monarchen, dem ich zu bienen die Ehre hatte,
wirklich das Ehebette Bonaparte's besteigen mußte.
Ich bin kein Diplomat und kann also nicht darüber ur=
theilen, ob die Beweggründe zu einem solchen unnatür=
lichen Bunde wirklich so gewichtig waren, daß er statt
finden mußte; was ich aber damals darüber dachte und
auch jetzt noch denke, will ich lieber auszusprechen un=
terlassen.

An dem Tage, als die Verlobung Napoleon's mit
der Tochter des edlen Hauses Habsburg=Lothringen öf=
fentlich proclamirt wurde, reichte ich mein Entlassungs=
gesuch aus dem Österreichischen Militairdienst ein. Es
kostete mir dieser Schritt schwere Opfer, denn ich liebte
das Österreichische Heer ungemein, fühlte mich heimisch
in der Mitte meiner tapferen Kameraden und hatte mich
schon immer mehr mit dem Gedanken vertraut gemacht,
mein ganzes ferneres Leben bei ihnen zuzubringen, da der
Sieg der Legitimität in Frankreich Ende 1809 wirklich
ungemein zweifelhaft war. Meinen Grundsätzen gemäß
durfte ich aber nicht länger ein Officier des Schwieger=
vaters von Bonaparte bleiben, und ich hätte mich selbst
innerlich verachten müssen, wenn ich nur einen Augen=
blick in meinem Entschlusse schwankend gewesen wäre.
Wie leicht hätte ich nun zu Ehrendiensten bei diesem

Manne commandirt werden können, ja selbst unter Trup=
pen, die seine Sache mit verfechten sollten, dienen müs=
sen. Wie erbärmlich wäre ich mir aber vorgekommen,
wenn irgend etwas auf der Welt mich hätte jemals zu
einer solchen Verläugnung meines Princips bewegen kön=
nen. — Ich hatte mein Abschiedsgesuch ohne irgend wei=
tere Nebenwünsche eingereicht. Der mir persönlich sehr
gewogene Oberst unseres Regiments rieth mir, um
Entlassung mit Charakter und Pension einzukommen,
was mir besonders in Rücksicht auf meine bei Wagram
erhaltene schwere Wunde sicherlich bewilligt worden
wäre.

Ich wollte dies aber nicht, denn ich wäre dann in
einer gewissen Abhängigkeit von Österreich geblieben und
hätte keine anderweitigen Dienste nehmen dürfen. Meine
Absicht war jetzt, nach Spanien zu gehen und wo mög=
lich dort gegen die Schaaren Bonaparte's zu kämpfen.
Mit hoher Begeisterung hatte ich stets bisher von der
Treue des edlen Spanischen Volkes für sein legitimes
Herrscherhaus und von seinem muthigen Kampfe gegen
die aufgedrungene Herrschaft des Französischen Usurpa=
tors gelesen und wünschte mich nun mit allen meinen
Kräften daran zu betheiligen. So kam ich denn ganz
einfach um meinen Abschied ein und verzichtete dabei aus=
drücklich auf alle weiteren Ansprüche. In ehrenvollen
Ausdrücken erhielt ich den verlangten Abschied und zu=

gleich auch einen Orden zur Anerkennung meiner Dienste im Österreichischen Heere.

Als ich zum letzten Male den Degen mit dem Kaiserlichen Officierportepee umgürtete, ward mir unendlich schwer im Herzen, und ein tiefes Gefühl der Wehmuth übermannte mich. Ich hatte bisher so gern und wie ich hoffe, auch mit Ehren unter den Fahnen Österreichs gedient, so manche frohe, aber auch wieder traurige Stunden darunter verlebt, zählte so viele wackere Kameraden, treue Freunde und anhängliche Untergebene in den Reihen des Heeres und mußte jetzt dies Alles, wahrscheinlich für immer, verlassen. Gerade in dieser Stunde des Abschieds fühlte ich erst recht, wie sehr mir das Heer des Kaisers von Österreich an das Herz gewachsen war. Und doch gebot die Pflicht jetzt dies Scheiden!

Meine Regimentskameraden zeigten mir zuletzt noch, daß sie mich nicht ungern in ihrer Mitte gehabt hatten, und der Abschied war ungemein herzlich. Da mein Pistolenhalfter mit den Pistolen in der Schlacht bei Wagram verloren gegangen war, so schenkte mir das Officiercorps des Regiments ein Paar sehr werthvolle Pistolen von dem berühmten Kuchenreuther, mit einer auf den Kolben eingravirten Widmung.

Sehr nahe ging mir auch der Abschied von dem treuen Burschen, den ich seit neun Jahren unaufhörlich um mich gehabt hatte. Der ehrliche Linzer heulte wie ein Kind,

und war gern bereit mir, wohin ich es wünsche, zu fol=
gen, da er seine Capitulation bereits längst abgedient
hatte. Meine beschränkten pecuniären Mittel und die
ungewisse Aussicht auf meine Zukunft gestatteten mir
leider nicht, ferner einen eigenen Bedienten zu halten
und so mußte ich sein Anerbieten denn ausschlagen, so
unangenehm mir dies auch war. Mein ganzes irdisches
Hab und Gut, über welches ich frei verfügen konnte, betrug
jetzt kaum 8000 Gulden Münze. Dabei hatte ich nicht die
geringsten Aussichten auf eine gesicherte Zukunft, war
40 Jahre schon alt und trug über ein halbes Dutzend
und zum Theil schwere Wunden an meinem Körper. Ich
befand mich also wahrlich in keiner glänzenden Lage und
doch fühlte ich eine gewisse innere Befriedigung, meiner
Pflicht genügt zu haben.

Ich wollte über England nach Spanien gehen, mußte
mich aber zu diesem Zwecke zu dem Umwege über Schwe=
den entschließen, da jede Communication vom Festlande
nach England untersagt war. Den Monat Januar des
Jahres 1810 brachte ich noch in Töplitz zu, um die
dortigen warmen Quellen für meine Wunden zu gebrau=
chen, die mir denn auch in der That gute Dienste leisteten.

Ende Januar fuhr ich mit dem Postwagen über Dres=
den und Berlin nach Greifswald, um mich dort nach
Gothenburg einzuschiffen. Die Reise war langweilig und
beschwerlich und die Seefahrt auf einem schlechten, schmuzi=

gen Schwedischen Schiff bei stürmischer See ungemein ge=
fährlich. In Sachsen traf ich viele Begeisterung für Bona=
parte an, besonders auch unter den Officieren, was mich
empörte und bald in einen verdrießlichen Streit mit einem
Sächsischen Cürassier = Officier, der auf die Österreicher
schmähte, verwickelt hätte. Desto bitterer war aber der
Haß auf die Tyrannei Bonaparte's, den ich in Preu=
ßen in allen Ständen antraf. Allgemein hörte ich die
schwache Politik des Cabinets, die den Anschluß an Öster=
reich im Frühling 1809 verhindert hatte, verwünschen.
Auch in der Preußischen Armee schien jetzt ein ungleich
besserer Geist, als früher zu herrschen und man es be=
griffen zu haben, wie man es anfangen müsse, um end=
lich Bonaparte zu besiegen.

In den ersten Tagen des April 1810 langte ich auf
Englischem Boden an und beeilte mich, dem Könige Lud=
wig XVIII., den ich, seit ich mich in Mitau bei ihm
beurlaubte, um als Adjutant bei Suworow einzutre=
ten, nicht wieder gesehen hatte, meine Aufwartung zu
machen und um Empfehlungen nach Spanien zu bitten.

Inhalt des zweiten Bandes.

Druckfehler des ersten Bandes.

S. 204, Zeile 13 von unten ist hinter »kam ich« einzuschalten: »am
Rhein.«
S. 204, 205 und 207 muß es heißen statt: »General v. Blücher«
stets: »Oberst v. Blücher.«
S. 305, Zeile 4 von unten muß es statt: »500 Mann« heißen:
»5000 Mann.«
S. 334, Zeile 4 von unten muß es statt: »milden« heißen: »wilden.«
S. 336, Zeile 6 von oben muß es statt: »Hunde« heißen: »Hände.«

Gedruckt bei E. Krämer in Potsdam.